EL JUEGO DE LA MENTE

CHRISTINE FEEHAN

EL JUEGO
DE LA MENTE

Titania Editores
ARGENTINA - CHILE - COLOMBIA - ESPAÑA
ESTADOS UNIDOS - MÉXICO - PERÚ - URUGUAY - VENEZUELA

Título original: *Mind Game*
Editor original: The Berkley Publishing Group, published by the Penguin
 Group New York
Traducción: Mireia Terés Loriente

1.ª edición Enero 2013

Copyright © 2004 by Christine Feehan
All Rights Reserved

Copyright © 2013 de la traducción *by* Mireia Terés Loriente
Copyright © 2013 *by* Ediciones Urano, S. A.
 Aribau, 142, pral. – 08036 Barcelona
 www.titania.org
 atencion@titania.org

ISBN: 978-84-92916-3?4
E-ISBN: 978-84-9944-?6-5
Depósito legal: B. 30.524-2012

Fotocomposición: Moelmo, SCP
Impreso por: Romanyà-Valls – Verdaguer, 1 – 08786 Capellades (Barcelona)

Impreso en España – *Printed in Spain*

Para mi querida hermana, Mary, con mucho amor. La esperanza siempre brilla, incluso en nuestra hora más sombría. De algún modo, siempre lo has sabido.

Simbología de los Soldados Fantasma

SIGNIFICA
sombra

SIGNIFICA
protección contra
las fuerzas malignas

SIGNIFICA
la letra griega *Psi*, que los investigadores
parapsicológicos utilizan para referirse
a la percepción extrasensorial
u otras habilidades psíquicas

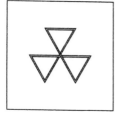

SIGNIFICA
cualidades de un caballero:
lealtad, generosidad,
valor y honor.

SIGNIFICA
caballeros en la sombra que protegen
de las fuerzas malignas
mediante los poderes psíquicos,
el valor y el honor.

Nox noctis est nostri
La noche es nuestra

El credo de los Soldados Fantasma

Somos Soldados Fantasma, vivimos entre las sombras.
El mar, la tierra y el aire son nuestro entorno.
No dejaremos atrás a ningún compañero caído.
Nos regimos por la lealtad y el honor.
Somos invisibles para nuestros enemigos
y los destruimos allá donde los encontramos.
Creemos en la justicia y protegemos a nuestro país
y a aquellos que no pueden hacerlo.
Lo que nadie ve, oye ni sabe
son los Soldados Fantasma.
Entre las sombras existe el honor, nosotros.
Nos movemos en absoluto silencio,
ya sea por la jungla o por el desierto.
Caminamos sin ser vistos ni oídos entre nuestro enemigo.
Atacamos en silencio y desaparecemos
antes de que descubran nuestra existencia.
Recopilamos información y esperamos con paciencia infinita
el momento idóneo para impartir justicia rápida.
Somos compasivos y despiadados.
Somos crueles e implacables en nuestra ejecución.
Somos los Soldados Fantasma y la noche es nuestra.

Capítulo 1

*E*stá claro que no quiere colaborar, otra vez —gruñó el doctor Whitney mientras garabateaba algo con rabia en la libreta, con una clara mezcla de exasperación y frustración—. No vuelvas a dejarle sus juguetes hasta que decida trabajar. Ya he aguantado bastantes tonterías.

La enfermera dudó.

—Doctor, no es una buena idea tratar a así a Dahlia. Puede llegar a ser muy... —Hizo una pausa mientras buscaba la palabra adecuada—. Difícil.

Aquello llamó la atención del doctor. Levantó la mirada de los papeles y la impaciencia se convirtió en interés.

—Le tienes miedo, Milly. Cuatro años y te da miedo. ¿Por qué?

Su tono escondía algo más que un mero interés científico. Escondía entusiasmo.

La enfermera siguió mirando a la niña a través de la ventana de cristal. La niña tenía el pelo negro, brillante, grueso y largo, y lo llevaba suelto y enredado. Estaba sentada en el suelo, balanceándose hacia delante y hacia atrás, aferrada a una manta y gimoteando. Tenía unos ojos enormes, negros como la noche y penetrantes como el acero. Milly Duboune hizo una mueca y apartó la mirada cuando la niña dirigió esos ojos negros y experimentados hacia ella.

—No puede vernos a través del cristal —dijo el doctor Whitney.

—Sabe que estamos aquí. —La enfermera bajó la voz y habló casi en un susurro—. Es peligrosa, doctor. Nadie quiere trabajar con ella.

No nos deja que la peinemos ni que la mandemos a la cama, y no podemos castigarla.

El doctor Whitney arqueó una ceja con un gesto de auténtica arrogancia.

—¿Tan asustadas estáis todas? ¿Por qué nadie me ha informado?

Milly dudó, con el miedo reflejado en la cara.

—Sabíamos que le exigiría más. Y no tiene ni idea de lo que desencadenaría. No presta atención a las niñas después de decirnos lo que tenemos que hacer con ellas. A Dahlia le duele todo. No la culpamos cuando le da un berrinche. Desde que usted insistió en que las separásemos, muchas están demostrando señales de gran incomodidad o, como en el caso de Dahlia, un gran dolor. No come ni duerme bien. Es demasiado sensible a la luz y al sonido. Está adelgazando. Tiene el pulso acelerado y nunca se relaja. Llora incluso cuando duerme. Y no es el lloro de una niña, sino un lloro de dolor. Nada de lo que hemos intentado ha servido.

—No hay ningún motivo para que sienta dolor —le espetó el doctor Whitney—. Consentís mucho a estas niñas. Y tienen una misión; una misión mucho más importante de lo que te puedas imaginar. Vuelve a entrar y dile que, si no coopera, le quitaré todos los juguetes y la manta.

—La manta no, doctor Whitney, es lo único a lo que se aferra. Es lo único que la calma. —La enfermera meneó la cabeza y se apartó de la ventana—. Si quiere quitarle la manta, entre y hágalo usted mismo.

El doctor Whitney estudió la desesperación de los ojos de la mujer con objetividad clínica. Le hizo un gesto para que volviera a entrar en la habitación.

—A ver si consigues, de forma cariñosa, que colabore. ¿Qué es lo que más desea?

—Que la volvamos a poner en la misma habitación que Lily o Llama.

—Iris. Se llama Iris. No infravalores su personalidad únicamente porque sea pelirroja. Ya supone un problema suficientemente grande con ese carácter que tiene. Lo último que queremos es que Iris y esta se junten —dijo, señalando a la niña morena—. Dile que si hace lo que le pido podrá estar un rato con Lily.

Milly respiró hondo y abrió la puerta que comunicaba con la habitación.

—¿Dahlia? Mírame, cariño —dijo Milly, en un tono amoroso—. Tengo una sorpresa. El doctor Whitney dice que si haces algo realmente bueno para él, podrás pasar un rato con Lily. ¿Te gustaría pasar el resto de la tarde con Lily?

Dahlia se aferró a la vieja manta y, con la mirada solemne, asintió. La enfermera se arrodilló a su lado y alargó la mano para apartarle el pelo de la cara. La niña enseguida apartó la cabeza, aunque sin miedo, sencillamente para evitar el contacto físico. Milly suspiró y dejó caer la mano.

—Muy bien, Dahlia. Prueba algo con una de las pelotas. A ver qué puedes hacer con ella.

Dahlia volvió la cabeza y miró directamente al doctor a través del cristal polarizado.

—¿Por qué ese hombre siempre nos está mirando? ¿Qué quiere? —Parecía una adulta en lugar de una niña.

—Quiere ver si puedes hacer algo especial —respondió la enfermera.

—No me gusta.

—No tiene que gustarte, Dahlia. Sólo tienes que enseñarle lo que sabes hacer. Sabes que puedes hacer cosas maravillosas.

—Pero me duele cuando las hago.

—¿Dónde te duele? —La enfermera también se volvió hacia el cristal, con un gesto de preocupación.

—La cabeza. La cabeza me duele mucho y no puedo hacer que pare. Lily y Llama consiguen que pare.

—Pues haz algo para el doctor y podrás pasar la tarde con Lily.

Dahlia se quedó sentada en silencio, sin dejar de balancearse y con los dedos aferrados con fuerza a la manta. Tras el cristal polarizado, el doctor Whitney contuvo el aliento y garabateó algo muy deprisa en su libreta, intrigado por la actitud de la niña. Parecía que estaba sopesando los pros y los contras y tomando una decisión sensata. Al final asintió, como si le estuviera haciendo un favor inmenso a la enfermera.

Sin decir nada más, Dahlia colocó su diminuta mano encima de una de las pelotas y empezó a dibujar círculos encima. El doctor Whitney se acercó a la ventana para observar las líneas de concentración de su cara. La bola empezó a girar y se levantó hasta rozar la palma de la mano de la niña. Dahlia la movió hasta la punta del dedo índice sin dejar de darle vueltas en el aire en una increíble demostración de su fenomenal habilidad para controlarla con la mente. Una segunda esfera se unió a la primera en el aire, girando sobre ellas mismas muy deprisa. Parecía muy sencillo. Dahlia parecía concentrada, aunque no al cien por cien. Miró a la enfermera, y luego hacia el cristal, con gesto casi aburrido. Mantuvo las bolas girando en el aire uno o dos minutos.

De repente, dejó caer la mano y se agarró la cabeza con fuerza, apretándose las sienes con las palmas. Las bolas cayeron al suelo. Estaba pálida y tenía unas arrugas blancas alrededor de los labios.

El doctor Whitney maldijo en voz baja y apretó un interruptor.

—Que lo haga otra vez. Y con tantas pelotas como pueda. Quiero que lo haga durante un tiempo para poder cronometrarla.

—No puede, doctor. Le duele —protestó Milly—. Tenemos que llevarla con Lily. Es lo único que puede ayudarla.

—Sólo lo dice para salirse con la suya. ¿Cómo van Lily o Iris a aliviarle el dolor? Es ridículo, sólo son niñas. Si quiere ver a Lily, tendrá que repetir el experimento y esforzarse un poco más.

Se produjo un breve silencio. La niña ensombreció el gesto. Sus ojos se convirtieron en dos círculos negros. Clavó la feroz mirada en el cristal.

—Es malo —le dijo a la enfermera—. Muy malo.

El cristal empezó a quebrarse dibujando una gigantesca tela de araña. En el suelo, cerca de Dahlia, había al menos diez pelotas de distintos tamaños. Todas empezaron a girar en el aire muy deprisa antes de golpear una y otra vez contra la ventana. El cristal se rompió y cayó al suelo. Pequeños pedazos de cristal empezaron a volar por los aires hasta que, unos segundos después, pareció que estuvieran nevando esquirlas de vidrio.

La enfermera gritó y salió corriendo, cerrando la puerta tras ella. Las paredes se abombaron hacia fuera con la terrible ira de la cara de la niña. La puerta crujió contra las bisagras. Las llamas prendieron y subieron por las paredes, rodearon el marco de la puerta con colores rojos y naranjas intensos, y avanzaron como una tormenta. Todo lo que podía moverse se elevó y empezó a girar como si estuvieran en el ojo de un huracán.

Y, mientras tanto, el doctor Whitney seguía observando, maravillado ante el poder de la ira de la niña. Ni siquiera se movió cuando varios trozos de cristal le cortaron la cara y su impecable camisa quedó manchada de sangre.

La doctora Lily Whitney-Miller apagó el vídeo y se volvió hacia el reducido grupo de hombres que había estado observando la cinta con el mismo embelesamiento que el doctor Whitney. Respiró hondo y soltó el aire muy despacio. Siempre le resultaba difícil observar a su padre comportándose de aquella forma tan monstruosa. Por mucho que viera las cintas de su trabajo, no relacionaba a ese hombre con el padre tan cariñoso que había tenido.

—Esta, caballeros, era Dahlia a los cuatro años —anunció—. Ahora tendrá un par de años menos que yo y creo que es la que he localizado.

Se produjo un impresionante silencio.

—¿Tenía todo ese poder con tan sólo cuatro años? ¿Una niña de cuatro años? —El capitán Ryland Miller rodeó a su mujer con el brazo para tranquilizarla, porque sabía cómo se sentía cuando veía los experimentos que su padre había realizado. Miró fijamente la imagen de la niña morena de la pantalla—. ¿Qué más tienes sobre ella, Lily?

—He encontrado más cintas. Corresponden a una joven que recibe una instrucción especializada en algún tipo de misión. Estoy convencida de que se trata de Dhalia. El código de mi padre es distinto en estos libros y la persona que instruyen recibe el apodo de *Novelty*

White. Al principio, no lo entendía, pero mi padre ponía a cada una de las niñas con las que experimentaba el nombre de una flor. Cuando se habla de dahlias se suele hablar de dahlias nuevas. Creo que, en estos experimentos, ha cambiado Dahlia por Novelty. Estas cintas pertenecen a la preadolescencia y la adolescencia. Es una joven excepcional, con un alto coeficiente intelectual, mucho talento y unas habilidades psíquicas tremendas, pero las cintas son duras porque no está protegida de los ataques externos y nadie le ha enseñado a hacerlo.

—¿Cómo es posible que haya sobrevivido en el exterior sin escudos? —preguntó uno de los hombres que estaba sentado entre las sombras.

Lily volvió la cabeza hacia él, suspirando. Nicolas Trevane siempre parecía vivir entre sombras, y era uno de los Soldados Fantasma que la ponían nerviosa. Estaba sentado tan inmóvil que parecía confundirse con el entorno y, sin embargo, cuando entraba en acción, explotaba y se movía tan deprisa que costaba seguirle la pista. Pasó parte de la niñez en una reserva india con el pueblo de su padre, y luego diez años en Japón con la familia de su madre. Su rostro siempre parecía impenetrable. Tenía los ojos negros, inexpresivos y fríos, y a Lily la asustaban casi tanto como el hecho de que fuera un francotirador, un reconocido tirador capaz de las misiones más letales y secretas.

Lily agachó la cabeza para no tener que mirarlo a los ojos.

—No lo sé, Nico. Tengo pocas respuestas más que hace unos meses. Todavía me cuesta entender por qué mi padre experimentó primero con niñas y luego lo repitió con vosotros. Y en cuanto a esta pobre chica, a esta niña que virtualmente torturó, si entiendo bien las notas, creo que más adelante la entrenaron para trabajar para el gobierno y que es posible que aún la sigan utilizando.

—Eso no es posible, Lily —protestó Ryland—. Ya viste lo que nos pasó a nosotros cuando intentamos actuar sin un ancla. Dijiste que tu padre había intentado aplicarnos descargas eléctricas. Ya sabes cuáles son los resultados. Hemorragias cerebrales, dolor intenso, ataques. No es posible. Se habría vuelto loca. El experimento del doctor Whitney nos abrió el cerebro y nos dejó sin barreras ni filtros naturales. Éramos adultos y ya estábamos entrenados, pero estás hablando de una niña intentando sobrellevar exigencias imposibles.

—Seguro que la llevaron al límite —asintió Lily. Levantó la libreta—. He descubierto un sanatorio privado en Louisiana propiedad del Whitney Trust. Lo llevan las Hermanas de la Piedad. Y tienen una paciente, una joven. —Miró a su marido—. Se llama Dahlia Le Blanc.

—¿Me estás diciendo que tu padre compró una orden religiosa? —preguntó Raoul «Gator» Fontenot. Se santiguó—. Jamás hubiera creído que las monjas pudieran formar parte del paripé de Whitney.

Lily le sonrió.

—En realidad, Gator, creo que las monjas son ficticias, igual que el sanatorio. Creo que, en realidad, es una tapadera para esconder a Dahlia del mundo. Como única directora de todos los fondos de mi padre, he podido indagar y, aparentemente, es la única paciente y, aparte del fondo que cubre todos sus gastos, existe otro con una cantidad considerable a su nombre con ingresos regulares. Los ingresos coinciden con entradas en los diarios de mi padre que reflejan que sospechaba que el gobierno de Estados Unidos la utilizaba para determinadas misiones. Por lo visto, él dio el visto bueno a que la instruyeran, pero cuando descubrió que era demasiado difícil para ella, la trasladó al sanatorio y, como siempre, cuando las cosas se torcieron, la abandonó sin ningún tipo de seguimiento. —Su voz reflejaba cierta amargura—. Creo que intentó crear un lugar seguro para ella, igual que cuando construyó esta casa para mí.

Ryland bajó la cabeza y rozó el pelo negro de su mujer con la barbilla.

—Tu padre era un hombre brillante, Lily. Tuvo que aprender a querer, porque de pequeño nadie le enseñó.

Eran unas palabras que le repetía muy a menudo desde que habían descubierto que el doctor Whitney no sólo había experimentado con Lily, a la que había eliminado los filtros del cerebro para aumentar sus habilidades psíquicas y que no era su hija biológica, como le había hecho creer, sino que, además, era una de las muchas niñas que había «comprado» en orfanatos extranjeros.

Se produjo otro silencio. Tucker Addison silbó. Era un hombre alto y corpulento, con la piel oscura, ojos marrones y una sonrisa contagiosa.

—Lo has hecho, Lily. La has encontrado. Y es una Soldado Fantasma como nosotros.

—Antes de dejarnos llevar por la euforia, creo que deberíais ver estas otras cintas que he encontrado sobre su entrenamiento. Todas están marcadas con el nombre Novelty.

Hizo un gesto a su marido para que conectara el vídeo.

Lily contuvo el aliento. Estaba convencida de que Dahlia y Novelty eran la misma persona.

—Según los registros, aquí Novelty tiene ocho años. —La niña tenía el pelo grueso y negro como las alas de un cuervo. Lo llevaba recogido en una desaliñada trenza que le caía hasta la cintura como una cuerda. La cara delicada, como el resto de su cuerpo, y ese pelo grueso que parecía que la dominaba—. Estoy segura de que es la misma. Miradle la cara. Los ojos son los mismos.

Lily tenía la sensación de que la niña se escondía del mundo detrás de aquella masa de sedoso pelo. Parecía exótica, con rasgos asiáticos. Como a todas las demás niñas desaparecidas, el doctor Whitney la había adoptado en el extranjero y la había traído a su laboratorio para reforzar sus habilidades psíquicas naturales.

En el vídeo, la niña estaba encima de una barra de equilibrios. Se movía con soltura. Ni siquiera miraba el suelo. Corría de un lado a otro como si fuera una calle ancha en lugar de una estrecha barra de madera. No se detenía al final de la barra, saltaba, aterrizaba de pie y seguía corriendo como si nada. Era demasiado pequeña para llegar a la barra desde el suelo, pero no parecía importarle. Saltaba hacia el techo, con los brazos estirados, encogía el cuerpo cuando alcanzaba las barras y se subía con agilidad.

Una expresión generalizada de asombro desveló a Lily que todos los hombres estaban atentos a las imágenes. Dejó que la cinta avanzara. La niña no dejaba de hacer cosas increíbles. A veces, reía a carcajadas, con lo que todos fueron conscientes de que estaba sola en la habitación con el único testigo de las cámaras para captar su espectacular actuación. Lily esperó a que llegara el final de la cinta y la reacción que sabía que se produciría. Podría verla un millón de veces y seguiría sin creer lo que veían sus ojos.

La niña escaló por una red de cinco metros de altura y corrió por el suelo hasta el último obstáculo: un cable que iba de un lado a otro de la habitación y que estaba a un par de metros del suelo. Novelty clavó la mirada en el cable mientras corría, con un gesto claro de concentración. El cable empezó a ponerse rígido y, en cuanto la niña puso un pie encima de él, se había convertido en una gruesa cuerda, muy tensa, que le permitió cruzarla corriendo y bajar de un salto mientras se reía.

Cuando Ryland paró la cinta, todos se quedaron en silencio.

—¿Alguno de vosotros puede hacer eso?

Todos menearon la cabeza.

—¿Cómo lo ha hecho?

—Tiene que estar manipulando la energía. Todos lo hacemos, aunque a menor escala —dijo Lily—. Ella puede ir un paso más allá y sin que le cueste demasiado. Apostaría que ha generado un campo antigravitatorio para hacer levitar el cable. Podría hacerlo convirtiendo la parte inferior del cable en un superconductor, de forma psicokinética, y aplicando la técnica Li-Podkletnov de girar los núcleos de los átomos de la parte inferior para generar un campo antigravitatorio suficientemente fuerte para elevarlo. Y eso explicaría cómo lo ha cruzado con tanta facilidad, ¡como si estuviera bailando! —Lily se volvió para mirar a los hombres, con los ojos llenos de emoción—. ¡Estaba flotando! El mismo campo antigravitatorio ha reducido su propio peso a casi nada.

—Lily. —Ryland meneó la cabeza—. Lo estás haciendo otra vez. Explícanoslo con un lenguaje normal.

—Lo siento. Cuando me emociono me dejo llevar —admitió ella—. Es que es increíble. He estado revisando las investigaciones sobre este tema y lo más sorprendente es que ella hace con la mente lo que un par de científicos apenas han empezado a experimentar en el laboratorio: generar antigravedad. Aunque ella lo hace mucho mejor y, por lo visto, puede hacerlo siempre que quiera. La enciende y la apaga de una forma que los científicos están a años luz de conseguir. Además, ellos, y yo misma, darían lo que fuera para saber cómo lo hace a temperatura ambiente. De hecho, en el laboratorio tienen que reducir la temperatura varias decenas de grados bajo cero para crear los superconductores.

—¿Antigravedad? —repitió Gator—. ¿No es algo inverosímil?

—¿Y lo que hacemos nosotros no lo es? —preguntó Nicolas.

—Bueno, al principio yo también creí que era imposible —admitió Lily—. Pero si como yo hubierais visionado estas cintas cientos de veces, os habríais fijado en pequeños detalles. Mirad, rebobinemos hasta cuando cruza el cable y lo veremos a cámara lenta. ¿Lo veis? ¿Justo cuando el cable empieza a tensarse? —Señaló el punto exacto donde tenían que mirar—. Fijaos en esto, en el techo que hay encima del cable, ¿veis el hilo eléctrico que conecta las dos luces? Mirad, se ha movido hacia arriba, ¡un centímetro! ¿Lo veis? Y vuelve a su sitio cuando Dahlia salta del cable. Es exactamente lo que esperarías encontrar si hubiera un campo antigravitatorio que se extendiera hacia arriba desde el cable.

Lily señaló la imagen de la niña congelada en la pantalla.

—Miradla, se está riendo. No se está agarrando la cabeza con dolor. —Introdujo otra cinta en el reproductor—. Aquí abre las cerraduras tan deprisa que, al principio, pensé que había alguna máquina.

La cinta mostraba una enorme cámara acorazada con un complejo sistema de cerraduras. Los pestillos se deslizaban muy rápido y los seguros giraban y se abrían como si todo formara parte de un programa informático muy avanzado. La cámara enfocaba únicamente la puerta principal, de modo que nadie supo que Dahlia estaba allí hasta que oyeron una alegre risa infantil cuando consiguió abrir la puerta. Lo había hecho con la mente.

Lily se volvió hacia los hombres.

—¿No es increíble? Ni siquiera ha tocado la cámara acorazada. Primero sopesé algunas teorías, como la clariaudiencia, pero eso no justificaba la velocidad a la que había abierto la puerta. Y al final lo entendí. ¡Estaba intuyendo directamente y disfrutando del estado de mínima entropía del sistema de seguros de la cámara!

Lily parecía tan triunfante que a Ryland le supo mal estropearle el momento de gloria.

—Cariño, me alegro mucho por ti. De verdad que sí. Pero es que no he entendido nada de lo que has dicho. —Miró a su alrededor con la ceja arqueada. Los demás menearon la cabeza.

Repiqueteó los dedos en la mesa mientras fruncía el ceño.

—Muy bien, a ver si encuentro una manera de explicároslo. ¿Sabéis cuando los ladrones de las pelis pegan el estetoscopio a la puerta de la caja fuerte mientras giran la rueda?

—Claro —dijo Gator—. Me encantan esas pelis. Escuchan cómo los seguros encajan en su sitio.

—No es así exactamente, Gator —lo corrigió Lily—. Lo que escuchan es una disminución del sonido. Cada número que pasa hace un ruido, pero, cuando un seguro encaja, el ruido es ligeramente menor. Por eso lo primero en lo que pensé fue en la clariaudiencia que, como sabéis, es como la clarividencia, que implica ver cosas lejanas con la mente, aunque aquí se trataría de oír cosas lejanas con la mente.

—Pero no crees que esté haciendo eso, ¿verdad? —preguntó Nicolas.

Lily meneó la cabeza.

—No, tuve que descartar esa teoría. No explica la increíble velocidad. Además, descubrí que la cámara acorazada de la imagen, como la mayoría que se fabricaron a partir de los años sesenta, tiene todo tipo de sistemas de seguridad, como seguros de nailon y protectores auditivos que las convierten en impenetrables mediante la audición.

—Entonces, Dahlia no lo hace a través del sonido —dijo Nicolas.

—No —confirmó Lily—. Me quedé intrigada y sin respuestas durante un tiempo. Pero, en mitad de la noche, se me ocurrió una explicación mucho más sencilla: literalmente «siente» cómo cada palanca encaja en su sitio. Pero hay más. Creo que tiene una repelencia emocional por la entropía en los sistemas que es lo que le confiere tanta velocidad.

—He vuelto a perderme, Lily —dijo Ryland.

—Lo siento. La segunda ley de la termodinámica dice que la cantidad de entropía, o desorden, del universo tiende a aumentar a menos que se evite. Esta segunda ley está presente en todas partes. Un jarrón se rompe en pedazos. Nunca veréis un montón de pedazos unirse para formar un jarrón. Sobra decir que una casa siempre se ensucia, nunca se limpia. Y los seguros, como están hechos para saltar, siempre saltan libremente si no los cerramos. Es la segunda ley de la termodinámica en acción: si no ponemos remedio, el desorden aumenta. La explicación más plausible que se me ocurre es que Dahlia es una parte de la naturaleza que va en sentido contrario a la segunda ley. Es decir, le encanta el orden y detesta la entropía.

—Es aplicable a muchas personas. Rosa es una fanática de la limpieza y el orden —dijo Gator, en referencia al ama de llaves de casa de Lily—. Y la cocina tiene que estar impecable. No nos atrevemos a tocar nada.

Lily asintió.

—Cierto, pero el caso de Dahlia es mucho más acentuado. Porque, como es psíquica, obtiene placer cuando intuye que los seguros encajan. Y lo hace tan deprisa porque abre las cerraduras a nivel sensorial e intuitivo, motivada por el placer. Pensad en lo deprisa que apartamos la mano del fuego cuando empezamos a sentir dolor, o cómo reacciona la rodilla cuando la golpeamos con un martillo. Son respuestas reflexivas; no implican pensar, y la mano que se quema lo agradece, porque el pensamiento es mucho más lento.

—Yo puedo abrir cerraduras sencillas —admitió Ryland. Miró a Nicolas—. Y tú también. Pero debo admitir que pienso mientras lo hago. Tengo que concentrarme.

—Y ninguno de nosotros puede abrir cerraduras de ese calibre ni a esa velocidad —comentó Nicolas. Tenía la mirada pegada a la pantalla—. Es increíble.

—Estoy de acuerdo, Nico —dijo Lily—. De momento, la única explicación que le encuentro es que encaja los seguros de forma psicokinética como si se tratara de un acto reflejo. Su mente pensante no la detiene; cada vez que consigue encajar un seguro su sistema nervioso la recompensa con un momento de placer instantáneo... Bueno, por eso rió con tanta intensidad cuando abrió la puerta de la cámara. Para ella fue el mejor premio del mundo. —Tragó saliva y apartó la mirada—. A mí me pasa lo mismo con las fórmulas matemáticas. Mi mente tiene que estar continuamente trabajando en ellas y me emociono cuando todo encaja.

Nicolas silbó.

—Ya veo por qué el gobierno querría que trabajara para ellos.

Lily se tensó.

—Sigue siendo una niña que se merece una infancia. Debería haber estado jugando.

Nicolas volvió la cabeza muy despacio y la miró con aquellos ojos negros y fríos.

—Es exactamente lo que parece que está haciendo, Lily. Jugar. Estás enfadada con tu padre, y tienes todo el derecho del mundo. Pero intentó hacer por ella lo mismo que por ti. Tu cerebro tenía que trabajar constantemente con problemas y fórmulas matemáticos; esta chica necesitaba otro tipo de trabajo, pero está claro que lo necesitaba tanto como tú. ¿Por qué nadie la adoptó?

Hablaba con voz monótona, pero con peso y autoridad. Jamás levantaba la voz, pero siempre lo escuchaban.

Lily reprimió un escalofrío.

—Quizás el problema me resulta demasiado familiar —asintió—. Y podrías tener razón. Parece que es capaz de hacer todo esto sin dolor. A pesar de todo el trabajo que he realizadoo y los ejercicios que hago a diario para ser más fuerte, todavía sufro unos intensos dolores de cabeza cuando hago un uso excesivo de la telepatía.

—Pero quizá no eras una telépata natural. Tienes otros talentos increíbles. A mí cuando uso la telepatía, no me duele nada —dijo Nicolas.

—Lily, dijiste que las cintas de la niña era difíciles de ver —intervino Tucker—, pero en esta parece que está bien.

Lily asintió.

—Las cintas que muestran su entrenamiento me costaron especialmente. La que estáis a punto de ver demuestra sus tremendas habilidades y lo peligrosa que puede llegar a ser... y el precio de sus talentos.

El pasillo que apareció en la imagen era muy estrecho, un laberinto que se suponía que representaba varias habitaciones de una casa. A la izquierda de la pantalla iban apareciendo pequeñas imágenes de una docena de habitaciones. De repente, vieron a una mujer morena y menuda que avanzaba en silencio por el pasillo. Avanzó varios pasos por el pasillo y se detuvo. Parecía que estaba escuchando o concentrándose. Los observadores podían ver a un corpulento hombre escondido tras las cortinas en una de las habitaciones y un segundo hombre agarrado a las vigas del techo, justo encima del primero, preparados para una emboscada.

La mujer era menuda, con el pelo negro, liso y brillante, recogido en una descuidada cola de caballo. Llevaba ropa oscura y avanzaba con movimientos elegantes, fluidos y sigilosos. Cuando se detuvo, pareció que se confundía con las sombras, una imagen tan borrosa que parecía que pertenecía a la pared. Los que estaban mirando la cinta tuvieron que parpadear varias veces para no perderla de vista.

—Puede desdibujar su imagen para engañar a cualquiera que la esté mirando —dijo Ryland, atónito—. Nos iría muy bien aprender cómo se hace.

—Se necesita una concentración increíble —comentó Lily—. Pero le pasa factura. Ya se ha frotado las sienes dos veces y, si la miráis de cerca, está sudando. Está claro que puede sentir las emociones de los que la esperan para atacarla. He observado su formación en artes marciales. Leía la mente de su adversario y se anticipaba a sus movimientos antes de que los ejecutara. Utilizaba sus habilidades psíquicas y físicas.

—No va armada —señaló Nicolas.

—No, pero no lo necesita —le aseguró Lily.

Observaron cómo la mujer llamada Novelty caminaba hacia la habitación, sin detenerse en ningún momento ante ninguna de las otras habitaciones vacías que había entre ella y los hombres dispuestos a tenderle una emboscada. Confiaba en sus instintos y en sus sentidos psíquicos altamente evolucionados.

—Es muy menuda —dijo Gator—. Parece una niña. Debe pesar treinta y cinco kilos.

—Quizá, pero fíjate bien —respondió Lily—. Es letal.

La mujer avanzó con confianza hasta que se acercó a la pared contra la que estaba agachado un hombre, detrás de una cortina que ocultaba un armario.

—Ha pegado la mano a la pared, casi como si estuviera sintiendo algo —dijo Lily—. ¿Energía? ¿Es posible que sea tan sensible? ¿Es posible que la energía de un ser humano atraviese la pared con la fuerza suficiente para que ella pueda sentir su presencia, o le está leyendo la mente?

Novelty se separó de la pared en silencio, pero se quedó con la mirada en ella varios minutos, y lentamente levantó la cabeza, como si también pudiera ver el techo de la habitación. Muy despacio, las paredes se oscurecieron. Empezó a asomar humo por debajo de la puerta. Las llamas atravesaron la pared hasta el interior de la habitación y subieron hacia el techo, persiguiendo a los dos hombres. Casi de inmediato, las llamas devoraron la habitación e hicieron saltar el sistema antiincendios. Fue lo único que salvó a los dos hombres de una muerte terrible.

—Genera calor —dijo Ian McGillicuddy. Era un gigante, con la espalda ancha y el cuerpo musculoso. Tenía los ojos marrones fijos en la pantalla, observando maravillado el fuego—. No me importaría tener ese talento en concreto.

—Claro —intervino Nicolas.

Ian asintió.

—Claro —ratificó.

La joven salió de la casa y volvió entre los árboles, agarrándose la cabeza con ambas manos. Cayó de rodillas, se tendió en el suelo y, enseguida, sufrió un violento ataque. Las cámaras seguían enfocándola mientras expulsaba sangre por la boca. Al cabo de unos segundos, se quedó inmóvil en el suelo.

Ryland maldijo y se volvió. Sus ojos se cruzaron con los de Nicolas. Se miraron y compartieron un momento de empatía.

Lily detuvo la cinta con la inquietante imagen de la chica congelada en la pantalla.

—¿Qué le provoca ese dolor? He revisado las notas de mi padre y he visto las otras cintas. En todas las que aparece sola puede ejecutar una multitud de proezas fantásticas y casi increíbles, pero si hay otro ser humano cerca, sufre un fuerte dolor y a menudo se desmaya.

—¿Las emociones la abruman? —propuso Gator—. Sin un ancla está desprotegida ante cualquier emoción. Seguro que esos hombres estaban asustados y furiosos y se sentían traicionados por sus superiores. Imagino que no les gustó que les hicieran participar en un experimento donde casi terminan quemados vivos.

—Quizá —respondió Lily—. Pero creo que es más complicado que lo que nos pasa a nosotros. No estoy segura de que pueda leer las emociones o, al menos, no como lo hacemos la mayoría de nosotros.

Nicolas se quedó mirando la pantalla un buen rato, estudiando la imagen de la mujer inconsciente.

—No notó la presencia de sus adversarios igual que nosotros, ¿verdad? No son emociones, es algo más.

—Creo que podría ser energía —dijo Lily—. Mi padre nunca llegó a entender lo de los anclas. Cuando realizó el primer experimento con nosotras, creyó que habíamos forjado una buena amistad. No entendía que algunas de nosotras absorbíamos la sobrecarga de emociones de las otras, y así podíamos vivir con tranquilidad. Novelty, o Dahlia, no es un ancla; necesita una para poder usar sus talentos sin que le duela. Si os habéis fijado, en la mayoría de las cintas donde aparece entrenando, está sola. Le construyeron una casa, igual que se construyó esta para mí, y la alejaron del mundo. El doctor Whitney creía que podía leer la mente igual que muchos de nosotros, y creyó que así la estaba protegiendo de las emociones.

—¿Obtienes toda esa información de sus notas? —preguntó Ryland—. ¿Y dice si es muy peligrosa?

Lily se encogió de hombros.

—Comenta, en varias ocasiones, la necesidad de alejarla de la sociedad, aunque siguió permitiendo que se entrenara. He estudiado las cintas, como debió de hacer él, y nunca ataca a menos que se vea obligada a defenderse. De modo que, durante la adolescencia, parece que ha conseguido controlar sus habilidades.

Lily pasó las otras cintas, una tras otra. Ella ya las había visto; las desgarradoras imágenes de la mujer que estaba segura de que era la desaparecida Dahlia haciendo artes marciales, anticipándose a cada movimiento y derrotando a todos los adversarios a pesar de su tamaño y su poco peso, y cómo, inevitablemente, siempre acababa en el suelo entre espasmos, con el estómago revuelto y sangre en la boca, a veces incluso también en las orejas. Nunca gritaba; simplemente se mecía hacia delante y hacia atrás y se agarraba la cabeza con las manos antes de perder el conocimiento. Las cintas mostraban un tipo de entrenamiento que perfectamente podía ser el de alguien destinado a realizar un trabajo de agente secreto y, después de todos y cada uno de los entrenamientos, la mujer llamada Novelty acababa igual: encogida en posición fetal.

Lily no podía verla. Cuando su padre descubrió que Dahlia no podía trabajar bajo las condiciones que esperaban, debería haberla alejado del programa de entrenamiento de inmediato. Por desgracia, siempre terminaba la misión que le daban antes de desmayarse. Al recordar las primeras cintas de la tozuda y vengativa niña en el laboratorio, Lily se preguntó con qué la chantajeaban para que trabajara con ellos cuando estaba claro que tenía el carácter y la personalidad suficientes para negarse.

En lugar de mirar las cintas, observó las reacciones de los hombres. Quería que fueran a buscarla los más implicados. Esa mujer hacía años que sufría un trauma. Necesitaba la seguridad de la mansión de los Whitney, con la protección de sus gruesos muros y el personal amable y cariñoso, todos con barreras naturales para no proyectar emociones al equipo de Soldados Fantasma. Su padre le había ofrecido una casa segura y ella, a su vez, había decidido compartirla con los hombres con los que él había experimentado.

Lily los miró y, por primera vez, tuvo ganas de reír. ¿Por qué había creído que podría leerles la mente? Escondían sus pensamientos tras máscaras inexpresivas. Habían recibido un buen entrenamiento militar, cada uno de ellos individualizado incluso antes de que los reclutasen para el equipo de Soldados Fantasma.

Esperó hasta el final de la última cinta, cuando las emociones estarían más frescas. Dahlia Le Blanc era la clase de mujer que la mayoría de hombres querrían proteger. Menuda, delicada, con unos enormes ojos tristes y una piel de porcelana. Con esa piel, esos ojos y el pelo negro, parecía una muñeca. Lily sabía que Dahlia necesitaba ayuda, mucha ayuda, para poder volver a vivir en el mundo exterior. Estaba decidida a ofrecerle todo lo que el doctor Whitney le negó. Una casa, un santuario y personas a las que pudiera llamar familia y con las que pudiera contar. Aunque no sería fácil conseguir que regresara al lugar donde había empezado todo ese infierno.

Ryland la rodeó con el brazo y acercó la cabeza a la suya.

—Tienes los ojos llenos de lágrimas.

—Y vosotros también deberíais tenerlos —respondió ella, y enseguida parpadeó—. Mi padre le quitó su vida, Ryland. Nadie podría adoptarla y darle un hogar. Nadie lo haría. Ni siquiera sé si puedo ayudarla. ¿Y por qué iba a confiar en mí?

—Yo iré a buscarla —dijo Nicolas, de repente. Por sorpresa. Y no para el agrado de todos.

Lily intentó no demostrar el horror que sentía por dentro. Respiró hondo y soltó el aire muy despacio.

—Acabas de regresar de la misión en el Congo, Nico. Y sé que no fue agradable. Necesitas descansar, no embarcarte en otra misión. No puedo pedirte que vayas.

—No me lo has pedido, Lily. —La miró fijamente con aquellos

ojos negros y no apartó la mirada—. Y tampoco me lo pedirías, pero no importa. Soy un ancla y puedo manejarla. Estoy aquí y estoy de permiso. Iré.

Lily quería protestar pero no se le ocurría ningún motivo para detenerlo. Le molestaba ser tan transparente que Nico se hubiera dado cuenta de que no estaba cómoda con él. No es que no le cayera bien, es que esos ojos tan fríos y la actitud tan implacable la asustaban. Y no ayudaba que supiera cuál era su especialidad.

—Pensaba que Gator conocería mejor la zona y la encontraría antes. —Fue la mejor excusa que encontró.

Nicolas simplemente la miró.

—Voy a buscarla yo, Lily. Si tienes que preparar algún papel para que pueda sacarla de allí y traerla aquí, hazlo. Salgo dentro de una hora.

—Nico —protestó Ryland—. Apenas has dormido un par de horas. Acabas de llegar. Al menos, descansa esta noche.

Lily sabía que ningún miembro del equipo discutiría con Nico. Nunca lo hacían. Y ella no tenía ningún motivo de peso para hacerlo. Dahlia estaría a salvo con él. Miró a Gator con la esperanza de que se ofreciera voluntario para acompañarlo, pero éste ni siquiera la estaba mirando. Por supuesto, todos apoyarían la decisión de Nico, así que Lily suspiró y se dio por vencida.

—Haré que Cyrus Bishop redacte la autorización para que puedas sacarla del sanatorio. Sabemos que podemos confiar en que Cyrus no dirá nada.

Lily había tardado bastante tiempo en confiar en el abogado de la familia después de descubrir el alcance de los secretos ocultos de su padre, porque no estaba segura de hasta qué punto Cyrus Bishop había estado implicado en todo aquello. Experimentar con personas, especialmente con niños, era monstruoso, pero Peter Whitney le había proporcionado una agradable vida familiar y una infancia maravillosa. Todavía le costaba entender las dos caras de su padre.

Ryland esperó a que su mujer saliera de la habitación para volverse hacia Nicolas.

—Si supiera lo de la pequeña herida que casi te cuesta la vida se habría puesto furiosa, Nico.

Tengo que ir, Rye. Nicolas miró a los otros mientras hablaba mediante telepatía para asegurarse intimidad. Había tenido que practicar varios meses para poder dirigir sus conversaciones telepáticas a alguien en concreto sin que los demás lo oyeran, pero era una habilidad muy útil, y Nicolas se había esforzado mucho para dominarla. *Lily les ha tocado la fibra sensible a todos. Cualquiera capaz de generar un campo de antigravedad, o el calor necesario para provocar un incendio o cambiar la estructura de un cable es peligroso. Todos los demás dudarían a la hora de hacer lo que fuera necesario si ella se vuelve en su contra. Yo no.*

Ryland soltó el aire muy despacio. Nicolas siempre sonaba igual: tranquilo, impasible, lógico. Se preguntó qué sería necesario para sacudirlo y destruir su naturaleza tranquila. *Confío en ti, Nico, pero Lily tiene miedo por esa mujer. Siente que su padre le robó todo lo que merecía: unos padres, una casa, una familia... Una vida.*

Y lo hizo. Lily se culpa por los actos de su padre, y no debería hacerlo. Es una víctima, igual que esta pobre mujer, pero nada de eso cambia el peligro que va a tener que afrontar la persona que intente persuadir a Dahlia para que abandone su santuario. ¿No ves lo que han hecho, Rye? Si la están utilizando como agente secreto, como sospecha Lily, la mantienen activa porque necesita esa casa en el pantano. No le queda otra opción que regresar allí. No puede vivir lejos de ese entorno, así que hace lo que le dicen y luego siempre regresa allí. No tienen ni que vigilarla; saben que siempre vuelve.

Nicolas se levantó, se desperezó y reprimió un gesto de dolor cuando su cuerpo protestó. Las balas le habían dado demasiado cerca del corazón y la herida le molestaba. Todavía se estaba recuperando. Tenía ganas de tomarse un pequeño respiro. De inmediato, su equipo se levantó. Ian MacGillicuddy, Tucker Addison y Gator estaban agotados y necesitaban descansar. Sabía que querían acompañarlo. Les hizo una mueca.

—¿Acaso creéis que no puedo manejar a esa mujer yo solo?

Los hombres intercambiaron sonrisas.

—No creo que puedas manejar a ninguna mujer, Nico —respondió Tucker—. Y mucho menos a esa barra de dinamita. Tenemos que acompañarte y asegurarnos de que no te patea el culo.

—Estoy de acuerdo —añadió Gator—. Parece que podría hacerle mucho daño a un blandengue como tú.

Ian se rió, burlón.

—Igual sale corriendo cuando vea tu cara al otro lado del pantano. Pensará que eres algún tipo de monstruo marino que ha venido a llevársela a las oscuras profundidades. Tiene que ver a un hombre guapo que quiera llevarla a casa.

—Y ese no serías tú, ¿verdad? —se burló Gator mientras le daba un codazo—. Yo conozco la zona, Nico, y sé que a veces puede ser engañosa.

Ryland observó cómo los hombres se reían y se mofaban de Nicolas. Todos ellos sabían que podían enviarlo a la jungla más espesa o al desierto más grande durante meses y que siempre regresaba con la misión cumplida. Daba igual. Podían decirle lo que quisieran, y se lo tomaría con buen humor, pero, al final, se iría sin su equipo.

Todos ellos habían cumplido en el Congo y se habían pasado semanas infiltrándose entre el enemigo, en pueblos o campos, para conseguir información vital. Utilizar las habilidades psíquicas durante largos periodos de tiempo, y especialmente para protegerse de grandes grupos, era agotador. Todos necesitaban descansar. Y Nicolas siempre anteponía a sus hombres, y los protegería de la compasión que pudiera despertarles Dahlia Le Blanc.

Haz lo que puedas para tranquilizar a Lily. A Ryland le costaba mucho menos utilizar la telepatía. Los ejercicios que Lily insistía en que hicieran a diario no sólo les habían ayudado a controlar sus habilidades, sino también a reconstruir algo parecido a las barreras que su padre les había destruido durante el experimento para aumentar sus habilidades. Lily trabajaba muy duro para que se recuperaran, con la esperanza de poder darles las herramientas necesarias para poder vivir en el mundo exterior con familia y amigos. Mientras tanto, compartía con ellos, de forma muy generosa, su casa y su tiempo, y trabajaba a su lado. Aquello sólo hacía que la quisiera más. Quería que Nicolas encontrara la manera de tranquilizarla. Nicolas no era de los que mentían, ni siquiera para que Lily se sintiera mejor.

Si es posible, le traeré a Dahlia de vuelta. Es lo máximo que puedo prometerte.

Ryland asintió y dejó que la broma continuara. Miró a la cámara y saludó, por si Arly, el jefe de seguridad, lo estaba observando mientras se dirigía a buscar a su mujer. La encontró en la habitación, contemplando los enormes jardines que se extendían bajo su ventana.

—Lily, ha prometido traerla de vuelta.

Ella no se volvió.

—No es que no me caiga bien, Ryland. Ya lo sabes. Y él también. Es que puede llegar a ser muy frío. Ella necesita a alguien que la quiera y se preocupe por todo lo que ha tenido que pasar. No creo que Nicolas sea capaz de sentir ese tipo de compasión.

—¿Crees que el motivo por el que se va sin su equipo es el sentido del deber? Se preocupa por ellos y los protege. Asume todas las misiones peligrosas, Lily. Y, créeme, lo que le has pedido es muy peligroso y arriesgado.

—Es capaz de matarla —protestó ella.

—Y ella es capaz de matarlo.

Lily lo miró con pena en los ojos.

—¿Qué hizo mi padre?

Capítulo 2

*L*a lancha avanzó entre las verdes aguas del pantano, con el motor traqueteando despacio. El cielo, que había lucido azul todo el día, se había convertido en un *collage* increíble de rosas, rojos y naranjas. La noche caería enseguida y el pantano ya empezaba a cobrar vida. Las serpientes saltaban al agua y los caimanes se rugían mutuamente antes de adentrarse en el agua cubierta de algas. El ambiente era muy húmedo, tanto que el calor atravesaba la ropa de Nicolas. Estaba sudando, con el pecho y el vientre salpicados con gotas de sudor. Los insectos revoloteaban en grupo encima del agua, de modo que los peces saltaban para comérselos y los murciélagos se lanzaban en picado sobre ellos. La lancha continuó abriéndose camino por el laberinto de canales hacia la pequeña isla que Nicolas estaba buscando.

En el pantano vivía una gran variedad de aves, y la mayoría ignoraron su presencia, aunque varias de las más grandes sacudieron las alas y salieron volando como si verlo las molestara. Garcetas, cormoranes, garzas reales e ibis levantaron el vuelo sobre el pantano y fueron en busca de otro lugar donde posarse. Las ranas empezaron a croar en coro, cada vez más alto. Musgo gris colgaba de las ramas de los árboles y, en la oscuridad de la noche, parecían los macabros ahorcados del juego. Aquel entorno tan extraño le resultaba bello. Observó varias especies de tortugas y lagartos, algunas nadando, pero la mayoría encima de troncos o árboles.

Mientras la lancha avanzaba por el canal, Nicolas se asomó para fijarse en el agua, fascinado porque parecía un espejo negro donde se reflejaban los árboles y los intensos colores del cielo. Siempre le había gustado la soledad de su profesión. La naturaleza le transmitía paz y el pantano ofrecía una extraordinaria visión de otro mundo. Lo habían criado en otro mundo y solía acompañar a su abuelo a las montañas durante semanas o incluso meses. Fueron tiempos muy felices; un joven aprendiendo los secretos de la tierra con un viejo sabio, mientras podía correr y jugar como el niño que era. Entonces sonrió ante esos recuerdos y dio las gracias en silencio a su abuelo, que murió hacía tiempo, pero a quien siempre tenía muy presente.

Nicolas sabía que su lugar era el aire libre. Era donde se sentía en casa. A menudo pensaba que pertenecía a otra era, cuando había menos gente y mucho más territorio virgen. Estaba muy agradecido a Lily por dejarlos vivir en su casa y por los ejercicios que les enseñaba para permitirles vivir en el mundo exterior. El experimento de su padre les había dejado el cerebro completamente desprotegido ante cualquier ataque de las personas que los rodeaban, y todos necesitaban esa casa y el entrenamiento que Lily les había ofrecido. Sin embargo, a Nicolas le seguía costando la proximidad con tantas personas; aunque poco tenía que ver con las habilidades psíquicas y sí mucho con su pasado y su naturaleza. Se había ofrecido voluntario para rescatar a la mujer del sanatorio no sólo para salvar a sus compañeros de equipo de su propia compasión, sino porque necesitaba salir solo para poder respirar.

Nicolas consultó dos veces el mapa que Lily le había entregado. En aquel laberinto de canales era muy fácil perderse. Algunos eran tan estrechos que la lancha apenas podía avanzar, mientras que otros eran tan anchos que podían ser catalogados como lagos.

El padre de Lily, el doctor Whitney, había escondido a propósito el sanatorio en una isla que era, básicamente, un pantanal de aspecto virgen y primitivo. Estaba tan oculta en el laberinto de canales que ni siquiera los cazadores locales tenían idea de dónde estaba. Lily había encontrado el mapa detallado entre los papeles del fondo Whitney, pero, a pesar de tener el mapa y de su infalible sentido de la orientación, le estaba costando bastante dar con la isla. Todavía seguía buscando cuando cayó la noche, el pantano se quedó a oscuras y eso complicó la misión. En dos ocasiones tuvo que meterse en el agua, que le llegaba a la cintura y estaba llena de juncos, para remolcar la lancha y, aun con la luz de la luna, no sabía si las siluetas oscuras que se deslizaban por el agua eran caimanes o troncos.

Cuando rodeó una pequeña isla, vio un grupo de aves que alzaban el vuelo desde algún lugar determinado detrás de unos árboles. De inmediato se le puso la piel de gallina y el estómago se le encogió. Apagó el motor de la lancha. Dejó que fuera a la deriva mientras escuchaba los sonidos del pantano. Los insectos que estaban zumbando y las ranas que estaban croando se quedaron en silencio. Nicolas se tendió en la lancha para que su cuerpo fuera mucho más difícil de detectar. Si era necesario, se metería en el agua, no sería la primera vez que había estado tan cerca de los caimanes, pero, a ser posible, quería mantener las armas secas.

Pasó por delante del muelle y de un maltrecho camino que llevaba hasta el centro de la isla. Sabía que casi toda ella sería de naturaleza pantanosa y seguramente estaría llena de agujeros donde cualquiera que se aventurase por allí podría quedar atrapado, pero era más seguro caer en un agujero que subir por el camino donde alguien podía tenderle una emboscada. Y estaba convencido de que, entre la espesa vegetación, había alguien.

Accedió con la lancha a un pequeño entrante a unos doscientos o trescientos metros del muelle, detrás de una curva. Se metió en el agua, que le llegaba a las rodillas y remontó la lancha para atarla a un árbol. Fue un proceso lento, porque tenía que ir con cuidado de no salpicar agua mientras avanzaba con mucho esfuerzo entre el fango, hasta que llegó a un terreno un poco más alto. Seguía siendo un pantano. La hierba estaba alta y asilvestrada, y la vegetación y las flores ocupaban el espacio que los árboles dejaban libre.

Nicolas se movía en silencio, como había hecho casi toda la vida. Había crecido en una reserva india y se pasó gran parte de la infancia con su abuelo chamán, que no se había adaptado a los tiempos modernos. Así pues, evitó pisar las ramas y las hojas secas y, con sus habilidades psíquicas, consiguió que la fauna salvaje no delatara su presencia mientras avanzaba por aquel terreno esponjoso con dirección a la parte alta de la isla, donde estaba el sanatorio.

Oyó varios disparos a lo lejos. Los pájaros chillaron y levantaron el vuelo como un nube compacta. Nicolas corrió hacia el sonido y se acercó al edificio. Los arbustos y los árboles eran mucho más densos en la zona alta, y estaba claro que los habían plantado pegados a la verja para disimular el enorme edificio. Mientras se arrastraba entre la hierba, oyó el crujir de un *walkie-talkie* y se quedó pegado al suelo, inmóvil hasta poder determinar con exactitud la posición del guardia.

Los sonidos se amplificaban por la noche, y más sobre el agua. El guardia estaba más interesado por lo que estaba pasando en el edificio que por lo que pudiera acecharlo desde el agua. No dejaba de mirar hacia arriba y, en dos ocasiones, maldijo en voz baja y se llevó la mano a la pistola.

Nicolas soltó el aire muy despacio. Aquello no era obra de unos aficionados. No eran unos drogadictos buscando dinero. Se trataba de un equipo de limpieza profesional que se movía con precisión militar, que entraba, atacaba y sólo dejaba atrás a los muertos. Lily había investigado en los foros equivocados y alguien debía de haber enviado a un equipo a eliminar pruebas. Dahlia Le Blanc estaba en una lista de objetivos y le había llegado el turno. Nicolas tenía todas las alertas encendidas. Había llegado justo en el momento en que se estaba llevando a cabo una operación del más alto nivel.

No podía saber si habían atrapado a Dahlia en el interior del sanatorio o si, milagrosamente, la chica estaba fuera cuando el equipo llegó. El hecho de que hubieran disparado varias veces en el interior podría significar que estaba viva y presentando resistencia. En cualquier caso, no podía permitirse el lujo de perder tiempo. Tenía que superar la vigilancia del guardia e ir a ayudarla.

Tuvo que maniobrar bastante para tener a su presa al alcance. Nicolas estaba al aire libre, a escasos metros del guardia. Deseó tener la habilidad de Dahlia para confundirse con su entorno. En lugar de eso, poseía el talento de persuadir al enemigo para que mirara hacia el otro lado. Susurró la sugerencia mientras «obligaba» a la mente del guardia a concentrarse en el agua. El hombre estaba emocionado, impaciente por matar. A quien fuera.

Nicolas se levantó como una sombra gigantesca y lo envolvió con las manos veloces y el cuchillo certero. Murmuró su súplica de disculpa al cielo y a la tierra y ofreció su arrepentimiento al universo mientras dejaba en el suelo el cuerpo sin vida del vigilante y seguía adelante.

Cruzó el suelo esponjoso lo más deprisa que pudo procurando no caer en el pantano. Si Dahlia estaba en el edificio, ese equipo sería demasiado incluso para alguien con sus habilidades. La doble puerta de la entrada estaba abierta, a modo de invitación. Vio unas columnas de humo y le llegó el olor a gasolina y sangre. Nicolas entró de un salto, con el cuerpo encogido y se levantó de golpe, apuntando a todos los rincones con la pistola mientras los ojos se acostumbraban a la oscuridad. En el suelo había dos cadáveres. Controlando la puerta que conectaba con el sanatorio por el rabillo del ojo, se acercó.

Las reconoció por las fotos y los dosieres que había leído sobre cada una de ellas. Bernadette Sanders y Milly Duboune estaban muertas, ejecutadas de un tiro en la frente. La visión de aquellos dos cuerpos sin vida lo perturbó especialmente, con los charcos de sangre empapando los ovillos de lana que estaban esparcidos por el suelo. No podía hacer nada por ellas. El despacho estaba destrozado; los archivos empapados de acelerador y ardiendo en llamas. Nicolas siguió adelante, consciente de que tenía poco tiempo.

Entró en un gimnasio que disponía de todos los aparatos que el dinero podía comprar. La sala no estaba dañada, pero las paredes ya habían sido impregnadas de gasolina. Allí no iba a conseguir nada, así que escogió una puerta que daba acceso a un largo pasillo.

La puerta estaba abierta, una invitación, pero sus instintos de supervivencia se pusieron en alerta máxima. Se colocó a un lado y se asomó con cuidado. Las paredes estaban envueltas en llamas y el humo salía por varios puntos de la puerta. Había una mesa y unas sillas tiradas en el suelo, y cristales por todas partes. También varios hombres, todos armados. Unos cuantos dedicados a rociar con gasolina las paredes y los muebles del suelo. Otro le estaba gritando a un hombre que se encontraba tendido en el suelo. Le dio dos patadas y luego lo golpeó en las costillas con la culata del rifle.

—¿Dónde coño está, Calhoun? Debería haber estado aquí.

—Vete a la mierda, Dobbs. —La sangre le resbaló por la cara y le empapó la camisa. Escupió sangre en el suelo—. Hace rato que se ha ido y nunca vas a encontrarla.

Dobbs reaccionó de inmediato a la provocación apuntando el arma hacia la pierna de Calhoun y apretó el gatillo. Éste gritó. La sangre salpicó las paredes. Un hombre al que Nicolas no veía se rió a carcajadas.

Nicolas apuntó y disparó; un único disparo, en la frente, y se esfumó antes incluso de que Dobbs cayera muerto al suelo. De golpe, una ráfaga de balas atravesó la pared y la puerta, intentando localizar a Nicolas mientras el escuadrón de la muerte disparaba a ciegas.

Pero Nicolas ya había huido hacia arriba; había elegido refugiarse en el altísimo techo y estaba esperando al primer hombre que cruzara la puerta, porque sabía que pensarían que se había escondido en otra habitación. Se agarró al techo como una araña, sobre sus cabezas, inmóvil, como una sombra en el oscuro interior del edificio. Ni siquiera las llamas rojas y naranjas lo alcanzaban. Los hombres saldrían a buscarlo y se dividirían, convirtiéndose en un enemigo mucho más asequible. Esperó, como hacía siempre. Calmado. Paciente. Seguro del siguiente movimiento de su enemigo.

Nicolas los oyó hablar. Oyó cómo Calhoun gritaba agónico cuando alguien lo movió con más prisa que cuidado. Dos hombres abrieron la puerta y entraron en la habitación donde estaba él. Se dividieron, uno hacia la derecha, y otro hacia la izquierda en un procedimiento de búsqueda estándar, observando cada rincón de la habitación. Nicolas permaneció inmóvil. Sólo movía los ojos, observando y calculando la distancia hasta su presa.

¿*Dahlia*? Nicolas oyó el nombre claramente en su mente. Y reconoció el dolor que impregnaba las palabras y los pensamientos. Y también detectó cierto nivel de miedo y sorpresa, de determinación. *No puedes salvarme. Lárgate. Desaparece. Es una orden.*

Nicolas reconoció la voz de Calhoun. Tenía que ser el entrenador de Dahlia. A ojos de Nicolas, no había ninguna duda de que la habían utilizado como agente operativo, pero ¿quién? ¿Y para quién? ¿Y cómo es que Calhoun podía comunicarse por telepatía? Nicolas había sido testigo de muchos fenómenos interesantes e inexplicables con cada uno de sus abuelos, pero, aparte de los Soldados Fantasma, que eran individuos psíquicamente más desarrollados, nunca había oído que una telepatía tan potente pudiera ser natural y genuina. Sólo podía suponer que Calhoun era un Soldado Fantasma. Y eso significaba que el doctor Whitney había puesto en práctica su experimento con más personas en algún otro momento de su vida.

¿Quién eres? Se dirigió a Calhoun con mucho cuidado. Uno de los hombres que buscaban por la habitación estaba justo debajo de él. Nicolas se dejó caer como una araña, le agarró la cabeza y le rompió el cuello con una fuerza brutal. El otro hombre se volvió, con el arma levantada, pero sólo pudo ver a su compañero cayendo al suelo, casi a cámara lenta. El rifle, que las manos sin vida del muerto habían soltado, cayó al suelo y el hombre disparó hacia el ruido, una salvaje ráfaga de balas que se clavaron en el suelo y las paredes y en el cadáver de su compañero.

Nicolas, que ya había vuelto a mezclarse entre las oscuras sombras, estaba al otro lado de la habitación. Le disparó una única bala, y susurró el cántico de la muerte mientras lo hacía. Sus abuelos le habían enseñado el valor de la vida, de todas las vidas, no sólo de las que él aprobaba, y también que quitarle la vida a alguien no era un asunto trivial. No podía haber dudas, pero tenía que existir el arrepentimiento. Cada vida pertenecía al universo y Nicolas creía que todas tenían un propósito.

No había obtenido respuesta de Calhoun. Ya no sentía su presencia y eso sólo podía significar dos cosas: que estaba muerto o inconsciente. Si Calhoun hubiera cortado la comunicación a propósito, él estaba seguro de que todavía podría sentirlo. Entró en la habitación donde habían disparado a Calhoun y sólo encontró sangre y llamas. El rastro de sangre indicaba que se lo habían llevado. Nicolas corrió a buscar a más personas, vivas o muertas. A buscar una pista de dónde pudiera estar Dahlia Le Blanc.

Encontró su piso. O el ala del sanatorio donde vivía. Era un lugar muy grande y estaba claro que lo habían construido exclusivamente para ella. Igual que el doctor Whitney había construido una casa para Lily, había hecho lo mismo con Dahlia y había contratado a Bernadette y a Milly para que la atendieran. Las paredes estaban llenas de libros. Libros en todos los idiomas. Libros de texto y enciclopedias sobre todas las temáticas. Había varios juegos de esferas de piedras preciosas encima de casi todos los muebles. Nicolas recogió unas cuantas y se las guardó en la bolsa. Había demasiadas como para ignorarlas. Sabía que muchos orientales las utilizaban para liberar el estrés.

En la mesita de noche, había cuatro libros apilados encima de una manta infantil perfectamente doblada. Nicolas lo cogió todo y lo metió en una funda de almohada mientras buscaba más cosas que pudieran ser importantes para Dahlia. Seguro que tenía a mano las cosas que más le importaban. Si sobrevivía a la purga y conseguía llevarla hasta Lily Whitney, necesitaría tener sus cosas. La habitación estaba muy ordenada, incluso los libros estaban colocados en las estanterías por orden alfabético. Encontró un jersey hecho con la misma lana que había junto a los cadáveres de las dos mujeres. Era evidente que se lo habían tejido ellas. Estaba doblado y guardado en la mesita de noche. También lo cogió. El único otro objeto que había cerca de la cama era un oso de peluche vestido con un kimono. Había reposado encima de la almohada hasta que él había cogido la funda. Se agachó para recogerlo. Un bala se clavó en la pared donde centésimas de segundo antes se había encontrado su cabeza.

Nicolas se tiró al suelo y rodó por la habitación, utilizando la cama como protección; luego apoyó una rodilla en el suelo y disparó una ráfaga de balas mientras intentaba localizar a su enemigo. Vio de reojo a un hombre que corría por el pasillo. Y entonces vio los explosivos, C-4, un explosivo plástico que, obviamente, no sólo destruiría cualquier prueba del asesinato, sino todo el sanatorio. Respiró hondo y se obligó a calmarse. No tenía ni idea de cuánto tiempo disponía antes de que el sanatorio saltara por los aires, pero no creía que fueran más de dos minutos. Recogió la funda de almohada y la metió en la bolsa impermeable mientras corría tras el hombre que había intentado tenderle una emboscada.

Cuando se acercó a la puerta de la sala donde habían disparado a Calhoun, vio movimiento y se lanzó de lado, disparó desde la altura de la cadera, rodó por el suelo y se levantó a escasos centímetros de su agresor. Vio que el hombre tenía los ojos abiertos en un gesto de desesperación, pero ya estaba cayendo hacia atrás y disparando hacia el techo. Nicolas murmuró su cántico mientras se dirigía corriendo hacia la puerta, rezando en silencio a los dioses de sus abuelos para que le dieran alas a sus pies.

—Unos minutos más —se consoló Dahlia en voz alta. Por muchas veces que respirara hondo, estaba sufriendo una sobrecarga sensorial importante y notaba como si cientos de cristales se le clavaran en la cabeza. Tenía los ojos tan cansados que apenas podía mirar el peligroso terreno que pisaba. Un paso en falso y se hundiría en las profundidades del pantano. El suelo bajo sus pies era esponjoso, cubierto de hierba. La peste a agua estancada permeaba el aire.

Apenas había una tajada de luna para iluminar el pantano. En la oscuridad, los cipreses parecían macabros como si, en lugar de ramas, levantaran sus brazos esqueléticos. El musgo grisáceo que colgaba de las hojas como serpentinas parecía harapos que el viento agitaba de vez en cuando encima del agua negra. La brisa era muy leve, con lo que el aire húmedo parecía casi irrespirable.

Dahlia se presionó las sienes con los dedos y esperó, balanceando el cuerpo hacia delante y hacia atrás para consolarse. Veía estrellas explotando frente a sus ojos. Se le revolvía el estómago. Levantó la cabeza, de repente muy cauta. En el pantano, lejos de las emociones humanas que penetraban en su desprotegido cerebro, debería sentirse mejor, no peor. Se quedó inmóvil, como una sombra en la oscuridad, borrando todavía más su imagen para evitar que cualquier par de ojos la localizaran.

Había algo o alguien que la acechaba, que la esperaba para que cayera en sus redes. Se le aceleró el corazón con miedo por aquellos a los que llamaba familia. Sus enfermeras, o vigilantes, nunca las había definido, pero eran lo único que había conocido en su vida. Milly y Bernadette. Para ella, eran madres, hermanas, amigas y enfermeras; mujeres que insistían para que hiciera cosas que ella fingía detestar. Solía burlarse de ellas diciéndoles que hacer ganchillo y media era de señoras viejas, y que coser las hacía bizquear.

Nadie sabía nada de ella o de su casa. Era humana, aunque no era normal; era tan distinta que jamás la aceptarían en el mundo. Ni ella encajaría ni podría llevar una vida normal. Apenas tenía recuerdos de su infancia, pero, básicamente, recordaba dolor. Vivía y respiraba en su cuerpo como si estuviera vivo. La única forma de apagarlo era irse a su santuario, a su casa. Y ahora alguien la estaba persiguiendo y quería utilizar su casa como cepo.

De repente, tomó consciencia de algo, algo que casi le consumía el cerebro y que era la cruda realidad que no podía evitar. Se había encontrado con unas complicaciones inesperadas en su misión, pero las había solucionado y sabía que nadie la había seguido. ¿Acaso habían encontrado otra forma de localizar su casa? Todo lo que podía salir mal, había salido mal, pero estaba absolutamente segura de que no la habían seguido. Jesse Calhoun, su preparador, la tenía que estar esperando. Era letal y veloz cuando tenía que serlo. Jesse le interesaba porque era el único ser humano que conocía con habilidades parecidas a las suyas. Y también era telepático. Entonces, ¿por qué no la había avisado del peligro?

Dahlia sabía ser paciente. Dejó el dolor de lado y esperó en el pantano mientras inhalaba para intentar localizar algún olor. Entretanto, escuchaba cualquier sonido revelador. Pero sólo oía cómo, de vez en cuando, alguna serpiente saltaba al agua desde las ramas de los árboles. Aun así, siguió esperando, consciente de que cualquier movimiento que hiciera llamaría la atención. La brisa le transportó el olor a humo.

Se notó el corazón en la garganta. Sólo había un edificio que pudiera arder en toda la isla. Y ella necesitaba su casa. No podría sobrevivir sin ella. Si le quitaban su residencia, ya podían dispararle en la cabeza. Dio dos pasos a la derecha. Dudaba que alguien conociera ese pantano. Cualquiera que la estuviera esperando imaginaría que aparecería en un bote. Seguramente estarían vigilando el muelle. Empezó a caminar muy despacio por el camino, consciente de que si daba un paso en falso caería al agua. Un caimán gruñó cerca de ella. Dahlia se limitó a volverse hacia el sonido, básicamente para cerciorarse de la presencia del animal.

Dio otro paso adelante con mucha cautela. Contó diez pasos más y volvió a moverse hacia la derecha. Moverse por aquel terreno era algo casi automático para ella. Contaba los pasos en la mente, pero, en realidad, se estaba concentrando en los olores que transportaba la ligera brisa. Intentó localizar algo en la noche, con los instintos alerta. Había algo aguardándola, algo terrible, una oscura amenaza.

Se acercó a su casa por el norte, que era el único camino seguro para cruzar el pantano. En dos ocasiones, tuvo que meterse en el agua hasta la altura de las rodillas y utilizar los cipreses para guiarse. Tuvo mucho cuidado para no hacer ruido, mezclándose con las criaturas de la noche, armonizándose con ellas para que los insectos siguieran volando y las ranas siguieran croando su molesta cacofonía. Lo último que quería era que el silencio abrupto de los animales delatara su posición. Para avanzar en su mundo y no molestarlos se necesitaba sigilo y calma. Ella podía hacerlo, pero el ejercicio requirió toda su concentración teniendo en cuenta que tenía el corazón acelerado.

El olor de algo latente la golpeó cuando se acercó al sanatorio. Podía ver la nube de humo negro y las llamas que salían por las ventanas. El sanatorio estaba construido en un bloque de tierra firme en el centro de la pequeña isla. Un camino llevaba desde el muelle hasta la zona más elevada, donde estaba el edificio. Dahlia había dado dos pasos hacia su casa cuando la primera oleada de energía la golpeó con tanta fuerza que cayó al suelo de rodillas.

Violencia... oscura y malvada. Salía del edificio e impregnaba los muros. Ahí había sucedido algo terrible. La energía estaba viva, abandonada por las consecuencias de lo que la había creado. Muerte. Pudo olerla. Sabía que la estaba esperando en el interior del edificio.

Dahlia intentó respirar a través del dolor. Si era posible, intentaría evitar la energía violenta, pero, si no había más remedio, podría obligarse a soportarla. Ya lo había hecho antes. Tenía que entrar. Tenía que saber qué había pasado y encontrar a Milly y a Bernadette, y quizás incluso a Jesse. Decidida, se llenó de aire los pulmones y se levantó. Se humedeció los labios secos con la lengua. Le costaba mucho concentrarse con tanto dolor, pero había aprendido a aislarlo en un rincón de su cabeza. Y tenía que ver qué había pasado. Qué quedaba. Era la única casa que recordaba. Las únicas personas con las que tenía contacto vivían allí. Sus libros. Su música. Todo su mundo estaba en ese edificio.

Avanzó pegada a los árboles, corriendo por encima de la hierba alta, moviéndose con la brisa en lugar de contra ella. Sabía que quedaba alguien. Alguien que la estaba esperando. Percibía la energía y la confundía. Estaba la violenta, que la atacaba incesantemente, y una energía secundaria absolutamente distinta. Calmada, centrada. Paciente. El contraste era impactante. Nunca había experimentado algo así y se puso todavía más alerta.

Cuando se acercó a su casa, vio a varios hombres arrastrando a Jesse Calhoun por el camino hacia el muelle. Parecía inconsciente y estaba cubierto de sangre. Arrastraba las piernas por el suelo y Dahlia vio lo que le habían hecho, reconoció la crueldad incluso en la noche.

—Jesse —susurró su nombre y corrió hacia él, sirviéndose de su habilidad para camuflarse, aunque no sabía cómo podía ayudarlo. Nunca iba armada. Hacía tiempo que había descubierto que no podría sobrevivir al hecho de quitarle la vida a alguien de forma deliberada.

Había muchos hombres avanzando hacia el muelle en medio de la noche. Una auténtica purga. Esos hombres habían venido a matarla, a eliminarla del mapa. ¿Por qué? Había cumplido con su misión. Intentó acercarse un poco más, pensando que quizá podría alejarlos de Jesse con calor y fuego. Y, entonces, se oyeron varios disparos en el interior del edificio.

—Milly. Bernadette.

Nunca se había sentido tan inútil o alterada en su vida.

Los hombres empezaron a gritar cuando Jesse se despertó y empezó a presentar resistencia. Dahlia inmediatamente siguió al grupo de hombres e intentó llamar a Jesse con la mente. No era una telépata experta, pero él sí, y notaría su presencia y sabría que estaba allí. *Jesse. Dime qué tengo que hacer.*

Una voz masculina severa y autoritaria respondió. No era la de Jesse. *No hagas nada. Aléjate de aquí.*

Dahlia se quedó inmóvil, tendida en el suelo de hierba alta. Aparte de Jesse, nadie más le había hablado de forma telepática. El mundo a su alrededor se estaba viniendo abajo y nada tenía sentido. La sobrecarga de energía violenta le estaba afectando mucho, su estómago se rebelaba ante las oleadas que la atacaban y que querían consumirla. La cabeza le dolía como nunca. Mantuvo la mirada fija en Jesse con la esperanza de que se comunicara con ella y le explicara qué estaba pasando. Vio que uno de los hombres se agachaba y golpeaba la pierna destrozada de Jesse con la culata del rifle. Jesse gritó; un sonido horrible que la perseguiría en sueños durante mucho tiempo.

La ráfaga de violencia la golpeó con fuerza, tanto que se balanceó hacia atrás, pero mantuvo la mirada fija en el hombre que había golpeado a Jesse por placer. Las llamas lo envolvieron, unas lenguas rojas y naranjas enormes, y crearon una hoguera que ella no podía controlar. Y se desencadenó el caos. Varios hombres empezaron a disparar en todas direcciones porque no sabían de dónde procedía el ataque. Y otro envolvió a su compañero con una chaqueta para apagar las llamas.

Un tercero, simplemente, disparó a Jesse por segunda vez, en la otra pierna. Dahlia nunca había oído tanta agonía en un grito. Se encontraba muy mal, y cada vez estaba peor, sacudida por la energía violenta que la envolvía y la golpeaba con una fuerza mucho mayor a cualquier otra que hubiera tenido que soportar antes.

—Le seguiremos disparando. No podrás con todos —gritó el hombre que había disparado a Jesse. Siguieron avanzando, aunque ahora formaban una piña, con Jesse en el centro, y todos lucían sus armas preparados para otro ataque.

Dahlia estaba demasiado debilitada para moverse o pensar. Maldijo su incapacidad para hacer otra cosa que no fuera quedarse sentada en el suelo, escondiéndose entre la hierba como un conejo, mientras esos hombres torturaban a Jesse y lo alejaban de ella. Jesse, que le había enseñado a jugar al ajedrez y le transmitía más paz que cualquier otra persona con el simple hecho de estar a su lado. Jesse, con su risa fácil y contagiosa. Era la única persona que le tomaba el pelo. Ella no sabía qué significaba tomar el pelo hasta que Jesse apareció en su vida.

Debería haber ido armada. Sabía utilizar una pistola. En cambio, ahora sólo pudo quedarse mirando al escuadrón mientras se alejaba, y oyó cómo encendían el motor de la lancha. Entonces corrió hasta el embarcadero y vio dos lanchas que desaparecían por el canal. La única prueba de que se habían llevado a Jesse era un charco de sangre en el suelo. En la noche, parecía negro brillante.

Dahlia retrocedió hacia la casa. El humo salía por las puertas y las ventanas y las columnas subían hacia el cielo. Vio cómo las llamas engullían las paredes. Jesse no estaba. Se lo habían llevado. *Te encontraré. Mantente con vida, Jesse. Iré a buscarte.* Se lo prometió. Utilizar la telepatía sin que Jesse hubiera establecido contacto le provocó la sensación de miles de cristales clavándose en su cerebro, pero ya no le importaba.

Es lo que quieren, Dahlia. Soy el cebo. No permitas que nos maten a los dos.

La voz de Jesse sonaba muy débil, y teñida de dolor. A Dahlia se le encogió el corazón. *Te encontraré, Jesse.* Lo prometió con decisión. Dahlia sabía que Jesse sabía lo tozuda que era y que haría lo que había dicho. Rezó para que sus palabras le dieran la esperanza necesaria para mantenerse con vida en las peores circunstancias. Ahora que estaba convencida de que ya no podía hacer nada más por él, encaró el camino que llevaba hacia el sanatorio.

En la entrada, se sacudió. La energía era mucho más fuerte cuanto más se acercaba a la fuente de la violencia. Su cuerpo se estaba rebelando y podía sentir cómo se formaba la reacción a pesar de sus intentos por mantener el control. Sólo tenía unos minutos para comprobar si Bernadette y Milly habían sobrevivido.

Dahlia apretó los puños y se clavó las uñas en la palma de la mano.

Sólo percibía la energía de una persona en la casa. Un hombre. Un extraño. No podía localizarlo, puesto que el nivel de energía era demasiado bajo y estaba repartido, casi como si él mismo pudiera dispersarlo de forma deliberada. Llegó al amplio vestíbulo, sin hacer ruido con las suelas blandas de los zapatos.

—Que estén vivas.

Oyó el susurro de aire y supo que lo había dicho, aunque no recordaba haber pensado esas palabras antes de decirlas. Aunque ya sabía que no lo estaban; sus sentidos le decían la verdad, pero su mente no quería aceptarla.

El humo taponaba por completo la puerta que llevaba a la entrada y a los despachos, que estaba abierta. Estos nunca se habían utilizado; estaban básicamente para enseñarlos en caso de que alguien viniera de visita. Nunca había venido nadie... hasta ahora. Se asomó y vio los archivadores en el suelo y los archivos revueltos, ardiendo o ya calcinados. Se le aceleró el corazón. Vio un hilo de lana, de color azul pálido salpicado de rojo.

Se le humedecieron los ojos y las lágrimas le nublaron la visión. Tragó saliva y se secó las mejillas y las pestañas. Tenía una sensación extraña en la cabeza. No quería mirar, pero no pudo evitar que su aterrorizada mirada se dirigiera hasta el ovillo de lana empapado de sangre y la mano que había al lado.

Milly estaba tendida en el suelo. Dahlia oyó el ruido que se le escapó por la garganta, un amargo lamento. Se arrodilló a su lado y le apartó el pelo de la cara. No podía soportar verla allí tendida en el suelo con tanta sangre a su alrededor y el intenso olor a gasolina de las paredes. Bernadette estaba a su lado, a unos dos metros. Se sentó entre las dos, balanceándose hacia delante y hacia atrás, y oyendo un intenso lamento que le resonaba en los oídos y que ella estaba convencida de que no salía de su garganta.

Apenas podía contener el dolor. Crecía en su interior, alimentado por los voraces apetitos de la violencia que impregnaba las oleadas de energía que llenaban su casa en llamas. Jesse había sido su único amigo. Alargó la mano para acariciar a Bernadette, mientras se disculpaba en silencio por haber llegado tarde. Le acarició el brazo e intentó entrelazar sus dedos, porque necesitaba tomarla de la mano, simplemente entrar en contacto. Bernadette tenía algo en la mano.

Dahlia se acercó para quitarle el objeto que apretaba. Era una ametista con forma de corazón. Dahlia se la había traído hacía varios años. A Bernadette le brillaron los ojos cuando abrió el regalo, aunque murmuró que comprar esas cosas era un derroche. Desde entonces la había llevado colgada al cuello cada día.

El dolor se apoderó de las entrañas de Dahlia y la desgarró, haciendo que se sintiera herida. Recogió el pequeño corazón y se lo pegó a la mejilla. Las lágrimas le resbalaban por la cara y le dolía tanto el pecho que tenía miedo de que le estallara. El aire a su alrededor se calentó. A escasos centímetros de donde ella estaba, los papeles empezaron a arder.

Sin previo aviso, oyó que la puerta del gimnasio se abría. Asustada, se volvió y se encontró con un hombre que corría hacia ella.

—¡Corre!

Oyó la orden, una orden imperiosa que atravesó el terrible dolor que le quemaba el pecho. Parecía que ese hombre volaba; todo él era un sinuoso movimiento de músculo y potencia. Enseguida tuvo la sensación de que un enorme tigre estaba a punto de saltar sobre ella.

—Corre. Sal de aquí.

Mientras se le echaba encima, Dahlia percibió la primera señal de miedo. Enseguida se convirtió en un ataque de pánico. Por primera vez en su vida, se había quedado inmóvil, incapaz de moverse o de pensar. Sólo podía observar cómo aquel musculoso hombre acortaba la distancia que los separaba con sus gigantescas zancadas. Él se agachó sin detenerse y la levantó en brazos, con la misma naturalidad que habría recogido una pelota del suelo, y siguió corriendo hacia el exterior.

Dahlia descubrió que la estaba cargando a la espalda, igual que la mochila y el rifle. Nunca antes había sentido dolor, no del que te paraliza la mente, se extiende por todo el cuerpo y te dejaba dócilmente en los brazos de un extraño. Nunca había estado en los brazos de ningún hombre. Nunca había estado así de cerca de un hombre en toda su vida.

—Baja la cabeza. El edificio está plagado de explosivos. Cuando detonen, será mejor que estemos lo más lejos posible —explicó Nicolas a Dahlia, aunque no le parecía necesario tener que explicar sus acciones. Pero es que la chica estaba tan pálida y asustada. Notaba los acelerados latidos de su corazón, que parecía que estaba a punto de salírsele del pecho. No esperaba que fuera tan frágil ni que pareciera tan femenina pegada a su cuerpo. No esperaba fijarse en ella demasiado y, sin embargo, se había fijado, incluso en aquella situación en la que la vida de ambos corría peligro.

—No puedo dejarlas. —Las palabras se le escaparon impregnadas de dolor a pesar de que sabía que era una estupidez. Decirlo y pensarlo. ¿Quién sería tan estúpido como para entrar en un edificio en llamas para recuperar dos cadáveres?

—Estás en estado de choque, Dahlia. Deja que nos ponga a salvo a los dos.

No existía un «a salvo». Él no lo entendía. Nadie estaba a salvo, y mucho menos el hombre que estaba intentando salvarle la vida. Se aferró a su espalda, mareada mientras él corría por el pantano para salvarles la vida.

Nicolas estaba contando en silencio, calculando el tiempo que les quedaba, consciente de que no era mucho, pero ansioso por utilizar hasta el último segundo para poner distancia entre ellos y la explosión. Dahlia estaba emitiendo el sonido más desgarrador que jamás había oído y hacía que se le encogiera el corazón, algo nuevo para él. Quería abrazarla y tranquilizarla como haría con un niño. Y lo peor es que estaba convencido de que ella no era consciente de estar haciendo ese ruido. Estaba agarrada a su chaqueta y ni siquiera se había resistido. La Dahlia de las cintas era una luchadora nata y la inacción de ahora expresaba lo conmocionada que se encontraba.

Cuando llegaron a los árboles, la bajó al suelo, la metió en terreno anegado y se colocó encima de ella, impidiendo con su enorme peso que se moviera. Casi en ese mismo instante, el suelo tembló y la fuerza de la explosión sacudió la isla entera.

Capítulo 3

*D*ahlia estaba atrapada debajo del enorme extraño, con la ropa empapada, el pecho tenso y ardiendo mientras el suelo temblaba con la fuerza de la terrible explosión. El cuerpo de ese extraño ayudó a amortiguar el sonido, pero enseguida supo que su casa, su único santuario, había desaparecido para siempre. Los pájaros gritaron y el mundo se transformó en un caos pero, en el fondo, sentía una paz absoluta. Era como el ojo del huracán. Contuvo la respiración y empezó a luchar, intentando quitarse de encima ese enorme cuerpo.

—Estás en peligro, tienes que alejarte de mí.

Tenía la voz llena de desesperación. Él estaba inmóvil y no había forma de hacérselo entender. Ella todavía no lo entendía y tenía que vivir con ello cada día de su vida. La energía de la explosión la invadió, la llenó, y se mezcló con el dolor y la rabia. No podría contenerlo mucho más, y cualquier cosa o persona que estuviera cerca corría un peligro mortal.

—Estamos bien —respondió él, con la voz tranquila y calmada.

Su voz desprendía una cadencia que la tocó en lo más profundo de su ser. Por un segundo, la energía pareció que se detenía, que dejaba de golpearla con locura, pero volvió a aparecer la presión.

—No estamos bien. Quítate de encima antes de que te haga daño.

Lo empujó por el pecho, intentando apartarlo. Ya estaba empezando a emitir calor, un calor que los envolvía a los dos y que llenaba el aire con algo antinatural. Algo erróneo. Dahlia hizo un esfuerzo por contenerlo.

Él sacudió el pecho y Dahlia tardó unos segundos en darse cuenta de que su preocupación le hacía gracia. Se enfureció.

—Eres un completo imbécil. Apártate ahora mismo.

El hombre se estaba riendo. Maldito sea, ella estaba intentando desesperadamente salvarle la vida y él se estaba riendo de ella. No quería hacerle daño, pero no se merecía que se preocupara por él. Entonces extendió los pulgares y se los clavó en los puntos de presión que había justo encima de la ingle. Él contuvo el aliento y le agarró las muñecas como si fuera un torno.

—No voy a hacerte daño, Dahlia. Sólo intento salvarte la vida.

No había ni un ápice de diversión en su voz. Esa voz la hizo estremecerse. Quizás había malinterpretado la risa. Parecía uno de esos hombres que no reían nunca.

—Y yo intento salvarte la tuya —respondió ella, en voz baja. Reconoció la nota de desesperación que no pudo ocultar—. No puedo explicarte lo que pasará, pero tienes que creerme. Si no te alejas de mí inmediatamente, correrás un grave peligro.

No la estaba mirando, estaba observando el edificio derruido, sus alrededores, el vuelo de los pájaros y los murciélagos; cualquier cosa menos a ella. La miró por primera vez y sus ojos negros encontraron los de Dahlia. Ella lo notó como un impacto. Intenso. Penetrante. Profundo. No podía leerle la expresión, pero su mirada parecía quemarla mientras le observaba la cara. Se separó de ella, se levantó con un movimiento ágil y la alzó a ella también.

—Tienes miedo de la energía que creas, ¿verdad?

No es que creara energía, pero ¿cómo podía explicar lo inexplicable? Ella no creaba energía; la energía la encontraba. La reclamaba. Corría hacia ella. Nunca había experimentado dolor o rabia a ese nivel tan descontrolado. Eso ya suponía un peligro suficientemente grande para cualquiera que estuviera cerca de ella, pero con la violencia de la muerte y la explosión y el fuego, la energía era demasiado desbordante para contenerla. Era volátil. Inestable. En cualquier momento estallaría en forma de bola de fuego y destruiría todo lo que estuviera cerca.

Dahlia se separó de él y puso tanta distancia entre ellos como pudo mientras la energía se enfurecía, daba vueltas y exigía que la utilizara. En cuanto lo hizo, el torbellino de calor la consumió y la quemó de dentro hacia fuera, impidiéndole hablar, respirar o moverse. Quería gritarle que se alejara corriendo, que se salvara. No podría soportar ser responsable de otra muerte, pero él se quedó de pie, mirándola con aquellos ojos fríos como el hielo.

Se acercó a ella a propósito, tanto que sus pieles casi se rozaban.

—Mírame, Dahlia. No tengas miedo de lo que pueda pasarme. Sólo sigue mirándome. —El tono no había cambiado. Seguía siendo calmado y tranquilo como un estanque.

En cuanto se le acercó, la temperatura corporal de Dahlia disminuyó. La energía dejó de dar vueltas. Pudo respirar, y se perdió en las oscuras profundidades de sus ojos. Unos ojos fríos que le enfriaban la piel y la energía. Dahlia contuvo el aliento.

—¿Quién eres?

—Nicolas Trevane. Soy un Soldado Fantasma, igual que tú.

Ella quería alejarse, pero no se atrevía. Él atrapaba la energía o, mejor dicho, enfriaba las ardientes consecuencias de la violencia. Ella nunca había podido hacerlo, por mucho que lo intentara. Podía canalizarla, dirigirla y lanzarla, pero no podía apaciguarla. Esas palabras le llamaron la atención y quiso... no, necesitó saber más.

—Nunca he oído hablar de los Soldados Fantasma.

—Ya lo sé. Sigue mirándome. Respira conmigo. Encuentra tu centro. Imagínatelo como una piscina. No intentes controlarlo; deja que el agua se lleve la energía. Las aguas pueden agitarse y las olas pueden ser gigantescas, pero las paredes de la piscina evitarán que salga. Visualízalo, Dahlia.

—¿Cómo me conoces?

—Haz lo que te pido y después hablaremos. Volverán. Saben que estás aquí y no se marcharán sin intentar atraparte. Son profesionales y tienen armas que pueden dispararnos desde mucha distancia. Tenemos que ir deprisa y eso significa que debes desprenderte de toda esa energía para que no estés tan agitada.

«Agitada» no era la palabra que ella habría elegido. La sobrecarga de violencia la incapacitaba. Lo único que se interponía entre un ataque y la posterior inconsciencia y ella era su presencia. Dahlia conocía su cuerpo, sabía la carga que podía soportar y había superado, de largo, el límite.

Nicolas la tomó de la mano. Ella enseguida sintió pánico, la apartó y se frotó la palma contra los vaqueros.

—No me toques. Nunca me toca nadie.

—A mí tampoco. Lo siento, debería haberte explicado lo que iba a hacer. —Hablaba en un tono muy paciente que la hacía sentirse como una niña desesperada—. Quiero que notes el latido de mi corazón. Tenemos que reducir el ritmo del tuyo. Sé que no tienes ningún motivo real para confiar en mí, Dahlia, pero si no controlamos esta situación, vamos a tener que salir de aquí luchando desarmados y sin ayuda.

Al mirarla, al mirar esos enormes ojos negros, Nicolas tuvo la sensación de que se estaba adentrando en un laberinto, en una trampa, en un lugar profundo y precioso que nunca había conseguido recorrer en ninguna de sus andanzas. Dahlia era una sorpresa y había pocas cosas que lo sorprendieran. Su diminuto cuerpo tenía una fuerza inmensa. Notaba cómo impregnaba el aire que los rodeaba, la sentía dentro de ella. Dahlia Le Blanc era todo energía.

Alargó el brazo para volver a tomarla de la mano, esta vez muy despacio y suave, dejando que ella se hiciera a la idea. Deslizó los dedos contra los suyos, casi como una caricia. No dejó de mirarla a los ojos. El cuerpo de Dahlia reaccionó, se sacudió y se estremeció. Él mantuvo el contacto visual y no dejó que ella apartara la mirada mientras le colocaba la palma de la mano encima del corazón.

—Todos formamos parte del universo. Todos compartimos energía. Disminuye tu ritmo cardíaco. Piénsalo, concéntrate.

Dahlia tragó saliva y parpadeó, muy consciente de los músculos que había debajo de la camisa. Consciente de su corazón, lento y estable. Consciente del calor de su piel. El calor estaba por todas partes, los envolvía. Brotaba de su interior como un mortífero volcán.

Sin embargo, también la desconcertaba cómo ese hombre estaba controlando la energía.

—He probado con la meditación, pero no me funciona. La energía me consume. Se acumula en mi interior como una fuerza desconocida. La atraigo igual que un imán atrae los objetos metálicos. Y entonces no puedo controlarla y las personas resultan heridas.

—Y, sin embargo, puedes utilizarla, ¿no es así? —Nicolas mantuvo el tono de voz muy tranquilo. Les quedaba muy poco tiempo. Dahlia tenía que recuperar el control para poder marcharse. Al menos, lo escuchaba. Aunque seguramente sería por el choque, la pena y la sorpresa de encontrarse con alguien que podía retener la energía por ella.

—En casos como este, no. Hay demasiada, y es muy potente. Me encuentra; yo no provoco nada. Viene de una fuente externa. Acciones. Emociones. ¿Qué más da? He estudiado meditación y filosofía oriental. No se puede controlar. Tiene que disiparse de alguna forma.

—¿Por qué lo estaba escuchando? ¿Por qué dejaba que la tocara? Estaba casi hipnotizada. Y, mientras tanto, la energía se revolvía, y hervía y esperaba, merodeando como un horrible monstruo en busca de la siguiente víctima.

Con Nicolas Trevane, Dahlia experimentaba un extraño efecto de tira y afloja. Nunca pasaba demasiado tiempo en compañía de alguien y ya empezaba a necesitar su espacio. Estaba incómoda, mareada y superada por el dolor y el miedo por la seguridad de Nicolas. Y, sin embargo, él mantenía la energía a raya. Reconoció el poder que tenía. Era mucho más sutil que la fuerza bruta que tenía ella, pero era enorme a pesar de su sutileza. Y no podía apartar la mirada de la intensidad de sus ojos, por mucho que lo intentara o lo deseara.

—Si quieres encontrar la forma de dispersar la energía, Dahlia, lo haremos juntos. La energía, incluso la violenta, se puede dirigir.

Nicolas reconoció las señales de sobrecarga. La pena vivía y respiraba en ella. Y la había llevado a un punto donde no podía pensar por sí misma.

—¿Puedes hacerlo?

No confiaba totalmente en él. No confiaba en nadie. Ni en Jesse, ni siquiera en Milly y Bernadette, pero eso no había impedido que las quisiera. Se sentía perdida, sola y no tenía ni idea de qué hacer, pero Trevane era un punto de apoyo sólido. Quizá fuera por su actitud calmada. O por el poder que ejercía de forma tan cómoda.

—Podemos hacerlo los dos. Haz lo mismo que yo.

Nicolas habló sin mostrar signos de nerviosismo. Sentía un hormigueo en la piel, señal inequívoca de problemas. El escuadrón debía de haber mandado hombres de regreso al pantano y los acosarían desde todos los frentes. Habría más violencia y más muerte antes de que consiguiera alejarla de allí sana y salva.

Dahlia hizo lo que le decía simplemente porque no se le ocurría otra cosa. Se concentró en la respiración de Nicolas. Escuchó el sonido de su voz, el timbre grave, aterciopelado y cautivador, casi hipnótico. Él dibujó la imagen de una piscina de agua transparente en la mente de ella. Las olas se agitaban, descontroladas, intentando escapar, pero él levantaba las paredes de la piscina cada vez más.

Dahlia se encontraba mejor, menos agitada, pero sabía que Nicolas estaba luchando una batalla perdida. La energía estaba viva y buscaba un objetivo. Trevane estaba conteniendo la fuerza entre las cuatro paredes de la piscina, pero la energía era cada vez más fuerte y buscaba la forma de hacer daño a alguien.

—No es cierto. La energía no está viva, Dahlia. Puede que esté cargada de violencia, pero no tiene personalidad. Sólo necesita una escapatoria, como el agua hirviendo en una tetera. Sólo tenemos que ofrecérsela.

—¿Lees mis pensamientos?

La idea la aterraba. Sus pensamientos no eran aptos para nadie.

—Te lo explicaré después. —Tenía los pelos de la nuca de punta—. Tenemos problemas, Dahlia. Nos persiguen. Si quieres vivir, vas a tener que confiar en mí para sacarnos a los dos con vida de aquí.

Ella le miró la cara, analizando esas palabras. Muy despacio. Una lenta inspección.

—Eres un asesino.

Lo soltó así. Sin más. Sin intentar dulcificarlo.

Nicolas se negó a hacer una mueca, a apartar la mirada. Se la devolvió directa. Se palpaba la frialdad. La distancia entre él y el resto del mundo. Estaba claro que no iba a disculparse por lo que hacía.

—Sí.

Si quería llamarlo asesino, lo aceptaría. Si quería vivir, tendría que confiar en lo que él hacía.

—¿Por qué vas a arriesgar tu vida para salvar la mía?

—¿Qué más da? No suelo enfrascarme en conversaciones triviales. Hagamos lo que te he dicho y larguémonos.

—No me había dado cuenta de que la conversación era trivial. Para mí no lo es.

Nicolas quería maldecir, y eso que no solía hacerlo. Ella lo miró con sus enormes ojos negros y su exótica belleza oriental y, sin saber cómo, superó sus barreras y le llegó a lo más profundo de su ser. Había algo en ella que no acababa de entender, algo importante, escurridizo, algo que flotaba en su mente pero que no se dejaba atrapar. Tenía algo que ver con los sentimientos y si había algo en lo que Nicolas era torpe era descifrando emociones.

Soltó el aire muy despacio, decidido a no dejar que lo ablandara. Tenía que mantenerlos con vida y eso era lo único que importaba.

—Concéntrate lejos de nosotros. Piensa en la energía como en una carga. Algo que vas a detonar. Dirígela a una zona concreta.

Ella meneó la cabeza. Puede que hubiera reducido el ritmo cardíaco, pero todavía le costaba respirar porque la energía, ansiosa por salir, la ahogaba.

—No puedo.

—Concéntrate allí. —Señaló el pantano, a varios cientos de metros de donde estaban—. Piensa que es una flecha. Vas a clavarla justo allí. Imagínate una diana lo más cerca del centro y envía la energía.

—Lo quemaré todo.

—No hay mucho que quemar. —Nicolas miraba de un lado a otro sin cesar, examinando a su alrededor. De forma instintiva, se había agachado, y había hecho que ella se agachara también, para que los árboles y la hierba alta los protegieran—. Lánzala.

Esta vez, y de forma deliberada, en su tono había una nota de autoridad. No tenían más tiempo. No le dijo que había visto sombras moverse por el pantano.

Dahlia rezó en silencio para que funcionara. Fijó la mirada en la noche y deseó que la luna no se escondiera detrás de las nubes para poder ver un punto concreto. Sintió la fuerza de la energía moviéndose en su interior. Y sintió algo más. A Nicolas Trevane. Su fuerza, su determinación. Su concentración.

La energía salió de ella, oscura y horrible, y ardiendo mientras volaba hacia el pantano. La noche estalló en llamas, todo se tiñó de rojo, naranja y azul oscuro. Se oyeron gritos, terribles y agónicos. Alguien disparó sin un objetivo concreto, y las balas sonaron como abejas rojas que salían de un punto del pantano.

Nicolas oyó un golpe seco.

—Al suelo.

Reconocía el sonido del lanzagranadas M203 cuando lo oía. Estaban en un buen lío.

Dahlia se estaba alejando de él, con una expresión de miedo. Él simplemente agarró su diminuto cuerpo y la pegó al barro, cubriendo su cuerpo con el suyo justo cuando la granada cayó detrás de ellos. La fuerza de la explosión los sacudió. Nicolas se levantó, la levantó con prisas, y se dirigió hacia el interior de la isla.

—Ve hacia el oeste —dijo Dahlia. Avanzaba con la cabeza agachada mientras el infierno estallaba a su alrededor—. El terreno es más firme y podremos ir más deprisa. —Tenía el estómago revuelto pero, por suerte, la cabeza todavía le funcionaba. Las repercusiones de la energía ya la perseguían, pero le daba igual. Todo le daba igual. Se concentró en intentar que su cerebro funcionara lo suficiente para poder sobrevivir. Si permitía que la energía la encontrara demasiado deprisa, estaba perdida, y quizá Nicolas también moriría.

—Vamos a tener que meternos en el agua, Dahlia.

Quería prepararla. Ese pantano estaba lleno de caimanes y serpientes. Tenía que saber si iba a resistirse. Volvió a oír el sonido del lanzagranadas y la pegó al suelo. Ella no protestó y no se resistió. Teniendo en cuenta las circunstancias, era lo máximo que podía esperar. La explosión se produjo a su izquierda, a cierta distancia.

Nicolas nunca se cuestionaba sus decisiones. Las tomaba deprisa, en situaciones de vida o muerte y nunca volvía a replanteárselas. Era una trampa inútil y perjudicial, pero, aun así, lamentó valerse de las habilidades de Dahlia para atacar al enemigo. La miró mientras volvían a echar a correr. Estaba tremendamente pálida y tenía los ojos muy grandes. Su cuerpo temblaba bajo el suyo y hacía una mueca y huía del contacto cada vez que él la tiraba al suelo para esquivar las explosiones de las granadas.

Intentó convencerse de que era por el choque emocional de haber perdido su casa y a sus seres queridos, pero sabía que había algo más. Sabía que las repercusiones de herir a sus perseguidores se le habían vuelto en contra. Era lo suficientemente sensata como para seguir moviéndose y no retrasar su huida, pero tenía problemas y él era el responsable. Era uno de los problemas con los que los Soldados Fantasma tenían que convivir, y tendrían que seguir haciéndolo. Vivían en un terreno inexplorado. Las consecuencias negativas de usar las habilidades psíquicas eran numerosas y, a menudo, no tenían ni idea de qué podría pasar hasta que los resultados se les giraban en contra.

Dahlia era una Soldado Fantasma con todos los extraordinarios dones y, por desgracia, también con las terribles desventajas que solían acompañar al uso de esos dones. Era peligrosa, quizás incluso más de lo que ninguno de ellos había imaginado, pero no sólo por su naturaleza. El peligro procedía de la energía que acudía a ella y se acumulaba en su interior como si su cuerpo fuera un contenedor vacío que esperara que alguien lo llenara. La energía sobrante que no podía almacenar se acumulaba a su alrededor de modo que no tenía paz. No era de extrañar que llevara una vida lo más solitaria posible.

Nicolas los dirigió hacia el interior, manteniéndose en el lado oeste y más elevado de la isla, como le había dicho ella, aunque lentamente fue acercándose al perímetro. Tenían que salir de allí. Podían seguir jugando al gato y al ratón un poco más, pero si se quedaban en la isla, los acabarían encontrando. Estaba convencido de que estarían vigilando las orillas, pero el equipo había tenido que separarse y habían perdido a varios hombres.

—Dahlia, ¿puedes aguantar hasta que salgamos de la isla? —le preguntó, básicamente para que se concentrara en él y no en cualquier otra cosa.

Ella se paró en seco, apoyó una rodilla en el suelo y vomitó con violencia. Estaba empapada en sudor, y no tenía nada que ver con el calor. Levantó la cabeza, lo miró y asintió mientras se limpiaba la boca.

—Sí.

Nicolas tuvo la alocada necesidad de agarrarla y abrazarla. Tenía agallas y él estaba convencido de que podría contar con ella en el agua.

—No te separes. Con un poco de suerte, si estoy cerca de ti te ayudaré a controlar la energía.

Dahlia frunció el ceño cuando oyó que lanzaban otra granada y agachó la cabeza cuando Nicolas la tiró al suelo. Miró a su alrededor con cautela.

—Parece que el mundo entero está en llamas. ¿De verdad crees que saldremos de esta?

Tenía la visión borrosa y la cabeza le dolía tanto que quería gritar, pero estaba decidida a continuar hasta que no pudiera caminar. Cuánto más cerca estaba de Nicolas, más fácil le resultaba soportar la energía que desprendían las granadas.

Nicolas le acercó la cantimplora y la obligó a beber agua.

—Claro que saldremos —le aseguró él—. Aunque la isla está plagada de hombres. —Recuperó la cantimplora y le dio una camisa de la mochila—. Póntela. Las mangas te cubrirán los brazos y pasarás más inadvertida. También quiero oscurecerte la cara. Vamos a necesitar bastantes habilidades para pasar entre ellos.

Dahlia se sentó en el suelo blando. Casi toda la isla estaba hecha de terreno esponjoso. Incluso los cazadores sabían que debían evitarla en sus rutas. El centro se había elevado importando tierra para construir un terreno firme donde levantar el sanatorio. Dahlia nunca se había preguntado por qué, pero había oído cómo Milly y Bernadette comentaban las inundaciones que se producían en la época de lluvias y lo ridículo que era construir un edificio en la isla cuando había dinero de sobras para ir a cualquier otro sitio. Y, lo que era peor, que habían construido el sanatorio sin pilares. Uno de los principales peligros era caerse, atravesar la fina capa de vegetación y quedar atrapado en las aguas del pantano. Había muchos agujeros y el único lugar realmente seguro era el estrecho camino que subía hasta la tierra firme donde se levantaba el sanatorio. Dahlia se dio cuenta de que lo habían construido así por algún motivo.

—¿Tenían pensado matarme desde el principio?

Estaba empapada, pero se puso la camisa de Nicolas encima de su ropa. Le iba enorme y se ató los faldones alrededor de la cadera.

—Mi apuesta es que sí, cuando te descubrieran o cuando hubieras sobrevivido al propósito por el que te buscan —le respondió él, con sinceridad. No la estaba mirando; tenía la mirada perdida en la noche, con el rifle firme en la mano.

—Hace un par de años, cuando empecé a hacer demasiadas preguntas a Jesse, y él no quería responder o no sabía la respuesta, se me ocurrió que podía estar en peligro. —Intentó quedarse quieta y no apartar la cara mientras Nicolas se la oscurecía con un bote de crema que había sacado de la mochila. Lo miró con ojos solemnes—. ¿Quiénes son? ¿Por qué quieren matarme?

—Esos hombres tienen una preparación militar, pero creo que son mercenarios. Ninguna unidad de combate haría esto. ¿Para qué agencia trabajas?

Antes de que Dahlia pudiera responder, él le tapó la boca con la mano, le pegó la espalda al tronco de un árbol y los dos se agacharon para camuflarse entre las sombras. La miró a los ojos, apartó la mano muy despacio y levantó tres dedos. Ella asintió para indicar que lo había entendido y volvió la cabeza muy despacio hacia donde Nicolas estaba apuntando con el rifle. Vio que tenía las manos firmes y la mirada fría como el hielo. Dahlia no podía impedir que su cuerpo temblara continuamente. Nicolas estaba pegado a ella, como un gigante a su lado, encerrándola entre su enorme cuerpo y el tronco. Dahlia odiaba que él estuviera tan impasible mientras ella temblaba como una hoja.

La vegetación a su alrededor estaba ardiendo y las llamas rojas y naranjas subían hacia el cielo. El fuego iluminaba lo que tenía cerca y generaba unas macabras sombras sobre el resto de los arbustos y árboles. Las llamas se reflejaban en los ojos de Nicolas. El corazón de Dahlia dio un vuelco. Estaba empezando a confiar en él y, sin embargo, no sabía nada de él. Nunca había conocido a nadie que emitiera una energía tan baja y que, al mismo tiempo, fuera capaz de ejercer una violencia tan extrema. Parecía que, entre sus pieles, había un arco eléctrico interminable. Dahlia notaba un extraño cosquilleo en la sangre. El calor que se generó entre los dos era tremendo... y daba miedo.

Nicolas levantó la mano, la tomó por la cabeza y la pegó contra su pecho, mientras le acariciaba el pelo en un intento por calmarla. Si seguía temblando, acabaría rompiéndose los delicados huesos. Agachó la cabeza y se quedó así mientras el mundo ardía a su alrededor y el enemigo pasaba de largo. Pegó la boca a su oído.

—¿Estás preparada para esto?

Dahlia asintió porque, aunque no estaba segura de si lo estaba, sabía que no tenía otra opción si quería seguir con vida. Él se acercó el dedo índice a los labios, para indicarle que no podían hacer ruido y luego imitó el movimiento de caminar con los dedos. Dahlia respiró hondo cuando él se separó de ella. El paréntesis en el constante ataque de energía había sido tan absoluto que, cuando volvió a sentirlo, la fuerza casi la tiró al suelo. Se agarró a él y recuperó el equilibrio; fue la primera vez que lo tocó de forma voluntaria. En cuanto sus dedos lo tocaron y descansaron en él, la fuerza del ataque se redujo.

Nicolas la tomó de la mano. Volvió a agacharse hacia ella.

—Si crees que te va a ayudar, puedo llevarte en brazos.

Dahlia estuvo a punto de reír. Durante unas milésimas de segundo se desprendió del terrible peso que cargaba y Nicolas pudo entrever a la Dahlia pícara que se escondía, aunque enseguida desapareció.

—Si puedes, tómame de la mano mientras salimos de aquí. —Le costó un mundo pedírselo, pero no tenía más opciones—. Puedo llevarte la mochila.

Nicolas ni siquiera se molestó en responderle. La agarró de la mano y la obligó a seguirlo, en sentido contrario a la dirección que habían tomado los tres hombres, rodeando la pared de fuego, y acercándose un poco al canal lleno de juncos. Llegaron a una charca y Nicolas ni siquiera se detuvo; entró y arrastró a Dahlia con él. Varios insectos, pájaros, serpientes, lagartos y ranas estaban protagonizando un éxodo masivo, intentando huir del fuego. Nicolas estuvo atento a la posible presencia de caimanes.

En algún lugar a su espalda, oyeron unos disparos.

—Fusiles AK —identificó Nicolas—. No están cerca, así que no nos disparan a nosotros. Se han asustado o se han encontrado con un caimán.

—La isla está rodeada de caimanes —confirmó Dahlia.

La luna volvió a esconderse detrás de las nubes. De repente, Nicolas se detuvo y levantó la cabeza, alerta. Dahlia se quedó en silencio, esperando. Si había algo de lo que estaba segura era de que Nicolas sabía lo que hacía. Cuando se detuvo en seco y se quedó inmóvil, ella hizo lo mismo. Descubrió que estaba conteniendo el aliento y se había aferrado a su mano. Los vaqueros que llevaba estaban empapados y algo vivo le golpeó en la pierna, pero ella no se movió, sólo esperó e intentó ver algo en las oscuras sombras del pantano.

Nicolas agachó la cabeza y se acercó a ella.

—Nos persiguen.

Se lo susurró al oído, con el aliento cálido, provocando un extraño revoloteo de mariposas en el estómago de Dahlia.

—Dime algo que no sepa —susurró ella, porque sabía que la noche transportaba el sonido con mucha facilidad.

—Es como yo.

Supo lo que quería decir. Ella le había dicho que era un asesino y él le estaba diciendo que un colega los estaba persiguiendo por el pantano. Quería preguntarle cómo lo sabía, pero él le indicó que guardara silencio y señaló el pequeño dique que llevaba al canal grande. Ella contuvo el aliento. En el dique no había ningún tipo de vegetación. Apenas había varias plantas pequeñas, pero nada que pudiera esconderlos. Si escogían ese punto para acceder al canal, cualquiera que los estuvieran persiguiendo los vería de inmediato.

Nicolas le acarició la cara para indicarle que se concentrara en él. Ella estaba mirando el dique horrorizada. Él colocó la mano plana en el aire y la deslizó hacia delante, señalándole que se arrastrarían sobre el estómago para fingir ser caimanes que se meten en el agua.

Dahlia miró el dique mientras Nicolas empezaba a sumergir casi todo su cuerpo, sujetando el rifle justo por encima de la superficie. Vieron cómo un caimán se deslizaba por el agua. Dahlia no les tenía miedo, pero era lo suficientemente sensata como para tenerles cierto respeto. Jugar en su terreno le parecía una solución muy drástica.

—Seguro que tienes una lancha escondida en algún sitio. ¿No podemos ir a buscarla?

Él meneó la cabeza.

—No podemos arriesgarnos a que ya la hayan encontrado. Si es así, la utilizarán como cebo. Habrá alguien esperándonos. Es mejor hacer lo que menos se esperan.

Dahlia se apretó el estómago revuelto con las manos.

—Imagino que no lees las mentes de los animales, ¿verdad?

—Me temo que no —admitió Nicolas mientras se separaba de ella. Sólo fueron dos pasos, pero la energía volvió a acecharla, como un monstruo hambriento, superando sus defensas, penetrando por sus poros y llenándole el estómago hasta que ella se sacudió. Nicolas mantuvo el rifle por encima de la superficie, pero alargó el otro brazo, la agarró por el cuello de la camisa y la pegó a él, casi como si hubiera notado que estaba mal. La tomó de la mano, se la llevó hasta la cintura de los pantalones y le indicó que se agarrara fuerte. Los nudillos de Dahlia le rozaban la piel.

Agacharse en el barro con fuego alrededor, su casa ardiendo, su mundo devastado, su familia muerta, perseguida por un asesino y tener la sensación de que tocar así a Nicolas Trevane era algo íntimo le pareció ridículo. Dahlia apartó la mano, sorprendida por aquella idea, sorprendida por pensar en Nicolas como en un hombre y no sólo como en un ser humano. De repente, tuvo la imperiosa necesidad de salir corriendo y encontrar un escondite para ella sola. Su lugar no estaba junto a las personas. Ya nada tenía sentido.

—Dahlia. —Nicolas pronunció su nombre con dulzura y con un tono increíblemente amable—. No te asustes. Ya casi hemos salido de aquí. Puedes hacerlo.

Avergonzada, se dio cuenta de que estaba retrocediendo y temblando como una niña pequeña. Obligó a su cerebro a pensar otra vez y asintió para indicar que había vuelto a controlar la situación. No tenía ni idea de lo que estaba pasando, pero sí sabía que, en cuanto estuviera a salvo, pondría la mayor distancia posible entre Nicolas y ella.

Para prevenir que las oleadas de energía volvieran a atacarla, apoyó la mano en la enorme espalda de Nicolas y se esforzó por mantener la mente en blanco.

Avanzaron lentamente por el agua, sin asomar demasiado por encima del agua y con cuidado de no salpicar. Cuando llegaron al dique, Nicolas subió, muy despacio, con el pecho pegado al suelo, se hundió en el barro y empezó a arrastrarse. Dahlia tragó saliva de forma compulsiva y siguió el ejemplo. Era imposible mantener el contacto físico con Nicolas mientras se arrastraba por el barro y deslizaba su cuerpo por la superficie desnuda del dique imitando el movimiento de un caimán. Los dolores volvieron con fuerza, le quemaba todo el cuerpo y le rugían en la cabeza. Veía manchas blancas. Se mordió el labio con fuerza, decidida a no perder la conciencia.

Nicolas sabía que estaban desprotegidos mientras avanzaban por el dique. Moverse al aire libre requería paciencia. El instinto natural era correr, ir a esconderse, pero el movimiento siempre llamaba la atención. Había elegido esa salida a propósito porque estaba desprotegida y porque seguro que nadie se lo esperaba.

Oyó que a Dahlia le costaba respirar. El calor se acumulaba a su alrededor, oleadas de energía tan fuertes que incluso Nicolas sentía cómo la golpeaban. Como estaba tan conectado con ella, pudo percibir su nivel de agotamiento y sabía que se estaba acercando al límite de lo que podía soportar. Aunque eso no evitó que lo siguiera, que se abriera camino entre el barro, por el suelo desnudo hasta la orilla. El respeto que sentía hacia ella creció. No se había quejado de nada a pesar de que su mundo entero había desaparecido.

Dahlia emitió un pequeño sonido de ahogo. Nicolas sabía que estaba luchando contra las oleadas de energía que se apoderaban de ella. Respiró, muy despacio, en un intento por ayudarla. Se metió en el agua, pero mantuvo el rifle por encima de la superficie, moviendo las piernas para mantenerse a flote. Se volvió para esperarla. Le iba a resultar imposible mantener el arma seca pero, hasta que estuvieran a salvo, tenerla podría marcar la diferencia entre vivir y morir.

Dahlia se metió en el agua. La tranquilizó ver que Nicolas la estaba esperando. En la oscuridad, la cara pintada debería haber dado miedo y, sin embargo, ella sólo sintió alivio cuando lo vio. Le rozó el brazo, porque necesitaba el contacto para intentar detener la bilis.

—Si nadamos hacia allí encontraremos una isla que nadie usa —dijo ella, señalando—. No está lejos y hay una lancha que podemos utilizar. Conozco una cabaña de cazador a unos cuantos kilómetros.

Nicolas asintió y empezó a nadar de espaldas, de modo que casi todo su cuerpo estaba sumergido. Se impulsaba dando fuertes patadas debajo del agua para no hacer ruido. Dahlia intentó imitarle, se dio la vuelta y miró hacia el cielo cubierto de humo, y después volvió la cabeza hacia la isla en llamas. Se le nubló la visión y parpadeó un par de veces para limpiarse los ojos.

Nicolas avanzaba sin hacer ruido. Debería haber resultado un movimiento extraño, puesto que con una mano aguantaba el rifle en el aire, pero se movía con tanta agilidad que cualquiera diría que lo había hecho cientos de veces. Dahlia hizo lo que pudo para nadar en silencio y fingir ser un tronco flotando en el agua. Salpicó un par de veces, pero se encontraba demasiado mal para importarle.

—Un poco más —la animó él—. Lo estás haciendo muy bien.

—Sabes que esto está lleno de serpientes, ¿verdad?

—Mejor que las balas. Lo conseguiremos, Dahlia.

Estaban en medio del canal y Nicolas quería poner algo más de distancia entre la isla y ellos por si la luna asomaba desde detrás de las nubes. Dahlia tenía un gesto de auténtico agotamiento. Respiraba de forma entrecortada. Nicolas se fijó en que cada vez nadaba de forma más torpe en aguas abiertas.

—No me abandones ahora —dijo, una provocación deliberada, porque no se imaginaba a Dahlia abandonando algo.

Ella quería clavarle la mirada, pero no pudo reunir las fuerzas para hacerlo. Tuvo que recurrir a la última gota de disciplina para continuar. Lo siguió por el agua y cruzaron un pequeño canal muy corto y lleno de juncos. Dahlia había perdido la noción del tiempo. El agua ayudaba a disipar la energía que la envolvía, pero no se atrevía a dejar salir lo que llevaba dentro por si delataba su posición. Además, el estómago ardiendo la ayudaba a mantenerse despierta.

Al cabo de un rato, todo le pareció un sueño horrible, uno del que quería despertar a toda costa. Fue a la deriva y cerró los ojos por momentos, intentando evitar que su mente recuperara la imagen de Milly y Bernadette sin vida en el suelo. ¿Habrían sufrido? ¿Habrían tenido miedo? Dahlia apenas se había retrasado dos horas. Casi siempre era puntual, pero las cosas no habían salido como había planeado. De haber regresado antes, ¿habría podido impedir la muerte de las dos mujeres y el incendio en la casa? Y Jesse. Habría gritado de dolor. Fue algo terrible de oír y presenciar. Dahlia no había impedido que se lo llevaran. Le había hecho una promesa y tenía intención de cumplirla. Lo encontraría y, fuera como fuera, si todavía estaba vivo, lo rescataría.

Dahlia estaba convencida de que estaba nadando, que estaba avanzando por el agua y, sin embargo, de repente Nicolas la agarró por el cuello de la camisa y descubrió que estaba tosiendo e intentando respirar. Ella intentó apartarlo, pero sus brazos ya no le obedecían y colgaban muertos a ambos lados.

—Me ahogo.

—No, sólo te estás quedando dormida.

La voz de Nicolas nunca cambiaba; era pausada, amable y tan irritante que Dahlia quería gritar. Empezaba a sospechar que ese hombre no tenía sentimientos. Lo que complicaba mucho más el hecho de mostrarse tan débil delante de él. No es que él intentara mostrarse superior, es que ella tenía la sensación de que lo era.

—Sigue. Ya te alcanzaré.

Pensaba flotar. Estirar las extremidades y flotar. Y si un caimán quería darse un banquete de madrugada, podía hacerlo y, con suerte, la energía que llevaba en su interior y que estaba pidiendo a gritos salir sería su venganza.

Nicolas vio que no podría mantener el arma seca más tiempo. Tenía que escoger, el rifle o Dahlia, y no pensaba perderla ahora. Se colgó la cinta del rifle al cuello y agarró a Dahlia. Era pequeña y ligera y el corazón le dio un vuelco antes de retomar el latido normal.

Capítulo 4

*N*icolas sacó su agotado cuerpo del canal hasta el dique enfangado, con Dahlia pegada a su pecho. Se quedó contemplando el cielo nocturno. Las nubes se acumulaban encima de su cabeza, una señal inequívoca de que se avecinaba tormenta. Había nadado varios kilómetros y luego había caminado un buen rato entre juncos y con el agua hasta la cintura. Varios árboles nacían directamente del agua, como centinelas silenciosos que protegían estrechas lenguas de tierra. Estaba exhausto y le dolía el costado. Esperaba que eso no significara que la herida se le había abierto. No sería bueno mientras estuviera en el agua.

Bajó la cabeza y miró a la mujer que se hallaba tendida, inmóvil, encima de él. Los dos estaban cubiertos de barro. Le apartó varios mechones de la cara.

—Dahlia, despierta. —Al final se había quedado inconsciente en el canal después de luchar denodadamente, de soportar toda la energía que se acumulaba en su interior para no delatar su posición y de mantener el ritmo de él hasta que su cuerpo había dicho basta—. Me estás empezando a preocupar. —Era verdad, y eso que sus principios se negaban a preocuparse por nadie. Era algo inútil y lo evitaba a toda costa. La sacudió con suavidad—. Venga, Bella Durmiente, despiértate por mí.

Nicolas se incorporó e ignoró el grito de protesta de su cuerpo. Dahlia parecía vulnerable y terriblemente pálida debajo del barro. Mirarla le provocó un curioso estremecimiento en el estómago. Era un hombre que lo mantenía todo bajo control y, sin embargo, ella había despertado algo que, por lo visto, hacía tiempo que estaba latente y era muy intenso. Le incomodaba no poder reconocer exactamente lo que sentía.

El estruendo de un trueno resonó justo encima de ellos, agitó los árboles e hizo temblar el suelo. Empezó a llover; un diluvio que los dejó empapados en unos minutos. Dahlia reaccionó y su débil cuerpo intentó protegerse de la lluvia. Volvió la cabeza para intentar evitar el impacto de las gotas. Parpadeó y la mirada de Nicolas se centró en la longitud de sus pestañas. Ella lo miró. Él supo reconocer su miedo, pero ella enseguida lo escondió. Miró a su alrededor y se apartó para interrumpir el contacto físico.

—Supongo que me he desmayado. Siempre que sufro una sobrecarga de energía me pasa. —Su mirada rozó la cara de Nicolas y enseguida se apartó—. Puede ser un problema.

Él se encogió de hombros de forma casual.

—Yo también soy un Soldado Fantasma. Sé lo que es.

Se levantó y le ofreció la mano.

Dahlia dudó unos segundos antes de aceptarla.

—Todavía no sé qué son los Soldados Fantasma. —Miró a su alrededor con cautela—. Nos has traído al lugar correcto. La cabaña del cazador está por allí —dijo y señaló una zona a su derecha.

Nicolas se colgó la mochila a la espalda.

—¿Recuerdas al doctor Whitney? ¿El doctor Peter Whitney?

La miró atentamente. Su gesto cambió y se volvió inexpresivo. Se produjo un distanciamiento inmediato, y no sólo físico; también mental. Nicolas notó la separación y fue casi como un puñetazo. Aquello lo sorprendió. Como no estaba seguro de si podría ocultar su agitación interior, apartó la mirada y la dirigió hacia la zona que ella había señalado antes de ponerse en marcha.

—Sí —dijo en voz baja y llena de resentimiento.

—¿Alguna vez descubriste qué te había hecho?

Nicolas mantuvo un tono de voz neutro y siguió caminando delante de ella, dándole la espalda para que no tuviera que ocultarle sus expresiones. O quizás era él quien quería ocultar sus expresiones, no estaba seguro. Antes de empezar a caminar se había fijado que Dahlia estaba temblando y que su cuerpo reaccionaba a las inclemencias climáticas. A pesar del diluvio, el aire era cálido. Quiso darse la vuelta y abrazarla. Meneó la cabeza en un esfuerzo por olvidarse de esos pensamientos tan extraordinarios.

Dahlia escuchó el sonido de la lluvia. Siempre le había parecido muy relajante. Incluso ahora, que estaba cayendo a cántaros, tenía la sensación de que una parte de ella podía perderse en la lluvia. La parte que hacía daño a la gente. La parte que no podía controlar. Cuando se sentaba bajo la lluvia, se sentía limpia.

—Tengo la sensación de que Whitney me robó la vida. Y, al mismo tiempo, es como si tuviera que estarle agradecida. Me construyó esta casa y contrató a Milly y a Bernadette. Y también me ofreció todo lo que pudiera querer o necesitar. Mi cerebro necesita...

Se quedó callada y miró a los silenciosos árboles que bordeaban el dique, con miedo de echarse a llorar y hacer el ridículo. Estaba agotada, vulnerable y sentía tanto dolor que casi no podía respirar. Ni siquiera podía mirar la enorme espalda de Nicolas mientras caminaban, no si lo que quería era hablar del doctor Whitney.

—No estás sola, Dahlia. Whitney se trajo a varias niñas, la mayoría casi bebés, de países extranjeros. Las encontraba en orfanatos y, como era tan rico, nadie se lo impedía. Nadie las quería, así que cuando él sacaba el dinero para comprarlas, las autoridades miraban hacia otra parte y no hacían preguntas.

El corazón de Dahlia se aceleraba con cada palabra. Se obligó a escuchar la cadencia de su voz. Puede que no hubiera inflexiones, pero sí que había un cuidado y una forma de hablar que le revelaban muchas cosas. Nicolas no era tan frío como parecía.

—Yo fui una de esas niñas. —Lo confirmó, no lo preguntó.

—Sí. —Se detuvo en la pequeña lengua de tierra y miró la arboleda que crecía delante de ellos, con los troncos hundidos dos palmos en el agua—. Creo que vamos a tener que cruzar esto.

Dahlia suspiró.

—Ya te dije que no iba a ser fácil. Lo siento.

Nicolas volvió la cabeza y le sonrió. Fue algo breve y casi no se reflejó en los ojos, pero igualmente le transmitió calidez.

—Creo que ya estamos empapados.

Ella dibujó una sonrisa reacia.

—Sí.

—¿La lluvia me está limpiando el barro de la cara?

Ella ladeó la cabeza. Una pequeña sonrisa se le reflejó en los ojos.

—En realidad, te está resbalando por la cara de una forma bastante teatral. Creo que asustarías hasta a un caimán.

—Antes de reírte de mí, deberías ver la pinta que tienes tú.

Nicolas cometió el error de alargar la mano para limpiarle una mancha de barro de la cara. De inmediato, la sonrisa de Dahlia desapareció y se apartó para impedir el contacto. Él dejó caer la mano.

—¿A ti también te compró en un orfanato?

Lo miró a los ojos oscuros; un desafío casi beligerante.

Nicolas se metió en el agua. Era más profunda de lo que había imaginado. Se volvió y agarró la muñeca de Dahlia sin darle tiempo y evitar el contacto. Al principio, ella se resistió, un pequeño instinto a separarse de él, pero Nicolas vio cómo apretaba la mandíbula y se adentraba en las aguas oscuras con él.

—Yo llegué mucho más tarde —respondió como si nada mientras fingía no darse cuenta de la aversión que tenía a que la tocaran. El agua le llegaba por encima de los pechos, casi por los hombros.

—¿Qué hizo?

—Tenía la certeza de que podía aumentar las habilidades psíquicas. Creía que si podía encontrar niños con algún talento especial, aumentaría sus capacidades y mejoraría su habilidad para servir al país.

—¿Qué nos hizo, exactamente?

—¿Te acuerdas de Lily?

Se detuvo para mirarla.

Ella contuvo el aliento.

—No creí que fuera real.

—Es muy real. Whitney se quedó con ella cuando se deshizo de todas las demás. Le dijo que era su hija biológica y la crió como tal.

No tenía ni idea de los experimentos, sólo sabía que era diferente y que no podía pasar mucho tiempo en compañía de otras personas. Llevaba una vida bastante solitaria. Cuando varios hombres de mi unidad murieron y Whitney sospechó que se trataba de un asesinato, la incorporó al proyecto para que le ayudara a descubrir qué nos estaba pasando. A Peter Whitney lo mataron antes de que pudiera dar con ninguna explicación. Lily lo acabó descubriendo todo y nos ayudó. Ha estado buscando a las demás chicas que su padre trajo de los orfanatos. Y así fue cómo encontró el sanatorio y a ti.

Dahlia se frotó la sien.

—Lo siento mucho por ella. Descubrir la verdad sobre Whitney debió de ser un golpe muy duro. Recuerdo que era muy amable conmigo. Siempre me sentía mejor a su lado.

—Es un ancla. Igual que yo. Atrapamos las emociones, y hasta cierto punto también la energía, y permitimos que los demás puedan funcionar. ¿Jesse también es un ancla?

Dejó caer la pregunta de forma deliberada mientras se daba la vuelta y la arrastraba por el agua tras él.

—No lo sé. Supongo que sí. Me resultaba mucho más fácil estar en su presencia. Jamás me cuestioné el por qué. Cuando él estaba, yo me sentía más tranquila y podía controlar las emociones.

Nicolas sintió un ardor extraño en el estómago. Y una presión en el pecho.

—¿Estabais muy unidos?

Mantuvo un tono estrictamente neutro.

Ella lo miró nerviosa, sin saber por qué.

—Supongo que sí. Más unida de lo que suelo estar con la gente. No conozco a mucha gente. Jesse era como un miembro de mi familia, igual que Milly y Bernardette.

Su voz era sincera. Inocente. Nicolas soltó el aire muy despacio y, en ese preciso momento, no se gustó demasiado. Estaba aprendiendo cosas sobre sí mismo que nunca hasta ahora había considerado que formaran parte de su carácter. Y no era agradable.

—Siento mucho lo de las dos mujeres, Dahlia. Ya estaban muertas cuando llegué. Conseguí eliminar al hombre que había disparado a Jesse, pero luego todo se aceleró.

—Sé que los habrías salvado si hubieras podido. —Y lo sabía—. Explícame más cosas sobre Whitney. ¿Qué nos hizo?

El mero hecho de pronunciar ese nombre despertaba recuerdos que se había esforzado mucho en eliminar.

—Lily te dará todos los datos técnicos, si quieres. Yo la escuché y me enteré de un tercio de lo que dijo, pero, básicamente, nos eliminó las barreras del cerebro. Siempre sufrimos una sobrecarga sensorial. Obviamente, fue un poco más allá y utilizó descargas eléctricas y drogas de diseño, pero ya te puedes hacer una idea. Sentimos, oímos y hacemos cosas que casi nadie puede, pero el precio que pagamos es enorme. Al menos, yo me presenté voluntario para el proyecto, pero tú no tuviste otra opción. Whitney tendría que responder de muchas cosas.

—Sí.

Dahlia cerró los ojos ante la marea de recuerdos sombríos. Niñas llorando. Un dolor que le taladraba la cabeza día y noche. La desdibujada figura que siempre las vigilaba, que nunca sonreía y que nunca estaba satisfecha. No era humano. Pensaba en él en esos términos. Un torturador sin sentimientos. Era el monstruo de sus pesadillas, algo que intentaba apartar de su mente y no volver a recordar.

—¿Dahlia? —Nicolas la rodeó con el brazo. El hecho de que ella ni se diera cuenta reflejaba lo agobiada que estaba. Sentía auténtica aversión al contacto físico y, sin embargo, se mantuvo pegada a él. Nicolas notó cómo temblaba a través de la ropa empapada—. No quiero alterarte. Ha sido un día muy duro para ti. Podemos mantener esta conversación en otro momento.

Dahlia levantó la cabeza hacia el cielo. El cielo nocturno era oscuro y estaba nublado, casi como su desolado corazón.

—Tengo que ir con cuidado. —Intentó mantener un tono tan inexpresivo como él—. Si siento demasiado alguna emoción, pueden suceder cosas terribles. —Lo miró a la cara. En la noche parecía hecho de granito en lugar de carne. Una preciosa estatua de piedra con unos ojos increíbles—. ¿Me lo hizo él?

—Sí. —No había ningún motivo para negarlo. Peter Whitney estaba muerto, asesinado por un hombre con muchos menos escrúpulos y mucho más letal que él—. Lo siento. Ojalá pudiera decirte que hemos encontrado una curación, pero no es así. Hemos encontrado la forma de conseguir que vivir en el mundo exterior sea más fácil, pero, de momento, no hay manera de invertir el proceso.

El agua ya empezaba a ser poco profunda. Dahlia esperó a volver a estar en tierra firme para orientarse.

—Es por allí, por aquella arboleda. La cabaña es pequeña y no hay agua caliente, pero podemos improvisar. Está justo delante de la orilla de un canal que atraviesa toda la isla. El acceso hasta aquí es tan complicado que no viene casi nadie. Sólo algún que otro viejo cazador, pero muy de vez en cuando. —Hablaba muy deprisa, intentando que él no la interrumpiera. No se había dado cuenta hasta ese momento, hasta que le había dicho que el proceso era irreversible, de lo mucho que deseaba que le dijera que tenían una curación milagrosa para ella.

Se obligó a encogerse de hombros.

—Estoy viva. ¿Te he dado ya las gracias? Dudo que hubiera salido de allí sana y salva sin ti. Habría intentado rescatar a Jesse allí mismo, con todos esos hombres por ahí. ¿Crees que lo torturaron para obligarlo a decirles dónde estaba?

Nicolas la agarró por la cintura con un brazo, la levantó por encima de un tronco podrido y la dejó en el suelo con suavidad, y todo sin detenerse.

—Estos hombres torturan por placer. No necesitan ninguna excusa.

Dieron un rodeo y encontraron la choza. Estaba en la orilla del canal, como Dahlia había dicho. Una pared se balanceaba de forma peligrosa, había grietas en la madera y un saco de arpillera en una ventana, pero la puerta estaba cerrada con llave.

—Rescataré a Jesse —dijo, mirando la cerradura fijamente.

Era muy sencilla. Cuando Nicolas alargó la mano para intentar forzarla, el centro de la cerradura giró, primero a un lado y luego al otro. Los seguros encajaron y la cerradura se abrió. Fue todo tan rápido y ágil que Nicolas se dio cuenta de que Dahlia había abierto la cerradura sin realmente pensarlo. Se situó junto a Nicolas, agarró el pestillo y abrió la puerta.

—No pienso dejarlo con esos hombres.

—No esperaba que lo hicieras. —Nicolas recorrió el interior de la cabaña con la mirada. En el suelo había un colchón podrido—. Es como nosotros.

Dahlia lo miró fijamente.

—¿Whitney también experimentó con él?

—Es telepático. Nunca me he encontrado con un telepático natural tan fuerte. Diría que le han reforzado la habilidad y, por lo que yo sé, nadie más tenía la fórmula de Whitney. —Nicolas sacó la cantimplora y se la ofreció a Dahlia—. Tenemos de sobras, bebe lo que quieras. —Miró a su alrededor—. No es un hotel de cinco estrellas, ¿no?

Dahlia se abrazó por la cintura, desesperada por controlar el continuo temblor. Más que cualquier otra cosa, quería estar sola. Jamás había pasado tanto tiempo en compañía de otra persona, ni siquiera con Milly o con Bernadette. Dibujó una sonrisa forzada.

—Voy afuera un rato, de modo que si quieres hacer algo privado, como secarte, la cabaña es toda tuya.

—No tienes que hacer guardia todavía. Notaré cuando se acerque alguien. Eres tú la que necesita secarse. Mi mochila es impermeable. O, al menos, debería serlo. —Dejó el rifle en la vieja mesa y sacó una camisa de dentro—. Ponte esto y pondremos a secar tu ropa.

Dahlia aceptó la camisa a regañadientes y lo observó mientras él desmontaba el rifle. Secó cada parte y las engrasó. Ella miró a su alrededor. Era imposible conseguir algo de intimidad, así que se fue hasta la esquina más alejada y le dio la espalda.

—Tienes que estar preparada para la posibilidad de que tu amigo esté muerto, Dahlia.

Ella tiró al suelo la ropa húmeda.

—Se llama Jesse, Jesse Calhoun. —Se volvió para comprobar si la estaba mirando, pero Nicolas se encontraba de espaldas. Se quitó el delicado sujetador azul claro y lo tiró al montón de ropa empapada y sucia, y luego se puso la camisa seca—. No tendría sentido que lo mataran. Si hubieran querido matarlo, lo habrían hecho en el sanatorio. Lo están usando como cebo para atraerme hasta él. ¿Qué otro motivo podrían tener? —Se quitó los vaqueros y la ropa interior, intentado no pasar demasiada vergüenza, como si le diera igual.

—Estoy de acuerdo. Se lo llevaron como seguro de vida. Vieron que si no podían atraparte, se lo podían llevar y lo seguirías.

—Que es exactamente lo que voy a hacer.

Miró la espalda de Nicolas con beligerancia. No le había dicho que fuera una idea estúpida, pero ese tono neutro empezaba a resultarle muy molesto. Claro que tenía que acudir al rescate de Jesse. Él nunca la dejaría en manos del enemigo.

Nicolas mantuvo la cabeza agachada y la mirada fija en el rifle mientras lo secaba con un trapo. Notaba la creciente agitación de Dahlia y supuso, por experiencia propia de Soldado Fantasma, que aquel nerviosismo era consecuencia de la proximidad continuada con otro ser humano. Y eso, sumado al dolor y al choque emocional, era una combinación peligrosa.

—No veo otra salida —asintió él—. Puesto que saben que vamos tras ellos, y han puesto a un asesino para seguirnos el rastro, tendremos que ser más listos que ellos.

—Me alegro de que lo entiendas.

Dahlia lavó el barro de la ropa antes de ponerla a secar. Se volvió para observar cómo Nicolas dejaba el rifle y sacaba varios objetos de la mochila. Entre ellos, una funda de almohada que reconoció.

Nicolas abrió un pequeño bote metálico y sacó una tableta, que colocó en una caja. A pesar de que necesitaba mantener la distancia, Dahlia se acercó con los ojos llenos de curiosidad.

—¿Qué es eso?

—Son cerillas impermeables. Algunas cosas están un poco húmedas. Hemos estado mucho rato en el agua. —Protegió la llama de la cerilla con la mano y encendió la tableta—. Es una lengüeta Sterno y debería calentarnos lo suficiente para que dejes de temblar.

Dahlia enseguida sintió el calor que aquel pequeño objeto desprendía.

—¿Qué más llevas en esa mochila? Imagino que no habrás traído comida, ¿verdad?

—Por supuesto. Los hombres no vamos a ningún sitio sin comida.

Le brillaron los ojos. La calidez invadió a Dahlia. Fue algo pequeño, pero nunca le había sucedido. Entonces cruzó los brazos debajo del pecho y se volvió hacia el calor de la tableta, negándose a contemplar la tentación. Aunque no aguantó demasiado.

Nicolas empezó a dejar armas encima de la caja de madera que hacía de mesa. Dos cuchillos para esconder en las botas. Dos cuchillos que llevaba en un arnés pegados a las costillas. Otro cuchillo que sacó de una funda debajo de la axila. Una Beretta de nueve milímetros y un cinturón lleno de munición. Ella se quedó boquiabierta.

—Santo Dios. Ciertamente crees en el hecho de llevar ventaja, ¿eh?

—Una persona nunca lleva suficientes armas.

Ella lo observó; sus movimientos letales y sus ojos alerta. Todo en él gritaba que era letal.

—Eres un arma personificada.

Él dibujó una imperceptible sonrisa que ni siquiera le llegó a los ojos.

—Bueno. A esto se le llama ir bien preparado.

Dahlia era muy consciente de que se estaba quitando la ropa mojada y la estaba tirando el suelo. Ese hombre no tenía ningún pudor y, a pesar de no querer hacerlo, la mirada de ella no pudo evitar fijarse en él. Era tan grande que empequeñecía la cabaña, y a ella. Era alto, con la espalda ancha y muy musculoso. Nicolas se volvió y Dahlia vio una herida muy fea en el costado, cerca del corazón.

—Estás herido.

Él se encogió de hombros.

—Es de hace varias semanas. Casi estoy curado.

Sacó el botiquín de la mochila.

A ella no le parecía que estuviera curada ni que fuera de hacía varias semanas. Parecía en carne viva y que tenía que doler.

—Deberías habérmelo dicho.

Él la miró con aquellos ojos negros. Dahlia no sabía qué estaba pensando, pero algo en su mirada la perturbaba.

—¿Y qué habrías hecho al respecto?

—Habría intentado aguantar un poco más antes de desmayarme.

Vio cómo se aplicaba unos polvos y un ungüento en la herida antes de cubrirla con un apósito.

—¿Puedes hacerlo?

Ella se encogió de hombros.

—A veces. Esta vez he llegado al límite, pero quizá, con un poco más de incentivo, habría podido obligarme a seguir un poco más. —Incluso ahora le dolían las piernas y los brazos después de nadar tanto rato. Se frotó los bíceps—. Al menos, no habrías tenido que arrastrarme junto con la mochila y el rifle.

—No pesas tanto como para notar la diferencia.

Ella le dio la espalda y se volvió hacia la tableta. Sabía que era menuda. Incluso Jesse se burlaba de ella y le decía que todavía tenía que crecer. Era un tema espinoso, pero intentaba fingir que no le molestaba.

—Toma unas toallitas húmedas. Nos limpiamos y luego nos ponemos a comer.

Dahlia se volvió justo cuando él le lanzó un paquete de toallitas. Ella las cogió al vuelo e, inmediatamente, supo que estaba poniendo a prueba sus reflejos.

—Estoy bien, Nicolas. Me he desmayado por la sobrecarga de energía, no porque no tuviera fuerzas suficientes para continuar. Me pasa a menudo. Por eso me mantengo lejos de situaciones que puedan provocarlo. En serio, no tienes de qué preocuparte. Ahora ya estoy bien. De hecho, puesto que puedo utilizar casi toda mi energía, tengo una mayor resistencia física que la mayoría.

Nicolas observó su cara, que estaba de lado, mientras se ponía unos vaqueros mucho más secos. No parecía estar bien. Parecía pálida y triste. No tenía ni idea de cómo reconfortarla. Las mujeres no eran su fuerte. Vio que, en lugar de limpiarse, se estaba ensuciando todavía más la cara. Le quitó la toallita de la mano y lo hizo él, aunque con un poco de torpeza.

Los instintos de supervivencia de Dahlia gritaron que se apartara, pero se mantuvo firme. Nicolas nunca era torpe, en ninguna situación en que ella lo había visto. Y, sin embargo, podía notar lo incómodo que estaba y reconoció que trataba de calmarla.

—Whitney está muerto. Lo asesinaron mientras intentaba proteger a los hombres de mi unidad después de haber experimentado con nosotros. Tras su muerte, encontramos varias cintas. Aparecías tú, y eso fue lo que nos llevó hasta ti. En las cintas donde aparecías aprendiendo artes marciales, atacabas o defendías anticipándote a tu contrincante. Notabas la energía antes de que se movieran, ¿verdad?

Le siguió limpiando el barro de la cara, con tanta delicadeza que ella apenas lo notaba, aunque la electricidad flotaba en el aire.

Su voz contenía una nota de respeto y admiración. Dahlia intentó fingir que no le afectaba, pero el corazón le dio un vuelco ante el inesperado comentario. Asintió.

—Más o menos, funciona así. Todo desprende energía, incluyendo las emociones. Por lo que, cuando practico con alguien, puedo sentir la fuerza del ataque antes de que me alcance. Y puedo absorber esa misma energía y utilizarla.

—Eso es increíble, incluso para un Soldado Fantasma. ¿Eres telepática?

—No muy fuerte. Normalmente no puedo establecer un puente, ni siquiera con Jesse, que es un telépata muy fuerte. Fuiste tú quién me avisó en el sanatorio, ¿verdad? Oí tu voz avisándome. Tú también debes de ser un telépata fuerte. —Lo miró. Todas las sombras alrededor de los ojos—. ¿Por qué os llamáis Soldados Fantasma?

No es que no le gustara. En realidad, le gustaba saber que había otros como ella. Que no estaba sola, sino que formaba parte de un grupo, aunque no los conociera.

—Nos llamamos así porque nos pusieron en jaulas y dejaron de considerar que fuéramos humanos, o incluso que estuviéramos vivos. Y sabíamos que podíamos escapar entre las sombras, en la noche, y que la noche sería nuestra. —Le levantó la cara con dos dedos para comprobar si ya estaba limpia—. Ya está, creo que te lo he sacado todo.

Apartó la mano y se llevó toda la calidez. Dahlia contempló cómo se quitaba el barro de la cara.

—¿Quiénes sois?

—Whitney creía que su experimento había fracasado porque todas vosotras erais niñas y no erais lo suficientemente mayores ni disciplinadas para soportar los efectos de lo que había hecho. Esperó varios años, creyó haber refinado el proceso y recurrió a las filas militares, con la creencia de que un grupo de hombres entrenados y disciplinados responderían mejor.

—Y entiendo que no fue así.

Le quitó la toallita de la mano y le indicó que se agachara. Le limpió las manchas de barro de la cara.

Nicolas se quedó sin aire en los pulmones. Dahlia no lo estaba tocando, al menos no con los dedos, no piel con piel, pero lo parecía. Los pulmones pedían aire, o quizá su cuerpo pedía algo más. Algo mucho más íntimo. No se atrevía a moverse o a respirar por si paraba. O por si no paraba. No sabía qué sería más seguro. Aquella reacción era tan inesperada, tan extraña a su naturaleza, que se quedó inmóvil bajo la mano de Dahlia, como un animal salvaje que se prepara para el golpe de gracia. Estaba impaciente, esperando. Y lo extraño era que no sabía qué esperaba.

Por un momento, la cabaña crujió con tanta tensión, electricidad de alto voltaje. Saltaba de la piel de ella a la de él y viceversa.

—Para —dijo Dahlia en voz baja.

La mirada negra de Nicolas se encontró con la suya. El aire, y la esencia de Dahlia, invadieron el cuerpo de Nicolas. Debería haber olido a pantano pero, en cambio, olió a mujer. A Dahlia. Siempre sabría reconocer el momento en que ella entrara en una habitación. Siempre sabría cuándo estaba cerca. Tenía que ser algo químico.

—No me había dado cuenta de que lo estaba haciendo yo. Creía que eras tú.

—Te aseguro que eres tú —dijo. Le devolvió la toallita sucia y retrocedió, poniendo tierra de por medio.

Les estaba dando a ambos la oportunidad de olvidarse del tema.

No quería seguir hablando de eso. Nicolas no estaba tan seguro de querer lo mismo. Que Dahlia se separara de él no supuso el final del tormento. Se frotó la mano contra el brazo. La tenía ahí, bajo la piel, y no tenía ni idea de cómo había pasado.

—¿De verdad que llevas comida en la mochila? —preguntó Dahlia.

Nicolas permitió que el calor de su mirada le quemara la cara. Ella se mantuvo firme, aunque algo tensa. Entonces vació el aire de los pulmones. Dahlia no estaba preparada para aceptar ninguna parte de él. Se relajó y le sonrió. Una sonrisa rápida, deliberada y masculina que decía muchas cosas y, sin embargo, no decía nada.

—Y café y chocolate.

—Creo que eres un mago.

Dahlia se separó todavía más de él y rodeó la vieja mesa para que se interpusiera entre ellos como si eso pudiera detener la extraña sensación que aumentaba a cada segundo. El corazón le latía con fuerza, a un ritmo rápido que le decía que estaba metida en un buen lío.

¿Qué había pasado entre ellos? No lo sabía. No quería saberlo, pero quería que desapareciera. Dahlia no confiaba en nadie lo suficiente como para compartir ese momento de química tan íntima. Y la energía que emitía Nicolas parecía algo particular. Un elemento masculino y muy seguro de sí mismo. Muy decidido. Extremadamente sexual. Lo miró y luego apartó la mirada. Era un cazador, un hombre que se pasaba meses persiguiendo a un objetivo y nunca fallaba. Dahlia se estremeció. No quería que se concentrara en ella.

—Creo que el chocolate será perfecto. Una taza caliente para poder dormir. —Dudaba que pudiera hacerlo incluso después de la bebida caliente. No recordaba haber dormido en la misma habitación con otra persona. La idea la alteraba un poco.

Nicolas cogió el paquete, una bolsa de comida sellada que el ejército entregaba a las tropas.

—Hay mucha comida, Dahlia.

—¿Es comestible?

—Yo siempre me la como.

Ella dibujó una pequeña sonrisa.

—Eso no quiere decir nada. Seguramente comerías lagartijas y serpientes.

—Son sabrosas, si sabes cocinarlas. Solía comer serpiente con mi abuelo en la reserva donde crecí.

No la miró. Se mantuvo ocupado preparando la comida. Ahora Dahlia tenía una mejor opinión de él. La conversación parecía bastante informal, pero algo en su voz delataba que le estaba explicando algo que no solía compartir con nadie. Llevaba únicamente un par de vaqueros. Tenía el pecho dorado y muy musculoso. Dahlia no podía evitar desviar la mirada hacia él de vez en cuando.

Se aclaró la garganta.

—¿Te crió tu abuelo?

—Nunca conocí a mis padres. Murieron poco después de que naciera. Mi abuelo era un guía espiritual y creía en los métodos tradicionales. Crecer con él fue muy divertido. Nos pasábamos meses enteros en las montañas persiguiendo animales y aprendiendo a formar parte de la naturaleza. Era un buen hombre y tuve la suerte de poder educarme con él.

—Debiste de aprender mucho a su lado.

—Todo menos lo que realmente importaba.

El arrepentimiento en su voz era sincero y a ella le dolió.

—¿El qué?

—Cómo curar. Conozco todos los cánticos y las plantas y hierbas adecuadas para cada ocasión, pero no tengo el mismo don que él. —Dividió una parte de la comida y guardó el resto. Tenía la sensación de que podrían necesitarla más adelante y siempre le gustaba estar preparado—. Me enseñó que todas las vidas son importantes y, antes de aprender a quitarla, deberíamos aprender a recuperarla. Y él podía hacerlo. Deberías haberlo visto. Era un buen hombre, muy educado. También conocía la historia de mi pueblo y las tradiciones más ancestrales. Respetaba la naturaleza y la vida y podía aportar armonía a una situación caótica con su mera presencia.

Dahlia suspiró.

—Parece haber sido un hombre muy intrigante. Yo tuve a Milly y a Bernadette. Bernadette era la doctora del pantano. Bastantes vecinos de la zona acudían a ella para que los ayudara. Asistía partos y trataba todo tipo de enfermedades, casi siempre con hierbas y plantas. Era una enfermera titulada, pero un día me explicó que la primera y mejor educación que recibió fue aquí en el pantano, con otra mujer que sabía medicina. Me enseñó algunas cosas. Me gustaba estar en el pantano, al aire libre, lejos de todo el mundo.

Tuvo que darse la vuelta y alejarse del dolor y la rabia. Siempre tenía que controlar la situación, al menos mientras estuviera con él. Él la ayudaba a gestionar el bombardeo de energía, pero en más de una ocasión Dahlia había perdido el control y otros habían sufrido las consecuencias.

—Estoy muy cansada. ¿Crees que deberíamos hacer guardia?

—No creo que sea necesario. Tenemos suficientes alarmas naturales a nuestro alrededor. Los dos nos despertaríamos enseguida. Yo tengo el sueño ligero.

Dahlia no lo dudaba. Nicolas Trevane desprendía un aire de autosuficiencia. Rebosaba confianza y seguridad.

—Voy fuera unos minutos. Si pasara algo esta noche o mañana, hay una lancha atada al otro lado de la curva. Es vieja y tiene grietas, pero el motor está lleno y te sacará de aquí.

Era una de las muchas vías de escape que tenía controladas por si algún día las necesitaba.

—No vamos a separarnos, Dahlia. Espero que no creas que vas a largarte de aquí e ir tras Jesse tú sola.

Ella se encogió de hombros.

—Somos adultos, Nicolas. Tengo que hacer lo que es correcto para mí, y me imagino que tú tendrás que hacer lo mismo. No pienso abandonar a Jesse y no voy a pedirte que arriesgues tu vida con esas personas para liberarlo.

—Mi trabajo es mantenerte viva y llevarte de vuelta con Lily. Supongo que vamos en la misma dirección.

—Una vez Jesse me enseñó un pequeño piso en el barrio francés de Nueva Orleans. Podemos ir allí. Hay ropa, dinero y documentación para mí. —Abrió la puerta de la cabaña, dejó que entrara el sonido de la lluvia y se quedó en la puerta, mirando el pantano—. ¿Crees que saben quién eres?

—Dudo que jamás lo descubran —respondió Nicolas.

Dahlia respiró hondo mientras salía fuera y cerró la puerta. Ahora llovía con menos intensidad, casi lloviznaba. En cuanto estuvo sola, se dejó caer contra la puerta de la cabaña y se tapó la boca con la mano, por miedo a asfixiarse. Nunca había estado tan desequilibrada en toda su vida. Ese hombre había arriesgado la vida para salvarla. Había cargado con ella por medio pantano y le había ofrecido ropa y comida. No podía huir como un conejo porque no supiera estar con otras personas.

Quizá tenía miedo de estar con él. Nunca había reaccionado así con nadie. Quería atribuirlo a las circunstancias tan extremas, pero se conocía muy bien y sabía que era mentira. Había vivido casi toda su vida en condiciones difíciles y nunca había sentido eso por ningún hombre.

Decidida a pasar la noche sin hacer el ridículo, entró enseguida. Nicolas era de los que saldría a ver cómo estaba, y no quería que lo hiciera. Entrar por decisión propia y sin miedo, o al menos fingiendo que no tenía miedo, era una actitud digna.

Se dirigió directamente hacia el colchón. Tampoco iba a comportarse como una niña pequeña respecto al único sitio de la cabaña en el que él también podía descansar. Aquello también sería poco digno.

—¿Quieres la pared o la parte exterior?

Nicolas la miró y le dejó espacio.

La primera reacción fue dormir en la parte de fuera, pero él sabía manejar las armas mucho mejor y era mucho más grande que ella. Dahlia podría salir del colchón sin molestarlo, mientras que para él sería más difícil.

—Dormiré contra la pared.

Esperaba no sufrir un repentino ataque de claustrofobia.

Nicolas esperó hasta que se hubo tendido en el fino colchón. Sabía lo mucho que le había costado cederle la parte exterior. Era más práctico, pero ella se había pasado la vida alejada de las personas, disfrutando de una existencia solitaria, hablando únicamente con un par de mujeres mayores y Jesse Calhoun. Nicolas quería tener una buena charla con Jesse. Tenía que trabajar para los mismos que habían instruido a Dahlia como agente operativo. Pero ¿para qué la habían utilizado?

Cuando se tendió en la cama, notó que ella se apartaba.

—¿Vas a poder hacerlo, Dahlia?

Ella cerró los ojos y deseó que no se lo hubiera preguntado. Que su tono no hubiera sido tan amable, casi tierno. Deseó que la calidez de su cuerpo no la envolviera y alejara los temblores que no había podido detener desde que había encontrado a Milly y a Bernadette muertas. Asesinadas. Ejecutadas.

—¿Qué has traído en la funda de almohada?

—¿La funda de almohada?

—De mi habitación. He visto que llevabas la funda de almohada de mi cama.

—Recogí todo lo que pude que me pareció que podía tener un valor sentimental para ti. Unos cuantos libros, un jersey y un peluche. No tenía demasiado tiempo.

Dahlia volvió la cabeza para mirarlo.

—Has sido muy considerado. Dudo que mucha gente hubiera pensado en eso teniendo en cuenta las circunstancias.

Su voz somnolienta evocaba imágenes de sábanas de seda. Jamás había dormido en sábanas de seda, pero de repente empezó a tener visiones de Dahlia mirándolo, desnuda, con el pelo negro esparcido en la almohada y la luz de las velas acariciándole el cuerpo. No confiaba en sí mismo si respondía. Y no confiaba en que su cuerpo se comportara, por incómodo y cansado que estuviera.

Se dio media vuelta, se colocó de lado hacia la cabaña, dejando todo el espacio posible a Dahlia, e intentó controlar la respiración para poder dormirse. Rozó el rifle que tenía al lado y la Beretta que tenía junto a la mano. Notaba la forma del cuchillo, en la funda, aunque sin el seguro por si lo necesitaba. Si los enemigos de Dahlia los encontraban, estaría preparado.

Capítulo 5

De joven, Nicolas solía pasar varias semanas solo, ayunando en las montañas, esperando a que le viniera la visión y le dijera cuáles eran sus dones especiales. Su abuelo lakota le dijo que debía tener paciencia y él había hecho todo lo que le habían pedido, pero seguía sin poder interpretar su sueño. La profecía le llegaba cuando se tambaleaba de agotamiento, estaba enfermo o herido, pero jamás le había venido mientras dormía. Aquella visión no tenía sentido. No había nada tangible o a qué aferrarse. Se quedó frustrado y con la sensación de no encajar, incapaz de estar a la altura del potencial que su abuelo había «visto» en él.

En su sueño, se oía el redoble del tambor. Olió el humo de los fuegos sagrados. El santuario de la curación se abría para él, lo esperaba. Conocía los cánticos sanadores y los recitó encima de un hombre con una gran herida en el pecho. Pasó las palmas de las manos por encima de la herida y sintió el frío aliento de la muerte en su propia piel.

Unas manos más pequeñas se colocaron encima de las suyas. Se las calentaron con el aliento de la vida. Los pequeños dedos sujetaban un objeto que no podía ver, pero que sabía que era importante. Alzó la voz en la plegaria de vida. Cantó a los espíritus y les pidió que lo ayudaran a curar aquella herida. Notó el objeto contra sus manos y notó cómo se calentaba, como si estuviera acumulando calor de una fuente exterior para pasárselo. Vio las llamas rojas y naranjas entre sus dedos. El objeto desapareció antes de que pudiera identificarlo. Volvió a colocar las manos encima de la herida. Las manos más pequeñas se deslizaron encima de las suyas. Mil mariposas salieron volando, batiendo las alas contra su estómago ante aquella caricia. Su canto se mezcló con el humo y subió hacia el cielo. Las llamas bailaban una alegre danza bajo sus manos, alrededor de la herida, que lentamente se fue cerrando hasta que el pecho quedó intacto.

Intentó ver quién le había ayudado en la curación, pero no podía ver más allá del humo. Tampoco vio a quién había curado. Notó que esas manos pequeñas se deslizaban por su piel desnuda, bajó la mirada y vio una mata de pelo negra, brillante como la seda, encima de su estómago, seduciéndolo hasta que su entrepierna se endureció con necesidades urgentes.

Nicolas frunció el ceño e intentó agarrarla, decidido a descubrir quién era. Sus dedos alcanzaron la mata de pelo. Se despertó de golpe, consciente de que había agarrado un mechón de pelo de Dahlia y estaba duro como una roca. Ella tenía la cabeza apoyada en su estómago y no dejaba de moverse, luchando contra las pesadillas. Nicolas contuvo un gruñido de frustración. Si la despertaba, Dahlia estaría avergonzada. Si no la despertaba, las pesadillas y la incomodidad seguramente aumentarían. Estaba inmóvil, con la mano en su pelo cuando, de repente, la respiración de ella cambió. Nicolas supo enseguida que se había despertado.

Dahlia se despertó en la oscuridad con el miedo asfixiándola. Era una pesadilla recurrente, una que jamás desaparecía. Siluetas en la sombra observándola. Siempre observándola. Necesitaba espacios abiertos para poder respirar y, en el sanatorio, solía subirse al tejado. Se quedó muy quieta, escuchando el sonido de la respiración de Nicolas, aunque sabía que también estaba despierto. Estaba inmóvil en la oscuridad. Seguramente se había despertado con el movimiento de su cuerpo, por cómo se había tensado, por cómo se le había acelerado la respiración. Estaba segura de que estaba así de compenetrado con ella. Y que ella era así de consciente de su presencia.

Fue entonces cuando se dio cuenta de que estaba prácticamente encima de él, con el muslo entre sus piernas y la cabeza en su abdomen. Se apartó y notó cómo el pelo se deslizaba entre sus dedos. Se quedó en silencio, incapaz de pensar y con ganas de disculparse, pero sin saber cómo. Al final, optó por la salida cobarde. Incómoda, se arrastró por el colchón cubierto de musgo, con cuidado de no tocar a Nicolas, de no establecer contacto físico. Faltaba una hora, más o menos, para que amaneciera. Conocía los sonidos nocturnos del pantano. Eran más las noches que estaba despierta que dormida y conocía los insectos, pájaros y ranas que cantaban a cada hora.

Nicolas no se movió, pero Dahlia sabía que tenía los ojos abiertos y que la estaba mirando mientras cruzaba la cabaña descalza y abría la puerta. Notaba la intensidad de su mirada. Enseguida fue consciente de que la camisa que llevaba era muy fina. Los faldones le cubrían el cuerpo, de hecho le llegaban hasta las rodillas, pero debajo no llevaba nada. Notaba el cuerpo caliente y dolorido, algo completamente desconocido para ella. La fresca brisa nocturna la acarició. Pensó que ojalá no estuviera tan colorada como parecía.

Subió al tejado con la agilidad que daba la práctica. Pocas actividades físicas le resultaban costosas. Se sentó con cuidado, alisó la camisa debajo de las nalgas y miró las nubes que flotaban encima de ella. Se había pasado muchas noches mirando las estrellas y deseando poder agarrar alguna de las nubes que pasaban deprisa. En algún momento de la noche había dejado de llover. Le encantaba oír llover, el ritmo continuo, una nana que a veces la ayudaba a conciliar el sueño. El tejado estaba húmedo, y el pantano limpio y fresco después de la lluvia.

Se negaba a darle vueltas al hecho de haberse despertado pegada a él. Había pasado. No podía cambiarlo, igual que no podía cambiar nada de lo que Whitney le había hecho.

—Lily. —Susurró el nombre con suavidad. Su amiga secreta y de mentira. Lily la había mantenido serena en más de una ocasión y, sin embargo, siempre le dijeron que no existía. Lily nunca había existido. Sólo era un producto de su imaginación. Milly había sido su enfermera desde que tenía uso de razón. Si Lily hubiera sido real, Milly lo habría sabido. Era un detalle insignificante, pero era una traición. Dahlia consideraba a Milly como de la familia, como una madre. Si no podía confiar en todo lo que Milly le había dicho, ¿en quién podría confiar? ¿En qué podría confiar?

—Debería haberte buscado, Lily. Y a Llama, y a todas las demás. No debería haberme quedado aquí, como una prisionera, y haber creído a los demás. Realmente llegué a pensar que quizás estaba loca. —Miró el agua y se le nubló la vista—. Debería haber estado allí para impedir que mataran a Milly y a Bernadette. Ellas nunca le hicieron ningún daño a nadie. Nada de esto tiene sentido.

No oyó cómo la puerta se abría y se cerraba. No oyó nada mientras Nicolas subía al tejado, pero percibió su presencia en cuanto se colocó detrás de ella. Dahlia apoyó la cabeza en las rodillas y no se volvió mientras él avanzaba hasta su lado, evitando las grietas del tejado.

—Llegué tarde. Debería haber estado allí.

Nicolas observó cómo se frotaba la cara con el cuello de la camisa que llevaba. Su camisa. La envolvía por completo. Se sentó a su lado. Tan cerca que sus muslos se rozaban. Sintió las oleadas de pena que Dahlia emitía y que la rodeaban.

—Estás viva porque llegaste tarde, Dahlia. Esos hombres habían ido a matarte. Era un escuadrón de eliminación.

—Quizás. O quizá no. Pero estaban allí para matar a Milly y a Bernadette, y para destruir mi casa. —Lo miró—. ¿Por qué? Después de tanto tiempo, ¿por qué decidieron hacerlo ahora? ¿No te parece demasiada coincidencia?

Tenía los ojos humedecidos. Nicolas notó cómo se desgarraba por dentro.

—Lo pensé enseguida. Creo que es muy probable que Lily buscara información en las fuentes equivocadas y avisara a alguien de que te había encontrado. Lo heredó todo. El papeleo es monumental. Encontró el fondo del sanatorio enterrado debajo de mil y un papeles legales que sólo podía entender el abogado.

—¿Es feliz?

—Parece feliz. Está casada con un amigo mío. Ryland Miller. Nunca se separan.

—Me alegro. —Levantó la mirada hacia las escurridizas nubes—. Alguien se merece haber salido de todo esto feliz y sana. Me alegro de que haya sido Lily.

—No tires la toalla, Dahlia. Hay ejercicios que puedes practicar para minimizar los efectos de lo que Whitney te hizo.

Ella volvió la cabeza para mirarlo.

—Si existían esos ejercicios, ¿por qué se me ha mantenido apartada del mundo? ¿Por qué crecí sola en lo que virtualmente era una cárcel? Podía marcharme, siempre me lo recordaban, pero en realidad no podía porque, al final, era el único lugar donde mi cerebro podía descansar de la sobrecarga sensorial. Y ahora ya no tengo ni eso.

Nicolas tenía una sensación muy extraña. Si Dahlia necesitaba que disparara a alguien, era su hombre, pero reconfortarla era otra cosa. No le gustaba sentir incertidumbre; no iba con él. Los hombres no daban palmaditas a las mujeres como a los perros, ¿no? La rodeó con el brazo y la pegó a él. Parecía tan frágil que tuvo miedo de romperla. Dahlia se tensó enseguida, pero no se apartó.

—Puede que no tengas tu casa, Dahlia, pero tienes a los Soldados Fantasma. Y no sólo a Lily, sino a una familia entera de personas como tú. Lo solucionaremos juntos.

Dahlia mantuvo la cara de lado. Notó los esfuerzos que estaba haciendo Nicolas para ayudarla, y era encantador. Fue el único motivo que le impidió separarse cuando la abrazó. Sabía que estaba intentando reconfortarla, pero la aterraba la idea de estar con personas que no conocía y en una casa ajena. No conocía otra vida. El sanatorio y el pantano eran su vida. Se obligó a mantener el dolor y el miedo a raya.

—Robo cosas.

—¿Que haces qué?

Dahlia quería reírse ante aquel tono incrédulo.

—¿Robar es peor que matar? Pensaba que era igual de malo.

—Es que me has sorprendido.

No frunció el ceño ante la sincera descripción que había hecho de su trabajo, aunque le molestaba; y las opiniones de la gente no solían molestarle. Tenía su propio código moral, un código de honor estricto. No debería importarle lo que ella dijera... pero importaba. No le estaba acusando, ni siquiera juzgando; simplemente decía las cosas como las veía o, al menos, es lo que él percibía. Que aceptaba lo que era. Todo lo que era. Y todo lo que sería.

—Es lo que hago. «Recupero» cosas. ¿Te parece mejor así? Datos que alguien ha robado de empresas privadas, pequeños negocios o de algún otro sitio.

—¿Para quién trabajas?

—¿Crees que durante este tiempo he estado trabajando contra el gobierno en lugar de para él?

Se volvió y lo miró desde debajo de aquellas pestañas infinitas.

—Es posible. —Intentó valorar su tono, pero Dahlia había hablado sin ningún tipo de inflexión en la voz. Estaba muy a la defensiva, y a Nicolas le resultaba imposible leerle la mente—. Si se trata de un grupo disidente, trabajan fuera de los parámetros legales. ¿Y Jesse? ¿Qué decía de ellos? Tenía que estar en contacto directo con esa gente.

—Las órdenes siempre venían de alguien del ejército. Jesse era un Navy SEAL. Nunca, bajo ninguna circunstancia, traicionaría a su país. Es el patriotismo personalizado.

—Si es militar y fue un SEAL, podremos averiguar más cosas sobre él. Sé que le han reforzado las habilidades, pero no formaba parte de nuestra unidad cuando experimentaron con nosotros. Me gustaría saber de dónde salió y dónde se entrenó. Lily sospecha que Whitney primero experimentó con las niñas de los orfanatos, luego con nosotros, y después con más personas. Ha estado intentando mover los hilos para encontrar a todas las niñas. Por supuesto, ahora todas son adultas y está buscando información sobre si Whitney experimentó con otros o no.

—Tendría sentido. —Dahlia bajó la mirada hasta sus pies descalzos. Alargó la mano para rascarse una mancha en la uña—. Si creía tanto en lo que estaba haciendo, y está claro que así era, ¿realmente dejaría pasar tantos años entre ambos experimentos? Seguro que lo probó con más gente.

Nicolas estaba escuchando los sonidos del pantano. Las ranas se llamaban las unas a las otras. Cada grupo croaba más fuerte que el anterior, intentando convencerlas, buscando pareja. Las de alrededor de la cabaña eran particularmente ruidosas y emitían una música extraña y desafinada. De repente, el grupo que estaba cerca de la lengua de tierra que llevaba hasta el canal se calló.

Inmediatamente, Nicolas tapó la boca a Dahlia y la tendió en el tejado. Él hizo lo mismo, para evitar que nadie localizara su silueta. Ella no se resistió. Estaba familiarizada con los sonidos del pantano y enseguida supo que algo había perturbado a las ranas. Nicolas pegó la boca a su oreja.

—Deslízate hasta la ventana y entra en la cabaña. No te dejaré caer. Dame el rifle. La mochila está lista. Vístete y prepárate para marcharnos.

Dahlia asintió y empezó a deslizarse por la pendiente del tejado. Oía el latido de su corazón amplificado en los oídos. La madera le arañaba los muslos y la camisa se le enganchó en las astillas mientras resbalaba hasta la ventana. Intentó no pensar en que Nicolas le estaría viendo el culo. Seguro que tenía cosas mejores que mirar o pensar. Cuando consiguió entrar en la cabaña por la ventana, notó que estaba sonrojada.

El rifle reposaba en la mesa, junto a la mochila. Todo estaba igual que antes, excepto su ropa, que seguía tendida. Le dio el rifle a Nicolas a través de la ventana, intentando no hacer ruido. Los vaqueros estaban húmedos y le resultaron incómodos, pero se los puso de todas formas. No tenía ninguna intención de pasearse por el pantano sólo con la camisa de Nicolas. No se molestó en ponerse la ropa interior húmeda. La metió en la mochila. Recogió el cinturón con la munición. Pesaba mucho, y la mochila todavía más. Entonces sacó ambas cosas por la ventana e intentó dejarlas en el suelo, asomándose de tal manera que estuvo a punto de caer de bruces con tal de no hacer ruido. Se agarró al alféizar de la ventana, intentando regresar hacia atrás.

Nicolas la agarró por la camisa y la dejó en el suelo a su lado antes de que el peso de la mochila pudiera con ella. Dahlia cerró los ojos, humillada. Tenía unas capacidades físicas increíbles, pero hasta ahora sólo había conseguido parecer una boba incompetente. ¿Acaso las mujeres se volvían inútiles cuando estaban cerca de los hombres? Si era así, prefería una existencia solitaria.

Nicolas no hizo ningún ruido mientras se acercaba al caballete del tejado, rifle al hombro y el ojo pegado a la mirilla. Dahlia creía que ella era silenciosa realizando su trabajo, pero no es que Nicolas no hiciera ruido, era cómo se movía. Casi como si fluyera como el agua, de forma tan ágil que era imposible que llamara la atención de nadie que lo estuviera vigilando. Se fijó en sus manos. Estaban firmes. No vio ningún cambio de expresión, ni ninguna aceleración de la respiración, ni ningún tipo de animosidad. Y entonces se dio cuenta de lo que debía de estar presenciando. Nicolas Trevane sufría una metamorfosis con el rifle al hombro y el ojo en la mirilla. No era completamente humano, aunque tampoco era una máquina, sino algo intermedio. Se cerraba a cualquier tipo de emoción y su cuerpo y su mente funcionaban a una velocidad estratosférica.

Emitía unos niveles de energía muy bajos porque no sentía rabia cuando ejercía su trabajo. Se desconectaba de todo. No era un acto de violencia, era algo mucho más profundo. Dahlia hizo un esfuerzo para intentar entenderlo. Controlar la energía lo era todo para ella. La violencia siempre generaba energía. Incluso el inicio de la ira en el interior de una persona creaba las ondas violentas que solían darle náuseas. Nicolas no tenía esas emociones en su interior. No había miedo. Ni siquiera captó una pequeña onda de energía que saliera desviada hacia ella. Él esperó tranquilamente, con el corazón y los pulmones funcionando con calma.

Dahlia supo el momento exacto en que Nicolas localizó al asesino que los perseguía. Estaba tan compenetrada con él que casi podía leerle la mente. No se produjo ninguna alteración en su respiración, pero su dedo acarició el gatillo. Una ligera caricia, casi como si quisiera comprobar que estaba donde se suponía que tenía que estar. El movimiento fue lento y deliberado, y la fascinó. A pesar de que lo estaba observando, igualmente se sorprendió cuando apretó el gatillo y enseguida se deslizó por el tejado. Alargó la mano y la agarró de la camisa, haciéndola resbalar con él.

La dejó en el suelo y le indicó que corriera hacia la barca. Ella lo hizo, avanzando a toda prisa por el pantano mientras se agachaba para que nadie la viera. La barca estaba amarrada a un ciprés. Se metió en el agua para prepararla. No pudo evitar los fuertes latidos del corazón cuando vio a Nicolas aparecer entre la densa vegetación. Parecía un guerrero de los de antaño, alto, fuerte y feroz. No dudó ni un segundo. Se metió en el agua y empujó la barca hasta el canal, donde había los juncos más altos para poder ocultarse tras ellos.

Dahlia esperaba que la invadiera una oleada de energía violenta. Incluso se preparó, pero mientras Nicolas agarraba los remos y avanzaba por el agua con paladas largas y delicadas, sólo percibió el fresco aire de la mañana.

—No le has dado —dijo. Parecía imposible. Nicolas era muy seguro de sí mismo, casi invencible.

—Le he dado a lo que estaba apuntando —respondió él enseguida—. Tenemos que seguir moviéndonos. Espero haberlos retrasado, pero no podemos contar con ello.

Hundió los remos en el agua con sus fuertes brazos y la barca avanzó por el canal hacia aguas abiertas.

—No he notado nada.

La mirada de Nicolas le recorrió la cara, una extraña caricia que sintió por todo el cuerpo, como si se la hubiera hecho con los dedos.

—No te estaba apuntando a ti.

Ella vio el pequeño destello de dientes blancos en lo que habría podido ser una pequeña sonrisa. Arqueó la ceja.

—¿No te han dicho nunca que tienes que mejorar tu sentido del humor?

—Nunca antes me habían acusado de tener sentido del humor. No dejas de insultarme. Primero me acusas de no acertar el tiro y luego intentas decirme que tengo sentido del humor.

Tenía una expresión petrificada y la voz completamente plana. La mirada era fría y distante, pero Dahlia notó cómo se reía. Nada espectacular, pero estaba allí en la barca entre ellos, y la terrible presión que notaba en el pecho se suavizó un poco.

—Sí, y tienes que mejorarlo —añadió ella—. Entérate. —Incluso dibujó una pequeña sonrisa para responder a la de Nicolas.

La barca avanzaba en silencio por el agua, llevándolos a través de un laberinto de canales hasta que llegaron a aguas abiertas. En ese momento, Nicolas encendió el motor.

—Tú conoces la zona mucho mejor que yo. Mantennos lejos de la isla donde estaba tu casa y lejos de la cabaña. Tienes que encontrar un camino que, en caso necesario, pueda escondernos. Tendrán vigilancia. No sabemos lo equipados que están, pero si oímos un helicóptero o una avioneta, será mejor evitarlos.

—Puede que haya robado cosas para ellos, pero me he pasado la vida entera en un sanatorio —admitió Dahlia—. Aunque todo esto saliera a la luz, ¿qué daño podría hacerles? Todos dirían que estoy loca. Y la cruda realidad es que no podría ir a un tribunal y estar cerca de tanta gente sin sufrir un ataque. Nada de esto tiene sentido para mí. —Clavó la oscura mirada en él—. ¿Y para ti?

—Me lo estoy pensando —respondió él, con suavidad.

Ella meneó la cabeza, exasperada ante aquella actitud imperturbable y se centró en guiarlos, a toda velocidad, por el pantano.

Nicolas la miró. Era de complexión muy menuda, pero estaba perfectamente proporcionada. A medida que pasaba más tiempo con ella, la veía más mujer y menos niña. Y eso se había convertido en un problema. Quería que su mente se concentrara únicamente en mantenerlos con vida y no en el fascinante hecho de que la camisa que llevaba estaba empapada y era casi transparente. Aunque eran pequeños, tenía unos pechos preciosos y no podía evitar mirarlos. Podía adivinar la piel más oscura de los pezones a través de la tela mojada. Se había atado los faldones a la cintura, lo que le permitió fijarse mejor en la curva de la cadera, recordando la breve pero seductora visión de sus nalgas desnudas mientras resbalaba por el tejado. Tenía que admitir que aquella visión lo había distraído y que se había pasado demasiado tiempo pensando en aquella parte en concreto de su anatomía, algo que no era lo más indicado cuando estaban huyendo de un asesino.

Nicolas no podía dejar de mirarla con la cabeza echada hacia atrás, el pelo negro y grueso al viento y el cuerpo perfectamente equilibrado mientras llevaba la lancha. Así, con la cabeza echada hacia atrás, le veía el cuello y la silueta debajo de la camisa, casi como si no llevara nada. Su cuerpo reaccionó y se endureció. Y Nicolas no hizo nada para evitarlo. Fuera lo que fuera lo que había entre ellos, la química era obvia y no iba a desaparecer. Podía sentarse en la lancha y admirar la impoluta perfección de su piel. Imaginar qué tacto tendría bajo las yemas de sus dedos y bajo sus manos.

De repente, Dahlia volvió la cabeza y lo miró fijamente. Alterada, salvaje. Cauta.

—Deja de tocarme las tetas. —Levantó la barbilla, ligeramente sonrojada.

Él levantó la mano a modo de protesta.

—No tengo ni idea de qué estás hablando.

—Sabes exactamente de qué estoy hablando.

Le dolían los pechos, se los notaba hinchados y calientes y, en lo más profundo de su ser, notó cómo despertaba un apetito voraz. Nicolas estaba sentado frente a ella, como la estatua masculina perfecta, con las facciones imperturbables y los ojos fríos, pero ella notaba sus manos en su cuerpo. Largas caricias, las palmas de las manos encima de los pechos, los pulgares acariciándole los pezones hasta que se estremeció de placer y pasión.

—Ah, eso.

—Sí, eso. —Dahlia no pudo evitar fijarse en el bulto rígido que había aparecido en la entrepierna de Nicolas, y él no hizo ningún esfuerzo por disimularlo. Aquella exhibición desinhibida provocó una intensa reacción en su cuerpo, que empezó a palpitar en lugares donde no era necesario que lo hiciera. Apretó los dientes—. Sigo notando cómo me tocas.

Él asintió de forma pensativa.

—Me considero una víctima inocente en toda esta historia —dijo

Nicolas—. Siempre he podido controlarme y, en realidad, me enorgullezco de mi disciplina. Pero, por lo visto, la has destruido. De forma permanente. —No le estaba mintiendo. No podía apartar la mirada ni la mente de su cuerpo. Era un placer inesperado. Un regalo.

La estaba devorando con los ojos. Y con la mente. Una parte de ella, la parte realmente loca, y empezaba a creer que sí había una, adoraba cómo la estaba mirando. Jamás había experimentado la sensación de tener toda la atención sexual de un hombre centrada en ella. Y Nicolas no era un hombre cualquiera. Era... extraordinario.

—Bueno, pues para de todas formas —replicó ella, con una mezcla de vergüenza y placer.

—No entiendo por qué tendría que molestarte que tuviera unas cuantas fantasías.

—Es que siento tus fantasías. Creo que las estás proyectando con demasiada fuerza.

Él arqueó las cejas.

—¿Estás diciendo que realmente puedes sentir lo que pienso? ¿Mis manos en tu cuerpo? Creía que me estabas leyendo la mente.

—Te he dicho que podía notar cómo me tocabas.

—Eso es increíble. ¿Te había pasado alguna vez antes?

—No, y espero que no me vuelva a pasar. Santo Dios, somos unos desconocidos.

—Anoche dormimos juntos —respondió él—. ¿Duermes con muchos desconocidos? —Le estaba tomando el pelo, pero la pregunta provocó que un oscuro escalofrío le recorriera el cuerpo de arriba abajo. Algo oscuro y peligroso despertó en su interior.

Ella lo miró.

—¿Qué pasa? ¿Qué has visto? —Miró a su alrededor—. ¿Apago el motor?

Nicolas se incorporó ligeramente. Estaban tan compenetrados que ni siquiera aquella pequeña chispa de celos pasaba desapercibida.

—No pasa nada. —Aunque no estaba seguro de si era verdad. Empezaba a alarmarse por la conexión que existía entre ellos. Nicolas no experimentaba sensaciones como la rabia y los celos. Había preparado su mente para que filtrara esas cosas y, sin embargo, Dahlia estaba consiguiendo que una vida entera de preparación se tambaleara.

—Dime qué pasa. Sé que no soy una persona normal, pero soy adulta y, a pesar de haberme criado en un sanatorio a cargo de una enfermera, no estoy completamente loca. Quiero que me trates como a una igual.

Nicolas observó su expresión. Sus ojos oscuros echaban chispas. Quizás ese fuera el problema. Que derretía el hielo que todos decían que Nicolas tenía en las venas.

—Cuando lo entienda, serás la primera en saberlo. Y no creo haberte tratado como si fueras una niña, estuvieras loca o no fueras mi igual. Y, si quieres saber la verdad, me debería dar igual lo que pensaras. No voy a preocuparme por lo que pienses.

Aquellas palabras lo sorprendieron más a él que a ella. ¿Estaba dejando claro un hecho innegable o estaba arremetiendo contra ella? Se frotó la barbilla con la palma de la mano. Sin dudarlo, prefería enfrentarse a la muerte a tener que hablar con una mujer.

—Me alegro, porque yo soy igual. Supongo que nos entendemos.

Dahlia apartó la cabeza, con la barbilla alta, como la viva imagen de la princesa desterrada.

Ya empezaba a clarear. Nicolas volvió a dirigir la mirada hacia los pechos de Dahlia, pegados a la tela de la camisa azul claro. Esa camisa se había convertido, de repente, en su prenda preferida. Se acarició los dientes con la lengua, deseando poder hacer lo mismo con el pezón.

Dahlia contuvo la respiración. Detuvo la lancha y se volvió hacia él.

—¿Qué coño te parece tan fascinante de mis pechos? ¿Si te los enseño pararás? —Se acercó las manos a los botones como si quisiera desabrocharla. Estaba sonrojada y respiraba de forma entrecortada—. Una vez oí que los hombres piensan en el sexo cada tres minutos. Tú debes de estar batiendo algún tipo de récord.

—Es que no son unos pechos cualquiera, Dahlia.

Alargó la mano para coger la cantimplora. Estaba temblando. Temblando de verdad. Sólo de pensar en que pudiera abrirse la camisa le provocó una dolorosa y dura erección.

—Bueno, pues los tengo, ¿vale? Como cualquier otra mujer. Están ahí. No puedo hacer mucho más.

Nicolas bebió un buen trago de agua y casi se atraganta cuando ella se desabrochó la camisa hasta la cintura. Tenía unos pechos mucho más grandes de lo que él creía, y los pezones miraban hacia arriba, tentándolo todavía más. Era preciosa. Su piel era increíble. Nicolas tuvo que tragar saliva.

—Creo que no ha sido una buena idea.

Dahlia se dio cuenta enseguida de que había cometido un terrible error. Los ojos de Nicolas pasaron de fríos a ardientes. Apretó la cantimplora hasta que la abolló. La energía flotó entre los dos, feroz y apasionada, alimentándolos y amenazando con devorarlos. Dahlia tenía calor, la ropa le pesaba demasiado, estaba incómoda y tenía la piel demasiado sensible. Quería quitarse la camisa, sentir sus manos y su boca deslizándose por su piel. Quería cosas que jamás había soñado o pensado. Cosas que no tenía ni idea de que conocía.

La distancia entre ellos desapareció. El cuerpo de Nicolas tocó el de Dahlia; el pecho desnudo contra sus pezones. Él agarró la melena de pelo sedoso y la sujetó mientras inclinaba la cabeza, con la mirada tan feroz y decidida como la energía que los rodeaba y que los tenía cautivos en el centro. Acercó la cara de Dahlia a la suya. Y la besó. Se apoderó de su boca. Las llamas saltaron del cuerpo de Dahlia hacia el de Nicolas y los envolvieron. El beso no terminó. No era suficiente. Nunca sería suficiente.

Deslizó la lengua en su boca y bailó con ella un largo y sensual tango. Deslizó la boca por su cuerpo, pidiendo más. Urgente y salvaje. La cabeza de Dahlia cabía perfectamente en la palma de su mano y no la soltó mientras le besaba la delicada boca, la barbilla, la garganta y la boca otra vez. El rugido en su cabeza aumentó. Su cuerpo se endureció y creció hasta que creyó que iba a romper la ropa. Tenía que poseerla. Tenía que hacerla suya.

La piel de Dahlia lo atraía. Era muy suave, lo más suave que había tocado en la vida. Era imposible pensar o razonar mientras su lengua lo tentaba, mientras sus dientes le mordisqueaban los labios y la barbilla, mientras notaba su respiración en los pulmones. Volvió a saborearle el cuello. Se deslizó por la garganta. Notó cómo ella contenía la respiración cuando llegó al pezón. Oyó cómo le estallaba el aliento cuando le cubrió el pecho con la boca. Dahlia emitió un único sonido, inarticulado, pero levantó las manos para aferrarse a su pelo.

Él la saboreó y devoró. Algo en su interior pedía todavía más. El calor fue en aumento hasta que tuvo la sensación de que iba a arder en llamas. Y ardió. Algo en su estómago. Rugió. Un incendio descontrolado. Tiró del nudo de la camisa, desesperado por tenerla, desesperado por tener todo de ella.

Dahlia notó cómo la boca de Nicolas se separaba de su pecho, cómo le lamía la piel y despertaba todas sus terminaciones nerviosas. Las manos de Nicolas se aferraron al nudo de la camisa. Estaba mareada; la cabeza le daba vueltas por la necesidad y la pasión. El calor y la presión eran extremos y ella casi no podía soportar el deseo que sentía. Respiró hondo, cerró los ojos y lo empujó, con fuerza. Dio media vuelta y se tiró al agua, alejándose de la lancha. Era lo único que podía hacer para salvarlos. Él no tenía ni idea de qué lo estaba consumiendo, pero ella sí. Había tenido que convivir con eso toda la vida.

Se zambulló hasta las profundidades y dejó que el agua le enfriara la piel caliente. Jamás se le había ocurrido que pudiera suceder algo así. Nunca se había sentido físicamente atraída por nadie. Jesse nunca se había sentido atraído por ella, y ella tampoco por él. No estaba preparada para la explosiva química que se había generado entre ellos, y no había sabido gestionarla. Es más, le había devuelto el beso. Y no sólo lo había besado, sino que prácticamente se lo había comido. La idea de volver a enfrentarse a él era casi insoportable.

Dahlia salió a la superficie a cierta distancia de la lancha y movió el agua mientras intentaba abotonarse la camisa. Todavía estaba tan sensible que el roce de la tela generaba oleadas de sensaciones en su cuerpo. No quería ni pensar en cómo debía de estar Nicolas. La lancha se dirigió hacia ella y Nicolas no parecía contento. Ella agitó la mano para decirle que se marchara.

—Vete. Aléjate de aquí, Nicolas. Coge la lancha y vete.

Estaba intentando salvarlo con todas sus fuerzas, pero a juzgar por su expresión severa vio que no quería que lo salvaran.

Nicolas detuvo la lancha junto a ella. Sus ojos ya no eran de hielo, sino de ira.

—Sube a la lancha —dijo, con la voz grave.

—Aléjate de mí. ¿Crees que esto va a parar? —Furiosa, golpeó el agua y lo salpicó. Él ni siquiera parpadeó cuando las gotas de agua le mojaron la cabeza y el pecho y le resbalaron hasta la cintura de los vaqueros. Dahlia echó la cabeza hacia atrás, con la excusa de mojarse el pelo. Aprovechó aquel breve instante para obligar a su mente a no pensar dónde iban esas gotas. Qué acariciarían cuando resbalaran hasta la entrepierna. Volvió a la superficie con el corazón acelerado—. Conozco el pantano. Estaré bien. Coge la lancha y lárgate.

—Joder, Dahlia, no voy a repetírtelo. Sube a la lancha. No soy un asqueroso violador. Estabas ahí conmigo, sintiendo lo mismo.

Y, de repente, Dahlia lo vio. Lo avergonzado que estaba por la falta de control. El miedo que tenía de haberla asustado. La frustración sexual, que debía de ser igual o peor que la suya. Alargó las manos hasta el borde de la lancha y se quedó ahí, apretando tanto las manos que los nudillos se le quedaron blancos.

—Nicolas, no hemos sido ni tú ni yo. No como tú crees. Me afecta la energía. También la energía sexual. La estabas emitiendo; y yo también. La estábamos alimentando entre los dos y nos ha engullido. No podemos estar juntos. No podemos correr ese riesgo.

Nicolas estaba sentado inmóvil, observándola. Lo que más le apetecía era subirla a la lancha y unir sus bocas. Sus cuerpos. La necesitaba como si fuera una droga. Se obligó a respirar. A inhalar y espirar. Veía la desesperación en sus ojos; el miedo. No miedo de él, sino por él. El tornado que tenía en el estómago empezó a relajarse. Sin darle tiempo a pensar o discutir, la agarró por las pequeñas muñecas y la subió a la lancha.

—Somos adultos, ¿recuerdas? Ahora que sabemos que puede suceder, tendremos más cuidado. —Dibujó una sonrisa rápida y burlona—. Hasta que ya no queramos tener tanto cuidado.

Dahlia tragó saliva. Era valiente, Nicolas tenía que admitirlo. Cuanto más tiempo pasaba a su lado, mayor era el respeto que sentía por ella. No se echó atrás, sino que se mantuvo firme. Los dos estaban de pie, y él era mucho más alto que ella.

—Podría pasar, Nicolas. No has visto lo que la energía pura puede hacer, pero yo sí. Cuando eso sucede, genero un calor intenso y provoco incendios. La gente puede resultar herida.

—¿Alguna vez has hecho el amor con alguien, Dahlia?

Lo dijo en voz tan baja que ella tuvo que afinar mucho el oído para entenderlo. Percibió la oleada de oscuridad, de peligro, de algo letal y mortal que emanaba de él.

—No. Nunca he querido intimar tanto con nadie.

«Hasta ahora.» Nicolas quería oírla decirlo. Que le diera, al menos, eso. Lo necesitaba.

—Hasta ahora —añadió ella.

Nicolas retrocedió y volvió a sentarse.

—Gracias por no empujarme al agua. Seguro que lo has pensado.

—No me des las gracias. —Se sentó junto al motor—. No estaba segura de que, si te empujaba, cayeras al agua. —Dibujó una pequeña sonrisa antes de volverse a poner al mando de la lancha.

Nicolas se concentró en la vegetación y en los árboles e intentó no pensar en el sabor y el tacto de Dahlia. Lo convirtió en un ejercicio mental: dejaba la mente en blanco, dejaba que los pensamientos pasaran sin detenerse en ellos y dejaba que salieran. Sólo estaba seguro de una cosa. Sabía que Dahlia formaba parte de él. El cómo y el por qué daban igual. Nada ni nadie lo había desconcertado tanto. Esa chica le importaba. Lo que pensara y cómo se sintiera. Y la quería.

Cerca del mediodía, Dahlia detuvo la lancha junto a un viejo muelle.

—Aquí bajamos. Tendremos que ir en autobús o en taxi.

—Tengo que desmontar el rifle. Y llevamos unas pintas. La camisa se transparenta. No sé si podré soportar que los hombres te sigan con la mirada.

No levantó la mirada mientras desmontaba el rifle y lo envolvía con cuidado antes de guardarlo en la mochila. Lo siguiente fue el cinturón con la munición, junto con cualquier otra arma que fuera visible.

Dahlia contuvo la respiración y se cruzó de brazos para taparse.

—Podrías haber dicho algo.

—No quería avergonzarte.

Ahora sí que levantó la mirada, aunque fue algo muy breve.

A Dahlia le pareció ver una pequeña sonrisa. Aceptó la camisa que Nicolas le ofreció y se la puso enseguida.

—La próxima vez sí que te tiraré al agua —le prometió.

Capítulo 6

*N*icolas caminó por la amplia casa, comprobando todas las salidas, localizando todas las ventanas y cuáles eran especialmente buenas para huir en caso de emergencia. La entrada principal daba a la esquina, de modo que podrían huir en cualquier dirección si tenían que salir corriendo. También vio que había otro acceso desde la calle a través de la verja del patio. El patio era grande y había muchas plantas, vegetación y grandes árboles. Suponía un buen escondite. El piso de arriba tenía un balcón desde el cual se podía acceder al tejado. Calhoun había elegido el lugar con mucho cuidado. Tenían escondite, varias salidas y estaban cerca del río.

Dahlia abrió una caja fuerte que estaba escondida detrás de un cuadro con caballos corriendo entre las olas. Dentro había armas, munición y dinero en efectivo. También había varios carnés de identidad, permisos de conducir, tarjetas de la seguridad social y otras con distintos nombres y fotografías de Jesse Calhoun y Dahlia Le Blanc.

Nicolas hojeó los documentos que Dahlia había sacado de la caja fuerte. Mientras tanto, era consciente del ruido del agua. Dahlia se estaba duchando. Por mucho que intentara evitarlo, su imaginación insistió en dibujar una imagen perfecta de Dahlia desnuda, mojada, con el pelo empapado y la cara levantada hacia la ducha caliente. Cerró los ojos y gruñó. ¿Dónde demonios había quedado su disciplina? ¿Y su tremendo autocontrol? No podía culpar a la energía, sexual o de cualquier otro tipo, de sus fantasías. Había sido la visión de sus nalgas, de la curva de su cadera. Habían sido los pechos desnudos bajo el sol. O quizás había sido su sonrisa. No solía sonreír pero, cuando lo hacía, Nicolas juraría que lo hacía sólo para él, para nadie más. Y luego estaba su piel...

—¡Eh! ¡Macho! Deja de mirar las musarañas y sube a la ducha. Hueles como una rata de cloaca, y no me ayuda a ponerme de buen humor.

Dahlia estaba en la puerta, envuelta con una toalla a modo de sarong. Llevaba el pelo recogido en una toalla y estaba mojando el suelo. Estaba claro que había bajado directamente de la ducha para reñirle por estar husmeando entre sus cosas, pero había cambiado de opinión.

—No me ayudas demasiado a calmar a mi imaginación hiperactiva —respondió él mientras se acercaba a ella. Se detuvo a su lado, muy cerca, atrapándola entre su enorme cuerpo y la puerta. De forma deliberada, y muy despacio, alargó la mano y le acarició la cara. Ella no se apartó y Nicolas se lo tomó como una pequeña victoria. Ella se preparó para la caricia, pero no pestañeó cuando Nicolas deslizó la mano por la mejilla hasta la boca—. Tienes una piel preciosa.

Dahlia fijó la mirada. Estaba preparada. Nicolas la notaba muy tensa, pero ella no retrocedió.

—Quiero volver a besarte, Dahlia.

Dahlia abrió los ojos como platos. Levantó la barbilla, pero no interrumpió el contacto visual.

—Yo también quiero besarte, pero eso no significa que debamos hacerlo. Es peligroso. Y ni siquiera nos conocemos.

Nicolas dibujó una pequeña sonrisa.

—Me muero de ganas de conocerte. De intimar. Eso solucionaría el problema enseguida. —Deslizó el pulgar por el aterciopelado labio inferior y la acarició varias veces. Lo fascinaba la forma de sus labios. Podía saborearla en su boca. Inolvidable. Femenina. Adictiva.

Saltaron llamas entre los dos. Dahlia inhaló de golpe.

—Nicolas. —Su voz escondía una súplica.

Él la agarró por la nuca. Sabía a qué se enfrentaba. No es que no entendiera las consecuencias, pero es que lo único que le importaba era tocarla. Acercarse a ella, estar piel con piel. Hundir su cuerpo en el suyo. Lo demás eran detalles. Tenía la necesidad primitiva de dejar su marca en su cuerpo, para que siempre jamás fuera suya. Para que siempre lo quisiera como él la quería.

Dahlia notó cómo el calor empezaba a envolverlos. Sería muy fácil abrazarlo y arder en el fuego, pero no sería justo para Nicolas. No tenía ni idea de dónde se estaba metiendo ni lo peligroso que podía ser. Respiró hondo, apoyó una mano en su pecho y lo apartó.

—Ve a ducharte. Con agua fría. Te ayudará.

Nicolas tardó unos segundos en controlar las urgentes demandas de su cuerpo. Mientras retrocedía, deslizó las yemas de los dedos por la garganta de Dahlia y luego siguió por un pecho hasta que dejó caer la mano a un lado.

Dahlia se estremeció. Se quedó inmóvil, a escasos centímetros de él, sin retroceder... ni avanzar.

—Por suerte, Jesse dejó ropa para mí en el armario. Es un hombre muy considerado.

—¿Así lo defines? Yo diría mejor que es un entrometido. A mí me gustas más sin ropa.

—Nicolas —advirtió ella—. Estoy haciendo un esfuerzo. Se supone que tienes que ayudarme.

—Repíteme por qué y lo intentaré.

—No sabemos lo que puede pasar. —Todavía lo tenía lo suficientemente cerca como para sentir el calor de su cuerpo. Su necesidad era urgente y, evidentemente, no hacía nada para esconder su erección. Antes de que él pudiera hablar, levantó la mano y continuó—: Además, todavía no me siento completamente cómoda contigo.

Él suspiró.

—Has conseguido pensar en lo único que me deja sin recursos. —Subió las escaleras mientras su cuerpo imploraba que lo satisficiera.

Normalmente, Nicolas hubiera disfrutado de la ducha caliente después de las condiciones tan adversas del pantano, pero descubrió que había cambiado. Mientras se enjabonada el pelo lleno de barro, intentó analizar el por qué de su incomodidad. Por norma general, disfrutaba de la soledad. Necesitaba el aislamiento. Era la vida que había elegido, y tanto era así que normalmente evitaba a la gente, pero ahora se mostraba reacio a estar lejos de Dahlia.

Era un hombre metódico, que pensaba en términos lógicos. Mientras se duchaba, obligó a su mente a recuperar la disciplina y el control. Debería haber controlado él la situación, y no Dahlia y, sin embargo, había sido ella quien los había frenado en las dos ocasiones. Aquella ausencia de disciplina, cuando era lo que regía su vida, lo confundía. Decidido a recuperar su tranquilidad habitual, recurrió al entrenamiento que le había inculcado su abuelo materno, Konin Yogosuto. Automáticamente, empezó a respirar hondo. Se concentró en sus enseñanzas, unas creencias que formaban parte de su vida y eran parte de él. La fusión del cuerpo y la mente. La completa armonía del universo. Ser uno con el universo. Donde hay caos, también debe haber calma. Repitió ese mantra varias veces, permitiendo que las enseñanzas de su abuelo lo centraran de nuevo.

La energía, sexual, violenta o incluso normal, afectaba a Dahlia. Y Nicolas creaba energía simplemente pensando en ella. Deseándola. Si quería que confiara en él tenía que volver a encontrar el control. Dahlia era una mujer única, una mujer que había vivido una vida de soledad y traición. No confiaría en él hasta que no se ganara su confianza, independientemente de la atracción física que surgiera entre ellos. Dahlia necesitaba un amigo y necesitaba sentirse «normal», fuera lo que fuera esa normalidad. En cualquier caso, estaba decidido a encontrar un equilibrio que les funcionara.

Le encantó volver a estar limpio y seco. Se puso unos vaqueros y pensó en cómo debía de haber sido la vida de Dahlia. Mientras él estaba cazando, pescando y aprendiendo artes marciales, ella estaba sola en una sala con un cristal polarizado y vigilantes silenciosos. Sus abuelos lo querían y solían abrazarlo y sonreír con orgullo cuando lograba algo. En la vida de Dahlia sólo había habido dos mujeres, y no le eran únicamente leales a ella. Necesitaba tiempo. Aunque algún día entablaran una relación sexual, sabía que eso no le bastaría. Sabía que lo quería todo de Dahlia Le Blanc, no sólo su cuerpo.

Dahlia se visitó muy despacio y agradeció en silencio la ropa que Jesse había dejado en el armario para ella. Mientras se ponía unos vaqueros, escuchó el ruido de la ducha. Ahora Nicolas tenía poder, y lo sabía. Desde que el doctor Whitney ejerció el suyo sobre ella de pequeña, jamás había permitido que otro ser vivo volviera a hacerlo. Puede que hubiera alguien que se hubiera creído que la controlaba, pero no era así. No debería haberle dicho la verdad, que también quería besarlo.

Jesse siempre le había dicho que debería tener un plan B y no confiar en nadie. Aunque eso nunca había supuesto ningún problema para ella. Incluso Milly y Bernadette, las dos únicas personas a las que realmente había querido, informaban a otra persona sobre ella. Whitney perdió el interés por ella cuando tenía unos diecisiete o dieciocho años. Reunió el dinero para la casa y el material gimnástico adecuado, pero en cuanto tomó la decisión de que nunca podría trabajar como agente operativo, no regresó más. Si lo hubiera hecho, aunque sólo hubiera sido una vez, habría descubierto que Dahlia, por pura testarudez, había demostrado que se equivocaba.

Fue hasta la cocina y abrió los armarios. Sólo había lo más básico. Preparó una cafetera, más que nada por el aroma y por hacer algo con las manos mientras intentaba averiguar quién quería matarla. ¿Quién sabía de su existencia, y por qué querían verla muerta? ¿Era posible que las personas para las que trabajaba no quisieran que se supiera que recuperaba información para ellos y hubieran enviado a un equipo a matarla? Y no sólo a ella. A Milly y a Bernadette, también. No tenía sentido. Nada de eso tenía sentido.

Se secó el pelo con la toalla, para eliminar la humedad. No había ninguna necesidad de matarlas. Nadie creería a Dahlia Le Blanc, una mujer criada en un sanatorio. Era la coartada perfecta y la protección perfecta. Si la descubrían, sólo era una mujer loca trastornada por sus propias teorías conspiratorias.

Levantó la mirada cuando Nicolas entró en la cocina. Llevaba el pelo húmedo y sólo se había puesto unos vaqueros. Sin zapatos ni camisa, con lo que lucía un pecho amplio y dorado que nubló la mente de Dahlia. Intentó no mirarlo, pero era imposible. En un patético intento por disimular su reacción ante su presencia, se sentó en una de las sillas de la cocina.

—Estaba preparando café. He pensado que a los dos nos vendría bien una taza.

—Huele de maravilla. —Dirigió la mirada hacia todas las ventanas para asegurarse de que nadie podía verlos desde ningún ángulo—. Háblame un poco de cómo empezaste a hacer este trabajo de recuperación.

Dahlia se reclinó en el respaldo y se permitió repasarlo de arriba abajo.

—Creo que sólo acepté porque el doctor Whitney dijo que no podía hacerlo. Lo detestaba.

—O sea, que encima eres terca.

Dahlia observó cómo se le tensaban los músculos cuando se acercó hasta la cafetera. Abrió un armario y sacó dos tazas.

—Cuando es necesario, mucho. El hombre que me reclutó llevaba uniforme y Milly y Bernadette le tenían miedo. Era algo más que simples nervios, ¿me explico? Creo recordar que llevaba un par de estrellas en el uniforme. Ese día, Whitney estaba presente. —Se encogió de hombros—. Yo tendría unos diecisiete años, creo, y no presté demasiada atención de forma deliberada.

—¿Y en la manga? ¿Viste un ancla junto a las estrellas?

—Ahora que lo dices, sí.

—Qué curioso. De modo que se presentó como miembro del ejército. Quizá todo empezó como un programa de operaciones encubiertas. Whitney tenía muchos vínculos con el ejército. La mayoría de sus contratos eran bilaterales con el gobierno y tenía acceso a documentos de alta seguridad. Pero si más adelante Whitney sospechó que alguien que no tenía su visto bueno te estaba utilizando, ¿por qué no te sacó de allí?

—Whitney y yo no nos llevábamos demasiado bien. Cuando estaba cerca, siempre se producían accidentes. —Se miró las uñas—. Y sí, fueron accidentes. Yo no hago daño a nadie a propósito. Las repercusiones son brutales. Todavía no había aprendido a controlar mis emociones. Las adolescentes tienen unas emociones muy intensas. —Se encogió de hombros—. Creo que prefirió olvidar que existía.

—Te recordó lo suficiente para dejar una carta para Lily pidiéndole que os encontrara, a ti y a las demás niñas con las que había experimentado.

—Supongo que debería estarle agradecida.

—Yo no diría tanto —replicó Nicolas—. Si Jesse Calhoun es un Navy SEAL y el hombre que viste llevaba el uniforme de un oficial, y parece que podría haber sido un contraalmirante, deberíamos empezar por cualquier conexión entre los Navy y un posible grupo disidente de alta seguridad. Antes de encontrarte, los Soldados Fantasma fuimos el objetivo de un grupo militar disidente que quería eliminarnos. Creímos que los habíamos descubierto a todos, pero quizá se nos escapó alguno. Y, de ser así, esa persona sabe que Lily y los demás existimos.

—¿Lily y los demás corren peligro? —preguntó Dahlia enseguida—. Llámalos y diles que extremen todas las precauciones. No quiero que le pase nada a Lily, y menos por mi culpa.

—No sería por tu culpa, Dahlia. Lily está entregada a los Soldados Fantasma y a la causa de encontrar a todas las niñas con las que experimentó Whitney y ayudarlas a recuperarse.

Dahlia volvió a secarse el pelo con la toalla, aunque le habría gustado tener un peine.

—¿Cómo acabaste participando tú en el experimento?

Nicolas dudó unos segundos y escogió sus palabras con cuidado. Nunca le había explicado a nadie sus auténticos motivos.

—Necesitaba que reforzaran mis habilidades.

Dahlia esperó a que continuara. Cuando vio que no había más, lo miró con una ceja arqueada.

—Nicolas, nadie necesita que le refuercen las habilidades psíquicas. ¿Por qué te planteaste algo así? —El lenguaje no verbal de Nicolas le estaba gritando que cambiara de tema, pero Dahlia no entendía cómo alguien podía desear vivir lo que ella había vivido—. Yo no he conocido otra cosa, pero tu vida debía de ser maravillosa antes de entrar en contacto con Whitney.

Él se encogió de hombros.

—Quería poder curar a la gente. Mis dos abuelos creían que había nacido con ese don, pero nunca he podido utilizarlo.

—¿Y estabas dispuesto a sacrificar tu vida entera a cambio de una oportunidad para hacerlo?

—Obviamente.

—Pero no funcionó —intentó adivinar ella.

—El experimento funcionó, pero no para poder curar —respondió él.

Dahlia observó su cara y percibió tristeza en sus ojos.

—Reforzó tus habilidades naturales y te convirtió en un cazador todavía mejor, ¿verdad? —supuso—. Y todavía no existe ningún método para invertir el proceso, ¿no es así?

Nicolas meneó la cabeza.

—No, pero hay soluciones para convivir mejor con ello, soluciones con las que Lily puede ayudarte para que puedas vivir cerca de otras personas y tener, al menos, una oportunidad de parecer normal. Nos ha ayudado a todos.

Dahlia se encogió de hombros.

—Reunirme con ella bastará. Una parte de mí creía que me estaba volviendo loca por creer que existía. —Entrelazó los dedos con la melena húmeda y la levantó para separarla de la nuca—. Le he dado vueltas. Y creo que no va a ser tan complicado encontrar a Jesse. Quieren que vaya tras él. Habrán dejado algún tipo de rastro para que pueda seguirlo.

Nicolas le sirvió una taza de café y se la alargó hasta el otro lado de la mesa. Sus dedos se rozaron. Notó un cosquilleo muy molesto en el estómago y la entrepierna se le endureció. Si hubiera sido hombre de maldecir, aquel habría sido el momento perfecto.

—Estoy de acuerdo —dijo con la voz calmada y monótona.

Dahlia bebió un sorbo de café con aspecto sereno. Estaba sentada de forma perfecta en la enorme silla de la cocina, cómoda con los vaqueros y la camiseta. El pelo le llegaba a la cintura como una cascada de seda negra. Le estaba dejando manchas de humedad de la camiseta.

Nicolas desvió la mirada hacia los numerosos documentos de identidad.

—¿Has encontrado algo que pueda ayudarnos?

—No mucho. ¿Y tu gente? ¿Tienen los contactos necesarios para comprobar la identidad de Jesse? Un poco de ayuda nos vendría bien.

—Lily tiene un acceso total a toda la documentación y puede infiltrarse en cualquier sistema de seguridad. La he llamado mientras estabas en la ducha. —Se frotó la mandíbula con la mano—. Me ha dicho que te diga que se alegra mucho de que te hayamos encontrado y que se sentía como si ya no estuviera tan sola.

Dahlia ladeó la cabeza y no pudo esconder su expresión ante la inquisitiva mirada de Nicolas. Lily siempre había significado mucho para ella, incluso cuando estaba convencida de que no era más que un producto de su imaginación. No sabía identificar cómo se sentía al descubrir que ahora era real, que estaba viva y feliz por haberla encontrado. Era como si acabara de recuperar a un miembro de su familia al que hacía tiempo que no veía. Se esforzó por esconder sus emociones.

—Dahlia, puedes demostrar tus emociones. Sabes todo lo que pienso en cada momento.

Pensó que ella sonreiría, pero no lo hizo. Se quedó sentada en la silla gigantesca con lágrimas en las pestañas y lo miró.

—No es verdad. No soy como tú. Ya te lo he dicho, no soy telépata. Puedo alcanzar a alguien si la energía es la correcta, y puedo responder siempre que la otra persona mantenga el puente. Jesse era fuerte. Podíamos hablar. Y tú eres fuerte, y mantienes el puente, pero no te leo la mente. Siento tus manos en mi cuerpo, o tu boca. Pienses lo que pienses, de algún modo se traduce en una intensa sensación. Estás emitiendo, pero mi cerebro no lo oye. Mi cuerpo lo siente.

Nicolas se sentó muy despacio.

—Me cuesta asimilarlo. La mayor parte de los Soldados Fantasma utilizan la telepatía, con un alcance extraordinario. El concepto de utilizar energía es distinto. Me parece imposible que pueda pensar algo y que tú no lo oigas en tu mente, pero en cambio puedas sentirlo.

—Todos desprendemos energía. Las emociones desprenden energía. Sientes una atracción sexual particularmente fuerte hacia mí. La energía es potente y me encuentra.

—¿Te había sucedido con alguna otra persona a cualquier otro nivel? ¿Has sentido lo que alguien estaba pensando?

Se mantuvo muy calmado, inspirando y espirando muy despacio, pero estaba muy compenetrado con su cuerpo y su mente, y la sensación de incomodidad y de energía oscura y peligrosa ya formaba parte de él y se dio por vencido.

Ella meneó la cabeza.

—Tienes suerte. Sólo me ha pasado contigo.

Él mantuvo la cara inexpresiva, ocultando el alivio que sintió.

—Pues sí, considero que tengo suerte, incluso que soy un privilegiado, por ser el único. ¿Y nunca te había pasado? ¿Ni siquiera de pequeña? ¿Quizá con Lily o con alguna otra de las niñas?

Dahlia meneó la cabeza.

—Nunca.

—Pero no puedes vivir con gente —insistió él, con delicadeza.

—Las emociones fuertes me afectan. La violencia me afecta mucho. He sufrido ataques con anterioridad. Y he hecho daño a un par de personas, de forma accidental. Parece que lo haga a propósito, pero cuando estoy en medio de mucha violencia, sobre todo ira o las consecuencias de la muerte, como lo que nos pasó en mi casa, genero calor junto con mis propias emociones y pasan cosas. Mis propias emociones pueden provocarlas.

—Las llamas. Parece como si las lanzaras tú, pero es todo lo contrario, es que no puedes controlarlas.

—Exacto, aunque es un recurso útil cuando los demás creen que lo hago a propósito.

Volvió a dibujar una pequeña sonrisa. Nicolas intentó no mirarle la boca o permitir que su mente se detuviera demasiado tiempo pensando en las posibilidades de besarla.

Dahlia dejó la taza de café en la mesa y se reclinó en la silla.

—¿Te das cuenta de que no sé nada de dónde provengo? Ni siquiera tengo familia. Debes de sentirte muy afortunado por haber conocido a tu abuelo. Háblame de él.

—En realidad, tuve la suerte de conocer a mis dos abuelos. Mi abuelo paterno era un lakota, un gran chamán, un hombre extraordinario. Podía hacer cosas que nunca he visto hacer a nadie. Solía decir que cada cosa tiene un espíritu, un suspiro de vida, y que podía hablar con los espíritus. Una vez vi a un chico que había caído de una colina y que estaba en el suelo con todos los huesos rotos y que gritaba agónico. Mientras esperábamos a que llegara el helicóptero de rescate, mi abuelo empezó a cantar a los espíritus, a los dieciséis que forman uno. Colocó las manos encima del chico y sentí el calor que generaba. Cuando llegó el helicóptero, el chico ya no gritaba y sus huesos estaban perfectos. En cambio, el helicóptero de asistencia médica tuvo que llevarse a mi abuelo porque casi le da un ataque al corazón.

—Es increíble. No me extraña que quisieras poder curar a las personas. He leído sobre ese tipo de fenómenos, pero nunca los he visto. ¿Cómo se llamaba?

Nicolas sonrió.

—Para mí sólo era Abuelo. También respondía al nombre de Nicolas, pero tenía muchos más.

—Lo querías mucho, ¿verdad? Debes de estar encantado de llamarte como él.

Nicolas observó los dedos de Dahlia y el extraño ritmo con que los movía en el aire. Parecía hacerlo de forma inconsciente. Recordó que mientras estaban durmiendo en la cabaña del pantano, también notó ese repiqueteo en el colchón. Estaba claro que era una costumbre.

—Sí, Dahlia. Crecer con él fue una lección de humildad. No te puedes imaginar la infancia tan perfecta que fue para un niño. Mi abuelo me enseñó a seguir rastros y a sobrevivir en cualquier tipo de situación, pero, ante todo, me enseñó a respetar la vida y la naturaleza.

—Los dedos de Dahlia lo fascinaban. La forma cómo los giraba en el aire le resultaba prácticamente hipnótica—. ¿Qué estás haciendo?

Ella se sorprendió. Su mente no comprendía la pregunta, pero al seguir su mirada se sonrojó y apretó el puño.

—Hago ejercicios con pequeñas bolas. Me ayuda a aliviar el bombardeo constante de energía. Tenía una colección de bolas de minerales, básicamente cristales. Las distintas propiedades ayudan con los distintos tipos de energía.

Se encogió de hombros como si no tuviera importancia. Pero Nicolas vio que sí la tenía.

—Quizá tenga algunas de tus favoritas. Metí en la funda de almohada las que vi en tu habitación antes de descubrir los explosivos.

La cara de Dahlia se iluminó. Nicolas tuvo la sensación de que acababa de hacerle un regalo de Navidad. Ella estuvo a punto de abalanzarse sobre él, y él se preparó para el contacto. Pero en el último momento, Dahlia cambió de idea y simplemente le dio un delicado beso en la mejilla.

Nicolas notó cómo ese punto de la mejilla se calentaba. Aquel breve y sencillo gesto pareció muy íntimo. Se acercó la mano a la cara y se acarició la mejilla con las yemas de los dedos.

Dahlia se sonrojó todavía más.

—Lo siento, ha sido desconsiderado por mi parte. Sé que te gusta que te toquen tan poco como a mí. Me comporto de forma extraña cuando estoy contigo; no creas que suelo lanzarme a los brazos de la gente de forma habitual.

—Creía que ya había quedado claro que si se trata de ti no me importa que me toques, Dahlia —dijo.

Sacó la funda de almohada de la mochila y rebuscó para encontrar todas las bolas de cristales y minerales. Estaban frías, y eran suaves y duras. Cuando se las entregó, sus dedos se rozaron. Él notó el calor de inmediato, como si las esferas adquirieran vida cuando estaban en las manos de Dahlia. Bajó la mirada para ver sus manos juntas; la suya grande, y la de Dahlia pequeña, y su cerebro reaccionó de inmediato. Recordó el sueño que tuvo en la cabaña sobre su espíritu.

—Gracias, Nicolas. —Ella cogió todas las esferas. Un juego era de ametista. Las acarició enseguida, y empezó a frotarlas y a darles vueltas en la palma de la mano. Otro juego estaba hecho de cuarzo rosa y luego había otro de aguamarina.

Era algo insignificante, pero ella estaba feliz, y eso era lo único que importaba para Nicolas.

—¿Crees que los cristales pueden ayudar a curar? —preguntó con curiosidad.

—No lo sé, aunque siempre se ha dicho que contribuyen a concentrar la energía y ayudan. Sé que a mí me ayudan muchísimo. Cuando necesito calmarme, cualquiera de estos tres funciona muy bien, y los demás también, aunque en menor medida.

—Mis dos abuelos utilizaban cristales —dijo Nicolas.

—¿Cómo era tu otro abuelo?

—Era japonés y se llamaba Konin Yogosuto. Cuando el abuelo Nicolas murió, me fui a vivir con él. Tenía diez años. Llevaba una vida sencilla. Era maestro de artes marciales y tenía muchos estudiantes.

—¿Y tú te convertiste en uno de ellos?

La mirada oscura de Dahlia se mofó de él. Nicolas notó cómo su cuerpo reaccionaba de inmediato y se le tensaban todos los músculos. Aquello era bastante llevadero. Lo que le molestaba era la sensación de calidez en el corazón, cómo parecía que se le hinchaba en el pecho. Se esforzó por aparentar serenidad, después de tantos años aprendiendo a hacerlo.

—De entrada, no. Aunque parezca curioso, al igual que el abuelo Nicolas, el abuelo Yogosuto también creía primero en curar y acudían a él tanto para que les preparara ungüentos como para que les enseñara su estilo de vida. Era un hombre muy callado. Cuando hablaba, yo lo escuchaba.

—Así que te criaron dos abuelos y ninguna mujer. Y a mí criaron dos enfermeras y ningún hombre. Es curioso que hayamos salido tan parecidos.

Lo miró. Por un momento se produjo un intenso silencio.

«Dolor. Dolorosa soledad.» Nicolas estaba empezando a entender lo que Dahlia decía de la energía. Podía sentir una tristeza que emanaba de ella y lo tocaba en lugares que él ni siquiera sabía que existían. Si había algo de ternura en él, parecía estar reservada para Dahlia. Vio cómo tragaba, la delicada línea de su garganta. Parecía muy vulnerable sentada con las rodillas pegadas al pecho.

Ella dibujó una sonrisa forzada.

—¿Alguna vez tuviste un perro? Yo siempre quise uno. Y no es que no me dejaran tenerlo; era una cuestión de control.

Bajó la mirada hasta la mesa. A cualquier lugar que no fuera él. ¿Qué diablos la había llevado a confesar un detalle tan íntimo a un completo extraño?

—¿Tenías miedo de que te controlaran a través del perro?

Dahlia se quedó callada, porque no sabía si continuar o dar por terminada la conversación. Al final, asintió.

—Parecía que todos me controlaban, y no quería que la cosa fuera a más.

—¿Cómo podían controlarte?

Ella se encogió de hombros.

—Necesitaba la casa y el aislamiento de su ubicación.

—Tienes dinero, Dahlia. Mucho dinero. Podrías tener tu propia casa en un lugar remoto.

Ella agachó la cabeza; las esferas de ametista seguían dando vueltas en sus dedos. Nicolas observó cómo se desplazaban por la palma de su mano con mucha precisión. Al cabo de unos minutos, ya no estaban en su mano, sino flotando bajo sus dedos, sin haber interrumpido la rotación, como si fueran marionetas bajo ellos.

—Dahlia —pronunció su nombre para llamarle la atención y esperó hasta que ella, a regañadientes, levantó la mirada hacia él—. Permitiste que te controlaran. ¿Por qué lo hiciste?

Dahlia se quedó en silencio tanto rato que Nicolas creyó que no iba a responderle.

—Quería una familia. Milly, Bernadette y Jesse eran las únicas personas que tenía. Me quedé para tenerlos a mi lado. Era un trato.

Nicolas contuvo una palabra que no solía usar y apartó la mirada para volverse hacia la ventana. Por un momento, su visión se volvió borrosa y parpadeó para aclararla.

—Pues fue una mierda de trato, Dahlia. Seguro que hubieras estado mejor con el perro.

En cuanto las palabras salieron de su boca deseó poder borrarlas.

Dahlia se levantó y se echó el pelo hacia atrás. Le temblaban las manos. Las escondió a la espalda.

—Si no te importa, necesito un poco de espacio —dijo. Si se echaba a llorar allí mismo nunca lo perdonaría... ni a ella misma.

—Espera.

Nicolas dio un paso hacia ella. Se deslizó en silencio. Pareció un movimiento predatorio y a Dahlia se le aceleró el corazón. Cedió terreno y retrocedió, aunque sabía que no debía hacerlo. «Un paso al lado, nunca hacia atrás, porque te seguirán avasallando.» Una norma de entrenamiento básica.

—Dahlia, sé que estoy cometiendo errores contigo. Con nosotros. —Dejó la taza de café en la mesa y se frotó el puente de nariz, aunque frunció el ceño cuando vio que ella enseguida adoptaba la pose de lucha—. Estoy tan poco acostumbrado a estar con gente como tú. No sé cómo hay que hablar a las mujeres, igual que tú no sabes cómo hay que hablar a los hombres. —Apretó los dientes un segundo, porque tenía la sensación de que estaba haciendo el ridículo, pero continuó—: No siempre digo lo más adecuado. Seguro que diré algo que hará daño a alguien. Ayúdame. A nivel profesional, no hay ningún problema, pero a nivel personal...

Ella meneó la cabeza.

—Yo no sé cómo afrontar el terreno personal en nada, Nicolas. No voy a ser una gran ayuda.

—Entonces, tendremos que aprender juntos. ¿Tan malo es? Tenemos una base común. Los dos somos Soldados Fantasma. Somos pocos en todo el mundo. Vi tus libros. Leemos lo mismo.

—¿Qué libros? —lo retó ella.

Se produjo un pequeño silencio.

—Estoy seguro de que tenemos el mismo diccionario. —Nicolas vio cómo su boca se relajaba y dibujaba una pequeña sonrisa. Y entonces chasqueó los dedos—. *Mente zen, mente principiante.* Ya está, me lo leí tantas veces que gasté dos ejemplares. Y tú lo tenías encima de la cama. Lo metí en la funda de almohada.

—Eso es imposible... Me encanta ese libro. —Dahlia estaba preparada para perdonarlo, básicamente porque se estaba esforzando mucho para que se sintiera cómoda—. Seguro que tienes hambre. Necesitaremos comida. He pensado que si me dejaba ver un poco, vendrían a nosotros y no tendremos que esforzarnos tanto por buscarlos.

—Lo del pantano era un francotirador, Dahlia. Si han enviado a un francotirador es para matarte.

No había forma de suavizarlo. No estaba preparado para que se paseara por el barrio francés como un objetivo andante.

Ella asintió.

—Ya me lo había imaginado. Cuando dijiste que era como tú, al principio pensé que querías decir otro Soldado Fantasma, pero entonces habrías dicho «como nosotros». Y, como no lo dijiste, tenía que ser un francotirador. ¿Cómo sabías que nos estaba siguiendo?

—Instinto, sexto sentido, el espíritu de mi abuelo susurrándomelo al oído... Cuando estoy ahí fuera, lo sé y ya está.

—¿Hace eso? ¿Tu abuelo te susurra?

No había ningún tipo de burla en su voz. No se estaba riendo de sus creencias. Había interés, y quizás un poco de envidia, pero Dahlia no vio nada raro en su comentario. Aceptaba a las personas por quiénes eran y lo que eran. Lo aceptaba. En ese momento, Nicolas se dio cuenta de que Dahlia había tenido una vida tan distinta, tan aislada, que nunca sentiría la necesidad o el deseo de juzgar a otros por sus peculiaridades. Dudaba de si alguna vez se sentiría absolutamente cómoda en compañía de otras personas.

Nicolas sabía que él prefería una vida alejada del bullicio. Pero era su elección. Sabía quién era y qué pensaba. Nunca tenía la necesidad de disculparse o explicarse, ni siquiera con Lily. La respetaba, e incluso sentía un extraño afecto por ella, como todos los miembros del equipo de los Soldados Fantasma, pero la emoción estaba más relacionada con la familia que con otra cosa. La emoción que Dahlia despertaba en él era caliente, apasionada y profunda. Despertaba una oscura violencia que él no sabía que llevaba dentro, y también sacaba la risa, algo muy poco habitual en su vida.

—Nicolas, no tienes que responder si no quieres. Mi intención no era entrometerme. —Dahlia le acarició la parte exterior de la mano. Una caricia con las yemas de los dedos, pero que le dejó una marca de fuego en la piel—. Si yo tuviera un abuelo como el tuyo, tampoco querría compartirlo con nadie.

—Mis dos abuelos nacieron para ser compartidos con el mundo entero. Hicieron todo lo que pudieron para aportar paz a las vidas de los demás. El abuelo Nicolas me susurra cuando quiero oírlo. Para advertirme sobre algo, o para recordarme algo. Lo siento muy cercano. Y *bousofu* también está cerca cuando lo necesito.

—¿Qué significa *bousofu*? —preguntó ella.

—Abuelo. Abuelo fallecido —tradujo él.

—¿Cuántos idiomas hablas?

—Demasiados. Mis dos abuelos compartían las mismas creencias. Un hombre debería tener los máximos conocimientos posibles.

Dahlia asintió.

—Yo leía mucho y escuchaba muchas cintas. Recibí toda la educación de tutores. Ninguno se quedaba mucho tiempo, pero no los necesitaba. Ni los quería. Eran impacientes, o tenían miedo, o se enfadaban por mi extraña personalidad. Y todo eso se traducía en energía negativa que yo tenía que soportar cada vez que estaban allí. A menudo, ni siquiera era culpa mía. Ya estaban enfadados cuando llegaban.

—Aprendiste distintas formas de artes marciales.

—Sí, y básicamente porque implicaba realizar una actividad física y porque a mis tutores les gustaba hacerlo. Era divertido. Más adelante, cuando crecí e insistieron en entrenarme, era más rápida que ellos y algunos se enfadaban.

—Cariño, es completamente comprensible. Debes de medir metro cincuenta y no debes de pesar ni cincuenta kilos. Y, encima, eres chica. Patearle el culo a un hombre no es muy femenino, que digamos.

Dahlia reconoció el tono de broma y, por primera vez, no le afectó que hablara de su estatura.

—Pues, a pesar de mi talla, me gusta mucho comer. Puede que tú seas capaz de sobrevivir con lo que llevas en la mochila, pero yo necesito comida de verdad. Me ofrezco voluntaria para ir a la tienda.

—Lo encargaré por teléfono. Seguro que a alguien le hará ilusión ganarse una propina por traérnoslo a casa. Para eso están los móviles.

—¿No tienes miedo de que tu nombre aparezca junto al mío en una lista de objetivos?

—No tienen ni idea de quién soy. Nadie me vio la cara, y el único que puede identificarme es el francotirador. Y no está en condiciones de decirles quién soy.

—¿Cómo iba a identificarte?

Él se encogió de hombros.

—Quizá no podría. Seguramente no, pero los francotiradores acostumbramos a reconocernos entre nosotros. Por cómo andamos y esas cosas.

—Ya. —Dahlia no lo entendía, pero empezaba a estar inquieta—. Necesito salir fuera, Nicolas. No es culpa tuya, de verdad. Tu actitud es muy positiva, pero ni siquiera Milly y Bernadette pasaban más de quince o veinte minutos conmigo a menos que estuviéramos al aire libre.

—¿Estoy proyectando energía sexual? —dijo y volvió a fijarse en sus manos. Volvía a hacer girar las esferas de ametista debajo de los dedos, sin tocarlas, flotando debajo de la palma de la mano.

—Siempre hay energía, pero no es eso. Eres increíblemente tranquilo. Casi nunca siento nada, a menos que sea sexual. Es muy agradable estar a tu lado.

—¿Qué te parece salir a dar una vuelta por el patio, Dahlia? Puedes sentarte y relajarte. Haré una lista de lo que necesitamos y llamaré para que lo traigan. Y luego prepararé la comida.

Ella asintió.

—Gracias por ser tan comprensivo. Te lo agradezco.

—Dahlia. —La detuvo antes de que llegara a la puerta—. ¿Puedo ayudarte en algo?

Debería haber sabido que Nicolas sabría ir más allá de las simples palabras. Ella meneó la cabeza.

—Siempre he rebajado la acumulación de energía mediante la actividad física. Ya viste mi gimnasio. Pero puedo esperar a que anochezca y subir al tejado. Sólo es que tiemblo un poco.

—¿Te duele?

—No mucho... y no intentes darme medicamentos. No tomo. Tengo bastante resistencia y me apaño.

Nicolas señaló el patio. Dahlia no lo dudó ni un segundo. Necesitaba estar sola, y en parte porque no quería que Nicolas la viera como realmente era. Sacó las manos de detrás de la espalda, con los puños cerrados alrededor de las esferas. Le temblaban las dos. Estaba acostumbrada a su rutina y al santuario de su casa. Interactuar con Nicolas era estimulante, pero las consecuencias serias. Empezó a correr por el patio sin dejar de mover las esferas bajo los dedos de ambas manos.

Capítulo 7

Dahlia paseó de un lado a otro del pequeño dormitorio mientras su mente se negaba a darle paz. Pasaba algo. Había recorrido el perímetro de la casa entera varias veces. Había corrido en el patio. La cena, un plato cajún tradicional, no le había sentado demasiado bien a pesar de estar preparado de forma perfecta. Le faltaba algo. Sí claro, lo había perdido todo, y había estado entretenida huyendo por el pantano y prácticamente durmiendo con un hombre, pero nunca le había costado tanto entender algo. Lo tenía ahí delante, al alcance de la mano y, a pesar de todo, no lograba alcanzarlo.

Saltó en la cama y subió corriendo por la pared, refugiándose en la actividad física. Alguien quería verla muerta. Habían disparado a Jesse. ¿Era posible que las personas para las que trabajaba hubieran enviado un equipo para eliminarla? Sus pies descalzos dejaban una serie de pequeñas huellas en la parte baja de la pared mientras corría en círculo. Lo repitió varias veces antes de intentar subir por la pared hasta el techo. ¿Por qué habían disparado a Jesse en lugar de matarlo? Seguro que le habían creído cuando les dijo que no sabía dónde estaba. Ella se había retrasado. Nunca contactaba con él hasta que llegaba a la casa. Lo habían establecido así. Y siempre lo cumplían. No llevaba móvil, ni buscapersonas, ni nada por el estilo. Él le entregaba la misión y, a partir de ahí, ella la planeaba y la ejecutaba sola. ¿Por qué le habían disparado? ¿Sólo para torturarlo? No tenía sentido. No era la primera vez que un trabajo de recuperación se complicaba, aunque siempre acababa cumpliendo con su trabajo, pero había muchas posibilidades de que el ataque a su casa y a su familia estuviera relacionado con la misión que estaba cumpliendo en esos momentos.

Dahlia subió corriendo por la pared hasta que quedó colgando del techo, bocabajo. Necesitaba mucha concentración para hacerlo. Y, como su mente no estaba plenamente concentrada, cayó como una muñeca de trapo en la cama, rebotó en el colchón y los pulmones se quedaron sin aire durante unos segundos.

—¿Qué coño haces? —Nicolas estaba en la puerta, extraordinariamente alterado y agitado—. ¿Te has vuelto loca?

Dahlia inspiró, lo suficiente para realizar un salto mortal y quedarse sentada en medio de la cama con las rodillas pegadas al cuerpo. Se apartó el pelo de la cara y lo miró.

—Echaba de menos algo importante.

Nicolas no podía evitar mirarla. Perderse en ella. Dahlia no era vergonzosa, ni vanidosa, ni siquiera púdica. No parecía darse cuenta de su aspecto. Estaba sentada en la cama, con las sábanas arrugadas, con una camiseta de tirantes que no le tapaba el estómago y unos pantalones cortos de algodón atados con un cordón a la cintura. Con el pelo alborotado que caía hasta la sábana, parecía misteriosa, femenina y demasiado sexi cuando estaba claro que no lo pretendía.

Ella frunció el ceño.

—Deja de fijarte en mis pechos. No puedes hacer lo que sea que estás pensando a través de la camiseta, muchas gracias. Por el amor de Dios, ¿es que sólo piensas en el sexo?

—Por lo visto, sí —admitió él, agotado—. Aunque antes de conocerte nunca había tenido este problema. —No pensaba avergonzarse. La camiseta blanca le transparentaba la piel más oscura del pezón, una sombra intrigante que lo tentaba, lo seducía, y suplicaba que lo lamieran. No era culpa suya que esa mujer nunca llevara la ropa adecuada—. ¿Qué estabas haciendo? La gente no se pasea por el techo.

Dahlia le observó la cara. Llevaba el pelo oscuro suelto, le caía por encima de los hombros y parecía como si se lo hubiera estado echando hacia atrás una y otra vez hasta despeinarse. Llevaba un par de pantalones de chándal muy finos y nada más. Desprendía calor, casi lo emanaba hacia el ambiente, de modo que la temperatura de la habitación aumentó varios grados. Era tan precioso que la dejaba sin respiración. Lo contempló, deslumbrada. Emotiva. Idiota.

Apretó los labios. No se le daba mejor que a él controlar la tensión sexual que surgía entre los dos. En cuanto estaban juntos, aumentaba hasta envolverlos y abrasarlos. Ladeó la cabeza.

—¿Cómo es posible que normalmente emitas tan poca energía, incluso en las circunstancias más violentas, y cuando estás conmigo la energía se convierte en un tsunami?

—No lo censuras, ¿verdad?

Ella se encogió de hombros, desviando la atención de Nicolas hasta la línea de su cuello. Podría llenarle el cuello de delicados besos. Y darle pequeños mordiscos hasta la curva del pecho.

Dahlia se apretó los sensibles pechos con las manos y suspiró.

—No vas a parar, ¿no? —Frunció el ceño—. ¿Debería censurarte? No tengo mucha experiencia en este tipo de conversaciones. ¿Quieres que censure mis comentarios? Una vez Milly me dijo que era demasiado franca.

Nicolas se frotó las sienes, que le dolían. Tenía un extraño rugido en la cabeza. Siempre se había preguntado a qué se referían cuando hablaban de una erección andante, y ahora entendió que se trataba de una persona: él. Por mucho que meditara, en cuanto se dormía soñaba con Dahlia. Sueños eróticos y sexis de su suave piel pegada a la suya. De su boca deslizándose por su pecho, su estómago, y más abajo hasta que creía que iba a volverse loco. Su mano rodeando su erección, acariciándolo con los dedos, bailando, seduciéndolo con largas caricias de seda. Por mucho que intentara controlar los pensamientos rebeldes, ella siempre acababa metiéndose en su mente. Desplazó la mano hasta la nuca y se la frotó para aliviar la tensión.

—Esto es peor que el entrenamiento básico, Dahlia, y no, no quiero que censures tus comentarios.

—¿Qué es peor que el entrenamiento básico?

—Desearte. Incluso te deseo en sueños. ¿Qué me está pasando? Soy muy disciplinado en todas las áreas de mi vida. ¿Qué me has hecho?

Para su sorpresa, Dahlia se rió. Se levantó la gruesa mata de pelo negro azulado y lo dejó caer alrededor de la cara a modo de capa.

—Soy una reina del vudú. Te he hechizado y ahora ya es demasiado tarde para deshacerte de mí.

Nicolas quería maldecir. Quería cruzar la habitación, clavarla contra el colchón y comprobar si entonces también se reía de él. Primero había derretido el hielo que corría por sus venas, y ahora estaba en la cama riéndose a carcajadas.

La risa desapareció gradualmente de la cara de Dahlia, y también de sus ojos. Se pegó la almohada al pecho a modo de protección.

—Esta vez no has sido tú, Nicolas. He sido yo. —Se sonrojó mientras se confesaba—. Me pareció seguro permitirme unas cuantas fantasías. No dijiste nada acerca de que te afectara cuando pienso en ti.

Nicolas contó hasta diez en silencio para ganar tiempo y recuperar el control.

—No me habías dicho que tenías fantasías conmigo. Sobre todo, fantasías eróticas.

Ella suspiró.

—No hace falta que me lo eches en cara. También soy humana. Puede que me haya criado en un sanatorio, pero las hormonas son las mismas.

Nicolas dibujó una lenta y masculina sonrisa de satisfacción, suavizando la tensión.

—Y me encanta. ¿Por qué has parado? Me has dejado frustrado. Si hubieras acabado lo que empezaste no me habría quejado.

Ella se sonrojó todavía más y apartó la mirada. Cuando él se movió como si quisiera avanzar hacia ella, Dahlia abrió mucho los ojos y volvió a concentrarse en él.

—No tenemos que hablar de eso. He estado pensando en algo importante.

—Si quiero sobrevivir a esta noche, te aseguro que tenemos que hablar de eso —dijo y se cruzó de brazos.

A Dahlia le parecía una estatua de madera perfectamente tallada. Alguien había prestado atención a todos los detalles de su cuerpo y de su cara. Suspiró mientras se apretaba la almohada contra la barriga.

—No sabía muy bien qué hacer.

Nicolas tuvo que hacer un esfuerzo por oír su confesión. Estaba de pie, mirándola y preguntándose cómo podía ser tan idiota cuando todo el mundo sabía que tenía un coeficiente intelectual alto. Siguió sonriendo hasta que pareció un mono contento. Dahlia era preciosa, sonrojada y avergonzada, atrapada en sus fantasías eróticas igual que él.

Ella le lanzó la almohada, con fuerza.

—Largo. Estaba pensando en cosas muy serias y no me ayudas.

Nicolas atrapó la almohada en el aire y la persiguió por la habitación, igual que un tigre al acecho.

—Me parece que el sexo es una cosa muy seria.

Se sentó en el borde de la cama.

Dahlia lo miró.

—Ocupas mucho espacio. Y aire. No puedo respirar cuando estás en la misma habitación.

—Te estaba tomando el pelo, Dahlia. —Lo dijo con una voz tan amable, casi tierna, que el corazón de Dahlia dio un pequeño vuelco. Deseó poder tener la almohada.

—¿Vas a explicarme cómo has conseguido correr por el techo? —preguntó él.

—No lo he conseguido. Sólo en parte, y luego me he caído en la cama. Es cuestión de invertir la gravedad. —Se encogió de hombros otra vez y él intentó no fijarse en su impecable piel.

—¿Invertir la gravedad? —Nunca dejaría de asombrarlo.

Dahlia asintió, con la cara iluminada.

—Bueno, no invertirla exactamente. Quizá sería mejor decir protegerla o modificarla. Básicamente, tengo que reunir una gran cantidad de energía en un lugar, algo que no me cuesta demasiado, y luego me convierto en una especie de superconductor.

Él asintió.

—Ya lo he visto, pero no explica el cómo.

—Empecé a jugar con energía cuando era pequeña. Construía un gran campo magnético a mi alrededor y, a medida que la energía aumentaba, provocaba que los núcleos de los átomos de cualquier parte de mi cuerpo, la que yo quisiera, giraran muy deprisa. Si consigo alinear los núcleos y que giren lo suficientemente deprisa, puedo crear un campo gravitatorio y redirigirlo para contrarrestar el campo gravitatorio de la Tierra.

—Y entonces, ¿qué pasa?

Ella le sonrió.

—El sueño de cualquier mujer. Pierdo peso y puedo utilizar el campo para jugar en él. Puedo correr por las paredes y hacer todo tipo de cosas. Bueno, en realidad no corro por las paredes. Sólo muevo los pies para que parezca que lo hago, pero lo cierto es que estoy flotando. Como un astronauta. No es lo mismo que utilizo fuera cuando estoy trabajando. Esto requiere una gran cantidad de concentración. Subir al techo es muy, muy difícil porque tengo que mantenerme al revés y utilizar la cabeza como superconductor. Y por eso mismo, de vez en cuando, me caigo al suelo. Para fingir que estoy corriendo por las paredes, tengo que hacer constantes ajustes en la fuerza del campo gravitatorio de varias partes de mi piel. —Agitó las manos para restarle importancia—. Probar cosas nuevas me mantiene mentalmente equilibrada. Es divertido.

Nicolas le sonrió. Dahlia no tenía ni idea de lo especial que era. Le daba más vergüenza que la hubiera pillado corriendo por las paredes y cayéndose del techo que el hecho de que la hubiera visto desnuda y envuelta en una toalla. «Porque le parece divertido.» Aquella realidad lo iluminó como los rayos del sol. Se avergonzaba de que la hubiera pillado divirtiéndose.

—Es increíble, Dahlia. Has debido de invertir mucho tiempo estudiando los campos antigravitatorios y cómo funcionan. ¿Qué te hizo decidirte a intentarlo?

—De pequeña no sabía lo que hacía, pero la energía se acumulaba a mi alrededor en lugar de dispersarse como sería lo habitual, así que jugaba con ella. Prefiero mantener el cuerpo y la mente activos y, puesto que soy todo energía, hago lo que puedo para aprender lo máximo sobre las dos cosas. Hay unos cuantos físicos que están trabajando con superconductores y creo que pronto descubrirán que es posible controlar la gravedad a una escala mucho mayor de lo que creían en un principio. —Se frotó la barbilla—. Aunque primero tendrán que averiguar cómo crear superconductores orgánicos y a temperatura ambiente. Y también tendrán que darse cuenta de que pueden dirigir el efecto en varias direcciones, no sólo hacia arriba.

Nicolas meneó la cabeza.

—¿Utilizas distintas partes del cuerpo como superconductores?

—Bueno, sí. Si utilizara toda la superficie de la piel, la parte delantera contrarrestaría a la posterior. Si estoy tendida en el suelo y convierto toda la piel de la espalda en un superconductor, el campo antigravitatorio que generaría haría levitar todo mi cuerpo. Si muevo los pies, parece que esté caminando por la pared. Aunque eso es bastante básico y no muy divertido. —Le sonrió—. Colgarme del techo es mucho más difícil porque tengo que utilizar sólo la cabeza para generar un campo antigravitatorio mucho mayor, capaz de hacer flotar todo mi cuerpo con un único punto de apoyo.

—Y por eso has caído.

Ella asintió.

—Exacto.

—A Lily le encantará escucharte hablar así. Mientras visionábamos las cintas de tu entrenamiento nos explicó cómo hacías todas esas cosas, pero no sé si alguno de nosotros entendió ni una palabra de lo que estaba diciendo. Mencionó el campo gravitatorio y el superconductor. Se dio cuenta de que un cable que había encima de tu cabeza se movía mientras corrías por una cuerda en el aire y aquello le dio la pista.

Dahlia se emocionó y se dejó llevar.

—Todo lo que quede por encima de mí también se verá afectado por el campo antigravitatorio. Estabais demasiado ocupados mirándome, pero varios bolígrafos y las bolas de ametista también estaban flotando.

—Lily querrá que le enseñes a hacerlo —la advirtió.

Dahlia se encogió de hombros, intentando restarle importancia, pero le brillaban los ojos y eso delataba la emoción que le hacía la idea.

—He ido probando cosas y he ido formulando teorías. Me encantaría comentarlas con ella. He pasado mucho tiempo leyendo acerca de los últimos descubrimientos y comprobando si lo que yo hago se acerca a lo que hace alguien más. Me gustaría tener la oportunidad de comentarlo con ella.

—Le encantará poder hablar contigo. —Vio lo mucho que significaba para ella tener algo en común con Lily—. Y, hablando de eso, ¿qué ibas a decirme antes de que te distrajera con todas estas preguntas sobre el superconductor? ¿O has sido tú la que ha cambiado de tema? Nunca me aclaro.

Dahlia sabía que lo decía en broma. El tono era casi el mismo, pero notó el aleteo de mariposas en el estómago, algo que parecía suceder siempre que él bromeaba.

—Lo que quería decirte, antes de que introdujeras el sexo en la conversación de forma tan brusca, es que ya no estoy tan segura de que esto vaya únicamente conmigo. Lo de los asesinatos. ¿Por qué dispararon a Jesse? ¿En la pierna?, ¿allí mismo?

—Creyeron que les diría dónde estabas.

Ella meneó la cabeza.

—Si hubiera sido la gente de Jesse, habrían sabido que nunca le explico nada. No tiene ni idea de dónde estoy en todo momento ni puede contactar conmigo. Siempre lo hemos hecho así. Jesse habría podido decirles cuál era el objetivo de la misión, pero poco más.

—¿Estás segura de que su gente lo sabe?

Ella asintió.

—Hace varios años que trabajo para ellos. Y siempre lo hemos hecho igual. Siempre. Su gente tendría que saber que Jesse no podía saber dónde estaba o cómo encontrarme. Aparte del escenario de la misión. Y no fueron a buscarme allí. Fueron a mi casa.

—¿Qué estás diciendo, Dahlia?

—Creían que matando a Milly y a Bernadette e incendiando la casa, estaban destruyendo cualquier prueba de mi existencia.

—No creo en las coincidencias —dijo Nicolas—. Lily hizo algunas averiguaciones y seguramente puso a alguien en alerta. Si no son legítimos, tendrían que destruir todas las pruebas que pudieran llevar a los investigadores hasta ellos.

—Cierto, si no son legítimos, pero Jesse Calhoun no es un traidor. Creía en su trabajo. Mantuvimos bastante contacto a lo largo de estos años y, a pesar de que no soy telépata, sé percibir la energía de las personas. No estaba traicionando a su país. Y tampoco era un mercenario.

—A lo mejor lo engañaron, Dahlia. Yo me ofrecí voluntario para participar en el programa de los Soldados Fantasma. El contrato era militar y lo supervisaba un general. Calhoun podía haber creído perfectamente que sus superiores le estaban diciendo la verdad. Nosotros creímos... hasta que empezó a morir gente.

—Eso no lo convierte en la misma situación. De hecho, sólo añade más dudas. Si estuvieran operando al margen del gobierno, se habrían asegurado de seguir de cerca mi relación con Jesse. Y habrían sabido que él no podría decirles dónde estaba.

—¿Tienes algún otro contacto con esa gente? No estoy convencido, pero vale la pena investigarlo.

Dahlia se pegó las rodillas al pecho y empezó a frotarse la barbilla con ellas.

—Podría encontrarlos. Tengo números de contacto, pero nunca los he utilizado. Jesse siempre es mi contacto.

—Dahlia, ¿cómo has podido ser tan descuidada mientras trabajabas para ellos? Pareces una persona que presta atención a los detalles.

Aquella actitud no le parecía propia de ella. No la conocía demasiado bien, pero no parecía de esas personas que trabajaban para una agencia sin saber exactamente lo que estaba haciendo.

—Sabía que Milly trabajaba para ellos. Ella me vigilaba y podía contactar con ellos si era necesario. Me he pasado la vida entera alejada del mundo. Separada de la gente. No confiaba en ellos, pero me ofrecieron algo que me mantenía ocupada y donde podía desarrollar mis habilidades, así que acepté. Y sentía que era importante.

—Creo que necesitamos que Lily revise la información sobre Milly y Bernadette. —Lo dijo con delicadeza, porque sabía que le molestaría—. Ya está revisando los datos de Calhoun, y espero que tenga algo para nosotros.

Dahlia meneó la cabeza, ignorando la referencia a Milly y a Bernadette. En cuanto Nicolas pronunció sus nombres, el pecho le ardió de pena.

—No me lo creo, Nicolas. Jesse estaba limpio. Y es inteligente. Muy, muy listo. Si algo hubiera olido mal, aunque sólo fuera un poco, habría empezado a sospechar.

—Quizá sospechaba algo y quisieron deshacerse de él.

—Entonces, lo habrían matado.

—No si lo necesitaban como cebo para atraerte hasta ellos —dijo él, muy paciente.

—Y entonces, ¿por qué le dispararon en la pierna para que no pudiera caminar? Tenían un largo camino por delante para salir del pantano. No tiene sentido.

—No quiero desilusionarte, pero algunos hombres torturan a otros por mero placer. —Nicolas alargó la mano y le recogió un mechón de pelo detrás de la oreja, disfrutando de la suavidad del contacto. Para él, tocarla era casi tan necesario como respirar. Notó cómo la electricidad le corría por las venas. Obligó a su mente a pensar en otra cosa. Algo que no fuera una piel suave y satinada y una boca sexi e intrigante—. Algo con dientes. Un felino grande. Muy grande, quizá con colmillos letales.

—Pero, ¿qué dices?

—Ocupo mi mente con cosas que no sean el sexo.

Ella lo miró fijamente.

—Estamos hablando de algo importante. Si participaras, quizá no pensarías en el sexo.

—Mientras estés sentada frente a mí, Dahlia, me temo que lo primero que me vendrá a la mente será el sexo. El tigre de colmillos letales era para alejar todas las demás imágenes de mi cabeza —añadió, con piedad.

Ella le enseñó los dientes.

—¿Y qué te parece esta imagen?

Nicolas cerró los ojos y gruñó, imaginándose esos pequeños dientes blancos mordisqueándole la piel.

—No ha sido agradable.

Dahlia le sonrió. Una sonrisa suave y femenina. Pura poesía. Nicolas estaba convencido de que no necesitaba muchas más armas.

—Supongo que no, pero te lo merecías. —La sonrisa desapareció y volvió a frotarse la barbilla contra los dientes—. Ayúdame un momento. Supongamos que Jesse sí que trabaja para el gobierno. Si hemos estado realizando nuestro trabajo, y siempre ha sido todo legal, entonces no habría ningún motivo para destruir mi casa ni mi familia.

Notó cómo la rabia empezaba a acumularse en su interior y a envolver el nudo de dolor. Si permitía que las emociones se descontrolaran, serían peligrosas para ella y para cualquiera que estuviera cerca.

Nicolas estaba tan compenetrado con ella que percibió la acumulación de energía generada por las intensas emociones, ya no sexuales, sino turbulentas. Alargó el brazo y le rodeó el tobillo con los dedos, a modo de pulsera, pero manteniendo el contacto. La energía disminuyó de inmediato y ella pudo respirar.

—Lo siento, a veces me pasa.

—Es normal sentir pena e ira por la pérdida de tus seres queridos y tu casa. A mí la energía no me invade igual. No sé por qué no puede contactar conmigo. Casi deseo que pudiera hacerlo, sobre todo si eso significara poder caminar por el techo.

Dahlia respiró hondo y soltó el aire.

—Ya estoy bien. Gracias. —Le sorprendía que, con tan sólo una caricia, Nicolas pudiera relajar la carga del asalto continuo de energía, incluso cuando la energía la producía ella misma.

—Entonces, lo que estás diciendo es que quizá te ha atacado otra persona. ¿Tienes enemigos de ese tipo, Dahlia?

Nicolas intentó continuar con la conversación. Cada vez que se interrumpían, parecía que las emociones los invadían a los dos. La tensión era latente e intensa, y amenazaba con consumirlos cada dos por tres.

—No sé nada de enemigos. No conozco a la gente con la suficiente profundidad para labrarme enemigos, pero robo cosas de las empresas. Generalmente, cosas relacionadas con submarinos y armas nuevas, cosas que esas empresas no deberían tener. Entro de noche, esquivo a los guardias y al sistema de seguridad, copio los datos y me marcho o, lo que es más habitual, entro y recupero el material robado para que nadie más tenga acceso a él. Puede que hayan captado mi imagen en una cámara de seguridad, aunque es muy poco probable. O quizá me han seguido la pista a través de Jesse. Podría haber un traidor en el grupo para quien trabajo que pueda vender ese tipo de información a otros. Las armas nuevas mueven mucho dinero en el mercado público.

—¿Copiaste o robaste algún dato importante y lo entregaste a Calhoun?

Dahlia asintió.

—Básicamente, es lo que he hecho durante los últimos tres años.

—Dahlia, no me vengas con evasivas. ¿De qué coño estás hablando?

—Nicolas, hay cosas que son alto secreto por algo. Ni siquiera te conozco.

—Me conoces. Y, para que conste, tú ni siquiera existes, y mucho menos tienes acceso a los altos secretos. Si te pillan, te colgarán y dejarán que te devoren los buitres.

—Sí, claro. Eso ya lo sabía. Soy la pobre chica criada en un sanatorio, la típica chalada, que ve teorías de conspiración por todas partes. Me devolverían al sanatorio.

—Sólo si te detienen. Las cosas de las que hablas pueden justificar el asesinato de personas.

Nicolas percibió las primeras oleadas de una ira oscura y centrífuga en el estómago. Dahlia estaba arriesgando su vida, y Jesse Calhoun y la agencia para la que trabajaba lo sabían. Y su opinión era que no hacían nada por ayudarla. Simplemente la utilizaban.

—Nicolas. —Dahlia le acarició la cara con la mano. Fue un ligero toque con las yemas de los dedos, pero bastó para recorrerle el cuerpo, acelerarle el corazón y calentarle la sangre de las venas—. No te enfades por cómo es mi vida. Disfruto haciendo mi trabajo. Me permite salir fuera y utilizar mis habilidades. Quería hacerlo. Lo que es importante que entiendas sobre mí es que nunca hago nada a menos que quiera. Nada. Ni siquiera de pequeña. Puedo parecer impulsiva, pero no lo soy. Me pienso mucho las cosas y valoro los pros y los contras, y luego tomo una decisión. Y, cuando lo hago, intento sacarle todo el provecho, independientemente del resultado, porque ha sido mi decisión y, al final, soy la responsable. Me gusta hacerlo así. El contraalmirante, o quien quiera que fuera, no podría haberme convencido para que hiciera algo que yo no hubiera querido hacer. Ni Jesse, Milly o Bernadette. No soy así.

—Te utilizaron, Dahlia.

La voz de Nicolas estaba llena de rabia.

Dahlia agradeció profundamente la pulsera de carne y hueso que tenía alrededor del tobillo y que mantenía la energía que ya empezaba a ser violenta lejos de ella.

—¿Es así como te ves a ti mismo, Nicolas? ¿Como una víctima? Te envían a una jungla o a un desierto sin refuerzos, sin nadie que te ayude en caso de que pueda pasarte algo tan sencillo como romperte una pierna. Si te capturan o te disparan, ¿tendrías mucha ayuda?

—No es lo mismo, Dahlia.

Ella levantó la barbilla. Fue un gesto pequeño, pero que transmitió a Nicolas mucho sin necesidad de palabras. Estaba pisoteando algún estúpido código femenino que ella tenía y, si no retrocedía, tendría problemas graves. Levantó la mano que le quedaba libre.

—No me ataques a mí. No puedo cambiar quien soy, igual que tú. Tanto si estamos de acuerdo en esto como si no, era peligroso. Si Calhoun sospechaba que estaba pasando algo que suponía una amenaza para la seguridad nacional, debería haberlo denunciado.

—¿Sin pruebas?

—¿Qué crees que estaba pasando? Seguro que miraste los datos.

—Creo que Jesse tenía razón. Creo que los tres profesores a los que el Departamento de Defensa entregó una beca idearon un torpedo silencioso que realmente funcionaría y alguien se lo robó. La gente de Jesse abrió una investigación y, cuando creyeron que sabían quién había robado el proyecto, me enviaron para que lo recuperara.

Observó meticulosamente su rostro mientras mencionaba lo del torpedo silencioso.

Nicolas se quedó en silencio, desprendiendo miedo y rabia. La rabia se convirtió en furia.

—No tenían derecho a involucrarte en algo así.

Dahlia intentó reprimir el gran alivio que sentía. Si Nicolas era un espía que buscaba información, dudaba que fuera tan buen actor como para recrear la energía violenta que su rabia estaba generando.

—¿Vas a escucharme o no?

—Te estoy escuchando, y luego iré tras los cabrones que te enviaron a un campo de minas mientras ellos esperaban a salvo en sus cómodos despachos.

Dahlia parpadeó, sin dejar de mirarlo. Estaba hecho de piedra y era perfectamente inexpresivo. No podía leerle el rostro, pero la energía que emitía no era tan calmada como siempre. Era furiosa y decidida. En lugar de notar las caricias de sus dedos en el tobillo, la violencia la golpeó con fuerza, la dejó sin aliento, le resonó en la cabeza y creció hasta que temió que fuera a estallar.

Se dejó caer de lado, lejos de Nicolas, y rodó hasta el suelo, liberando el tobillo de su mano. Él intentó volver a atraparla, pero lo había sorprendido. La ventana se rompió en mil pedazos, y el estruendo resonó en la noche. Las ventanas y el cristal quedaron cubiertos de grietas en forma de tela de araña. Las bombillas explotaron como una bomba y cubrieron el suelo de cristales. La misma habitación pareció alterarse, con las paredes abombadas hacia fuera como si algo las presionara, y luego volvieron a su posición habitual de forma abrupta, como si la fuerza no pudiera encontrar una escapatoria. La temperatura aumentó. Nicolas se asomó desde el otro lado de la cama. No vio el cuerpo de Dahlia, pero sí un brillo rojo que ascendía desde el suelo y que reflejaba su pequeña sombra contra la pared antes de que el color se extinguiera.

—¿Dahlia? ¿Estás herida?

Ella tosió.

—No. ¿Y tú?

Sí que parecía herida, con la voz temblorosa. Nicolas alargó la mano, la levantó a peso y la pegó contra él.

—No me ha rozado nada. ¿Seguro que estás bien?

Le ardía la piel y le quemaban las yemas de los dedos y la palma de la mano.

—Voy a vomitar.

Se separó de él; se levantó, tambaleante y descalza, para ir al baño.

Nicolas la detuvo y la cogió en brazos, porque no quería arriesgarse a que se cortara con los cristales. Le sujetó el pelo mientras ella vomitaba una y otra vez.

—Por mi culpa, ¿verdad?

Le acercó una toalla con gesto serio.

Dahlia se secó la boca varias veces.

—Si vamos a buscar culpables, la culpa la tiene Whitney. —Se encogió de hombros y lo miró—. Es mi vida.

—Lo siento, cariño. Debería haber tenido más cuidado.

Ella dibujó una lánguida sonrisa.

—No puedes dejar de sentir; no funciona así. ¿Y quién iba a querer hacerlo? Estaré bien. Déjame cepillarme los dientes. Ya ha pasado. Por decirlo de alguna manera, ha sido como un fogonazo.

Nicolas dio media vuelta y se paseó de un lado a otro inquieto.

—¿Dónde está la escoba? Limpiaré todo esto.

No podía imaginarse cómo debía de ser la vida de Dahlia. Lo difícil que sería para ella estar rodeada de gente.

—Yo me encargo. No utilizo escoba. Es mucho más fácil utilizar cualquier energía que tenga a mano para recogerlo. Y ahora mismo, esto está lleno de energía.

Nicolas se volvió y la miró. Lo había dicho como si nada, como si lo que decía y hacía no fuera realmente excepcional. Se estaba cepillando los dientes. Nicolas se tomó un instante para estudiarla al detalle. Era muy grácil y delicada. Muy femenina. ¿Por qué no se había fijado en eso cuando había visto las cintas del entrenamiento? La había visto como a un potencial enemigo y había estado buscando sus puntos fuertes y débiles. Ahora todo era distinto. Con sólo mirarla, ya sentía aquella extraña calidez en el cuerpo.

—¿Dahlia, qué has querido decir con un torpedo silencioso?

—Un torpedo que no hace ruido. Uno que no se puede detectar antes, ni durante, ni después de que lo dispare un submarino.

Se echó el pelo hacia atrás por encima del hombro y se situó junto a él. Se agachó, con la palma de la mano justo encima de los cristales, y empezó a mover los dedos al mismo ritmo que movía las esferas.

—Eso es imposible. Se oirían las compuertas. Se oiría la explosión en el agua, y se oiría el motor del torpedo. —No podía apartar los ojos de los cristales, porque empezaron a girar en círculos, se juntaron y levitaron bajo la palma de la mano de Dahlia. Lo asombraba el control que tenía de sus habilidades—. Los han probado muchas veces y nunca ha salido bien.

—Pues creo que esta vez sí —respondió ella, mientras caminaba hacia la papelera muy despacio. Cuando la mano estuvo encima de la papelera, dejó de mover los dedos y observó cómo los cristales caían dentro. No fue hasta entonces que se dio media vuelta y lo miró—. Creo que alguien lo consiguió, o estaba a punto de conseguirlo.

—¿Y tú cómo lo sabes?

—No lo sé, sólo creo que hay datos suficientes para sospechar. Antes de pedirme que hiciera el trabajo de recuperación, me pidieron que copiara la información de la universidad donde los profesores estaban trabajando con sus equipos. Eché un vistazo a la información que estuve recuperando durante los últimos meses. La investigación inicial no tenía nada que ver con los descubrimientos que se enviaron al gobierno.

—Así que no funcionó, se han olvidado de este proyecto y ya están con otra cosa.

—Están muertos. Todos. La primera que murió fue una profesora. Falleció en un accidente de coche hará unos cuatro meses. Tenía un ayudante. El chico murió mientras hacía una excursión por el parque nacional. Sucedió unas tres semanas después de la primera muerte. El segundo profesor murió al caer de un balcón en lo que la policía describió como un «extraño» accidente. El director del equipo iba caminando por la calle cuando, de repente, cayó al suelo agarrándose el pecho, como si le hubiera dado un infarto. Eso fue un par de semanas antes de que me dijeran que había terminado mi trabajo. Sí, todos murieron con semanas de diferencia en lo que realmente podrían haber sido accidentes, pero si a eso le sumas un par de muertes más de asistentes, todos de la misma forma, mi conclusión es que lograron la fórmula para conseguir el torpedo silencioso y ahora hay alguien que no quiere que se sepa y quiere venderlo a otras personas.

—Entonces, el gobierno recibió la notificación oficial de que era imposible, ¿no es así?

Dahlia asintió.

—El informe llegó varias semanas antes de que empezaran a morir.

Nicolas observó su cara antes de cruzar la habitación y colocarse frente a la ventana para examinar las grietas en el cristal.

—No eres una mujer inocente que trabaja desde el sanatorio, ¿verdad? —Clavó la mirada en la oscuridad que había más allá del cristal—. Sabes exactamente para quién trabajas.

Dahlia cruzó la habitación para colocarse a su lado. Cerca, aunque sin tocarlo.

—Sí, lo siento. Trabajo para el NCIS, el Servicio de Investigación Criminal de la Marina. Y Jesse también. No sabía quién eras, Nicolas, ni para quién trabajabas. Apareciste al mismo tiempo que mi casa y mi familia fueron destruidas. Estoy investigando algo por lo que seguramente han muerto varias personas. Jesse Calhoun está prisionero y seguramente lo están torturando para sonsacarle esta información. Si yo estuviera del otro bando, probablemente intentaría poner a alguien como tú conmigo. Tenía que asegurarme de que eras quien decías ser. Fue demasiada coincidencia que aparecieras justo en ese momento.

—Durante todo el tiempo que estuvimos hablando, en el pantano, jamás respondiste a una sola de las preguntas que te hice. No tenía sentido. No eres el tipo de mujer que no sabe para quién trabaja. —Meneó la cabeza—. Me has estado dando la información justa para ponerme a prueba, ¿no es cierto? Sabes cómo dejar en ridículo a un hombre, ¿verdad?

En su voz no había rencor, ni siquiera una nota de amargura. Sólo dijo esas palabras, se dio la vuelta y se marchó. Caminó descalzo por el suelo sin hacer ningún ruido.

Dahlia se quedó inmóvil frente a la ventana un buen rato, observando la noche, observando cómo las nubes se deslizaban a gran velocidad por el cielo oscuro. Se sentía la criatura más ruin de la faz de la Tierra. Y no debería sentirse así. Ella sólo hacía su trabajo, igual que él, pero tenía la sensación de que lo había traicionado de alguna forma. Él sabía qué era un acceso de seguridad y la necesidad de informarse sobre los enemigos.

Le dolía el corazón. Mucho. Era una estupidez. No era la clase de mujer a la que un hombre podía llevar a casa de su madre. Se imaginaba sentada a la mesa con varios familiares de Nicolas charlando sobre la derrota de su equipo de fútbol y, de repente, el comedor en llamas. Independiente de lo mucho que deseara conocer a alguien, o tener un amigo, o una relación, la conclusión siempre era la misma: era imposible. No iba a lamentarse por ella misma.

Había tenido cuidado, había sido cauta, como le habían enseñado. Como la vida le había enseñado a ser. En su mundo nadie era lo que decía ser. Y, seguramente, Nicolas Trevane no sería una excepción. Podía perfectamente ser un asesino que alguien hubiera mandado para que la matara en cuanto entregara los documentos que la habían hecho recuperar. Suspiró y se apartó el pelo de la cara. En el fondo, y eso era lo que importaba, Dahlia sabía que Nicolas era lo que decía ser. Y no es como si le hubiera mentido. Realmente se había pasado la vida entera en un sanatorio; al menos, la parte más importante de su vida. Y trabajaba para el gobierno recuperando información. Y, al principio, no estaba al cien por cien segura de que alguien hubiera mandado un escuadrón tras ella. No confiaba en el NCIS más de lo que confiaba en cualquier otra persona. Sinceramente, no tenía ni idea de cuál era la verdad, y seguía sin saberlo.

Si no los había traicionado un agente de la oficina de Jesse, ¿cómo iba a saber alguien de su existencia? Era un fantasma, entraba y salía sin que nadie la viera, capaz de bloquear los sistemas de seguridad. Nadie la grababa por casualidad; nunca. Mientras estaba dentro, interrumpía el funcionamiento de las cámaras de seguridad. Entonces, ¿quién sabía de ella y cómo habían descubierto su existencia?

Nicolas apareció en la puerta.

—Aléjate de la ventana.

No había ni una nota de urgencia en su voz, pero fue una orden. Era un cazador, y Dahlia lo reconoció enseguida. No hizo preguntas. Sencillamente, saltó encima de la cama y rodó hacia el otro lado. Tras ella, la ventana estalló en mil pedazos. Una bala le pasó silbando por encima de la cabeza y se clavó en la pared. Dahlia siguió rodando hasta que llegó a la puerta. A partir de allí, se arrastró por el suelo.

—¿Cómo lo sabías?

—Lo sé. —Alargó el brazo y la estiró hasta el otro lado del marco de la puerta—. Tenemos que largarnos. Necesitarás ropa, zapatos, lo que sea. Tienes treinta segundos.

—Vaya, muchas gracias. —Vio que él ya lo tenía todo y llevaba la mochila a la espalda—. ¿Has metido mis cosas en la mochila? ¿Las esferas? —Se sentó en el suelo del rellano del primer piso, y se puso un par de calcetines y las botas que Nicolas había traído de la cocina.

—Sí. Venga, tenemos que subir al tejado.

—¿Seguro?

No se molestó en preguntarle cómo lo sabía. Era un Soldado Fantasma. Nicolas sabía cosas. Las cosas adecuadas.

—Sí. —Le ofreció la mano y señaló la ventana que daba al patio—. Saldremos por ahí.

—Te sigo.

Capítulo 8

*D*ahlia se puso la sudadera negra que Nicolas le lanzó mientras lo seguía hasta la ventana. Él la abrió en silencio, se asomó y deslizó las manos hacia arriba para buscar dónde agarrarse. Dahlia no pudo evitar admirar lo ágil, eficiente y silencioso que era, como una araña que sube por la pared de un edificio. Ella lo siguió, igual de sigilosa. Aquella era su especialidad: pegarse a la pared de los edificios y moverse en secreto. Era una de las actividades donde se sentía más cómoda. Evidentemente, Nicolas también. El nivel de energía que desprendía era tan bajo que Dahlia habría jurado que tenía hielo en las venas. Cualquiera diría que habían salido a dar un paseo. Estaba agradecida por no poder detectar ninguna tensión en la energía que lo rodeaba.

Dahlia era muy menuda y eso le permitía pegarse a la pared y pasar a formar parte de las sombras donde tanto tiempo pasaba. También podía desdibujar su imagen lo suficiente como para confundirse con el entorno. Nicolas era más grande y llevaba una mochila. Debería haber sido un objetivo más visible, pero Dahlia comprendió por qué se había ganado el título de Soldado Fantasma. Incluso sabiendo que lo tenía encima, no podía oírlo, ni siquiera el frufrú de la ropa. Cerró la mente a cualquier pensamiento sobre él y se concentró en escalar como si estuviera sola.

Encontró grietas donde apoyar las yemas de los dedos y agujeros donde apoyar los pies mientras subía hasta el tejado. Llegó y se esforzó para que nadie la viera. Se arrastró bocabajo, como una lagartija, hasta el otro lado del tejado, avanzando con los codos, las manos y las rodillas. Llegó hasta donde veían la calle y se colocó junto a Nicolas, inmóvil, esperando a que él le indicara que podían deslizarse y bajar a la calle.

Él le tocó el brazo, un movimiento breve, levantó la mano y bajó la palma. Ella meneó la cabeza. No estaba dispuesta a quedarse esperando en el tejado mientras él corría todos los riesgos. Si pensaba bajar a la calle, ella iría con él.

No discutas conmigo. Soy tu superior. Las palabras accedieron a la mente de Dahlia. Por un momento, se sorprendió. Había olvidado que Nicolas era un telépata muy fuerte.

Yo no tengo superiores. Iremos juntos.

No podemos permitirnos que estés cerca si hay violencia. Sufrirás las consecuencias incluso desde aquí arriba. Tiene sentido que me encargue de lo que sé hacer.

Dahlia cerró los ojos. ¿Cómo había podido pensar en algún momento que era un asesino? *Nicolas.* No pretendía poner el corazón en la voz. Ni en la mente de Nicolas. Una conexión muy íntima entre los dos. *Lo siento. Quizá debería habértelo dicho todo. Al fin y al cabo, tu vida corre el mismo peligro que la mía.*

Él volvió la cabeza y le clavó los ojos. Fríos como el Ártico. Y entonces, sin previo aviso, su mirada se relajó. Adquirió un tono de medianoche. Ante aquella intensidad, ella contuvo el aliento. Nicolas la besó. Sus labios eran delicados pero firmes, y la presionaron hasta que ella abrió la boca. El sabor y la textura de Nicolas le invadieron el cuerpo y la mente, se abalanzaron en su interior con la fuerza del calor sedoso concentrado y las promesas apasionadas. Nicolas deslizó la boca, le mordisqueó el labio inferior y la barbilla antes de separarse. Se quedaron mirando mutuamente lo que pareció una eternidad mientras las nubes tapaban el cielo y el peligro se acumulaba en la calle debajo de ellos.

Quédate aquí.

Dahlia respiró hondo y asintió. Se obligó a volver a respirar mientras él se descolgaba del tejado. Dejó la mochila y el rifle y avanzó en silencio. Dahlia se esforzó por no perderlo de vista, por seguirle el rastro mientras descendía los dos pisos y su sombra se mezclaba con la oscuridad de la noche. Se movió deprisa, un descenso ágil que a ella le recordó una criatura de la noche. Lo observó mientras se colocaba detrás de los pequeños arbustos que había cerca de uno de los tres hombres que esperaban en la calle frente a la puerta y las ventanas de la casa. Era mucho más alto que los arbustos y, sin embargo, parecía que se difuminaba y su cuerpo era casi indistinguible de las ramas verdes.

Le encantaba verlo moverse. Se colocó detrás del hombre que tenía más cerca, justo detrás de él. Lo suficientemente cerca como para respirar en su cogote. Dahlia vio un destello de metal en su mano y cerró los ojos, preparándose para la oleada de violencia que la golpearía. Se le revolvió el estómago. Detestaba el acto de quitar una vida. Había desarrollado su propia filosofía a partir de los libros que la habían atraído. Creía que todo en el universo estaba conectado y que cada vida tenía un propósito. Y aunque creía firmemente en defender su vida, conocía de primera mano las repercusiones. La violencia, una vez cometida, permanecía en el aire y sutilmente afectaba a las personas más sensibles a su fealdad.

Se quedó inmóvil. La espera era mucho más difícil de lo que había imaginado. Percibía la acumulación de energía que provenía de los hombres de abajo, que rodeaba la casa y buscaba una escapatoria. Estaban en distintas etapas de la subida de adrenalina y de la tensión nerviosa. Ella no era telépata y no podía leerles el pensamiento, pero estaba segura de que Nicolas sí que podía.

¿Dahlia? Creo que estos hombres son del Servicio de Investigación Criminal de la Marina o, al menos, el NCIS los ha enviado. Vamos a esperar y a observarlos. Si han venido a asesinarte, todavía podemos huir. No sé por qué iban a disparar una bala por la ventana, no lo entiendo, pero esto no tiene buena pinta. Están demasiado cautelosos. Parece una misión de exploración, no de caza. No queremos cometer ningún error y matar a un inocente.

Yo no quiero matar a nadie, inocente o no. Dahlia soltó el aire, abrió los ojos y parpadeó. No vio a Nicolas por ninguna parte. Ahora nunca lo encontraría, ni siquiera con la compenetración que había entre ellos. Era un camaleón que se fundía con el entorno.

Preferimos llamarnos Soldados Fantasma. Había una nota de diversión en su voz. *La noche pertenece a los fantasmas.*

Ella puso los ojos en blanco. Nicolas había sonado realmente arrogante. Los hombres eran criaturas extrañas, no había ninguna duda. *¿Quieres que baje la mochila y el rifle? Sean quienes sean, aquí arriba no estaremos seguros.*

La mano de Nicolas le tapó la boca y la volvió, de forma que Dahlia quedó bocarriba mirándolo. Estaba bocabajo a su lado, sonriendo mientras ella lo miraba en estado de choque.

Tienes suerte de que no te dé una patada y te tire a la calle. Dahlia se refugió en la falsa irritación. No pudo evitar perderse en sus ojos ni ignorar el alivio que la invadió al tenerlo cerca. Cosa que ya la irritaba en sí misma. Le encantaba ser independiente. Era lo mejor de quién y qué era. Y Nicolas parecía estar destruyendo su naturaleza solitaria.

Nicolas se colgó la mochila a la espalda y agarró el rifle. *Sígueme.*

Dahlia tuvo que morderse el labio para no empezar a maldecir. No había duda de que no tenía habilidades sociales. Seguirlo le daba una gran perspectiva de su parte posterior, así que no iba a quejarse... esta vez. Estaba claro que a ese hombre le encantaba dar órdenes en cuanto podía. El corazón todavía le latía acelerado por el susto que le había dado. Nunca nadie había conseguido acercarse a ella sin que se diera cuenta, porque siempre percibía primero la energía. Era algo que siempre había dado por sentado. Y ahora empezaba a darse cuenta de que, con Nicolas, no podía dar nada por sentado.

Recurrió a su mejor imitación de una lagartija y se arrastró por el tejado hasta el otro lado. Nicolas la estaba esperando mientras sacaba una cuerda de la mochila. Ella le acarició el brazo y meneó la cabeza, y luego señaló un cable de dos centímetros y medio que había entre los dos edificios. *Jesse los colocó para llegar a las casas o los edificios seguros.*

Él arqueó una ceja. *¿Crees que voy a utilizar eso para cruzar?*

Cariño. Dahlia tomó la delantera y se colocó de pie, y con mucha confianza, sobre el cable. Le habría gustado no llevar botas. Los zapatos de suela ligera iban mejor para caminar por un cable, pero hacía poco viento, lo que favorecía su progreso.

El cable estaba colgado entre los dos edificios, a dos pisos del suelo. Nicolas observó, con el corazón en la garganta, cómo la menuda silueta de Dahlia cubría la distancia. Aquello no era un número de circo. Dahlia avanzaba con un equilibrio y una seguridad apabullantes. Nicolas no se atrevió a leerle la mente, por miedo a distraerla, aunque deseaba saber con todas sus fuerzas qué estaba sucediendo en su cerebro para permitirle aquel control absoluto. Era imposible que él cruzara por aquel cable. Cuando ella llegó al otro lado, Nicolas tenía el estómago hecho jirones.

Respiró hondo y soltó el aire, relajando la terrible tensión que se había apoderado de él. Nada de lo que ninguno de sus dos abuelos le había enseñado lo había preparado para conocer a Dahlia. Daba gracias por la disciplina y el autocontrol del cuerpo y la mente que había conseguido. A veces, había sido difícil, pero podía estar con ella gracias a su pasado y a su entrenamiento militar.

Se colgó el rifle a la espalda, comprobó que podía moverse libremente sin que lo vieran y se colgó del extremo del tejado, deslizándose con las manos hasta el otro lado. Era un camino largo. Iba por la mitad cuando percibió la primera señal de peligro. Se quedó quieto de inmediato y miró a su alrededor. Había dos grandes árboles que le tapaban una parte de la calle. Siguió avanzando, ahora con más precaución.

¿Puedes sentirlo? La voz de Dahlia fue un susurro en su cabeza. El puente entre los dos era muy débil. Fue más bien una pulsión de energía, como si ella la hubiera enviado para compartir con él la sensación de peligro.

Escóndete donde estés a salvo de un posible ataque. En cuanto pronunció esas palabras, deseó no haberlas dicho. No era una mujer a la que se podía arrinconar cuando había peligro. Había pasado demasiado tiempo sola y había confiado muchas veces en su propio criterio. Nicolas tenía que encontrar la forma de controlar su instinto protector.

Dahlia apretó los dientes y no respondió. En su vida había pocas personas que intentaran darle órdenes. Incluso Whitney se dio por vencido después de varios espeluznantes accidentes. Y lo que le daba más miedo no eran las emociones de los demás, sino las suyas propias. Tenía mucho carácter y ni todas las meditaciones zen del mundo parecían servir cuando alguien intentaba darle órdenes.

Observó cómo Nicolas cruzaba el cable y respiró tranquila cuando lo vio subir al tejado en silencio. Ella se apartó para dejarle más espacio. Él se arrastró hasta ella.

Hay algo distinto. La energía es muy violenta. Parece la misma de cuando estábamos en el pantano.

Dahlia no lo miró mientras le daba la información, y Nicolas lo interpretó como una mala señal. No le había hecho ninguna gracia que él asumiera el mando. *Yo también la siento. Creo que el equipo que está entrando ahora en la casa tiene una formación militar y os está buscando a Jesse y a ti. Creo que son del NCIS. Y el equipo que viene tras ellos es el del pantano y lo más seguro es que hayan venido a matarte. ¿Estás de acuerdo?*

Dahlia vio cómo se arrastraba hasta el otro lado del tejado, por donde bajaban los tubos del desagüe. *Sí, y creo que el segundo equipo sabe que el NCIS está dentro y pretenden matarlos.*

Estoy de acuerdo. Nicolas sacó un pequeño objeto metálico de la mochila y empezó a golpear la tubería con un determinado ritmo. Lo repitió una y otra vez. Largos y cortos, puntos y rayas. Un aviso para los hombres del NCIS, para que se prepararan para un ataque inminente. El código Morse ya no se utilizaba demasiado, pero la mayoría de agentes de la marina lo habían aprendido en la academia. Mientras transmitía el aviso, envió un sutil «empujón» para que los agentes escucharan y reconocieran el aviso centenario.

Dahlia fue la primera en percibir que en la casa aumentaba la tensión. *Lo saben. Han recibido tu mensaje.* No sabía si era por el nivel de energía malévola que la encontraba o el uso continuado de la telepatía, pero su cuerpo estaba empezando a reaccionar. Intentó ocultárselo a Nicolas. Ya se estaba colocando en posición, apoyando la culata del rifle en el hombro y acercando el ojo a la lente.

Escúchame. No te enfades hasta que haya terminado. La voz de Nicolas le susurró en la mente. Acarició sus entrañas de forma peligrosa. Quería acercarse y abrazarlo para controlar la energía, pero él necesitaba estar plenamente concentrado. *Ahora quiero que te vayas. Podemos acordar un punto de encuentro. Voy a tener que matar a alguien. No puedo dejar indefensos a los hombres de la casa. Los que los persiguen tienen granadas, y ya sabemos que no tienen miedo de utilizarlas. Tu gente no lleva ese tipo de armas. Y esta zona está llena de civiles. Podría ponerse muy feo en cuestión de segundos. Si te vas, sólo tendré que preocuparme por mí. Sé que puedes atravesar sus defensas. Si te quedas, esto te va a afectar tanto que ni siquiera podrás caminar sola.*

Tenía razón, y ella odiaba admitirlo. *Me iré, pero no podemos alejarnos demasiado. Podemos ir por donde han llegado o, aún mejor, seguirlos hasta donde tienen a Jesse. Si tienes que matarlos, deja alguno vivo.* Intentó sonar adulta y relajada con respecto a ese asunto. En su trabajo, nadie moría. Entraba valiéndose de la oscuridad y jugaba a lo mismo que jugaba de pequeña. No había nadie alrededor para ver lo que hacía y nadie salía herido. En las últimas horas, había visto más muerte y violencia de lo que desearía haber visto en una vida entera.

Nicolas quería que se marchara, aunque no tan lejos que implicara una separación. *Ve a la iglesia de Jackson Square. Puedes subir al tejado. Nos encontraremos allí. Si algo sale mal, acude al NCIS. No intentes rescatar a Jesse tú sola.*

Dahlia no respondió. Percibió el movimiento de los hombres en la oscuridad y empezó a retroceder y a alejarse de Nicolas. Cuanto más se alejaba, más energía se acumulaba a su alrededor. Reconoció las señales. Los pelos de punta. El calor en la boca del estómago. El dolor en las sienes. Lo último que Nicolas necesitaba era que ella se desmayara o, algo peor, sufriera un ataque.

Mientras recitaba en silencio un mantra para relajarse, Dahlia llegó hasta el otro lado del edificio y se deslizó por el lateral. Sabía que nunca la verían, a menos que fuera de forma accidental. Ser menuda tenía sus ventajas. Se mantuvo pegada a la pared mientras se deslizaba, agarrándose a las grietas que encontraba en la pared. Siempre era paciente, y realizó el descenso en silencio y sin prisas. El movimiento atraía la atención, así que tenía que moverse con cuidado y a cámara lenta.

Alargó la pierna y buscó apoyo con el pie, lo encontró, saltó, y aterrizó en silencio en el suelo de tierra que había junto a la casa. Se quedó allí, agachada y orientándose entre las farolas y las ventanas de los edificios de alrededor. Ya no veía a ningún hombre cerca de la casa «segura». Jesse se había equivocado. Alguien sabía de su existencia. Jesse trabajaba para el NCIS y, sin embargo, alguien que no debería trabajar allí había descubierto la casa segura. ¿Quién podía haber dado el soplo? ¿Alguien de la oficina de Jesse o lo habían torturado hasta sonsacarle esa información? Con sólo pensarlo, se ponía mala. No podía imaginar que Jesse le dijera nada a nadie. Siempre se mostraba muy seguro, casi rozando la arrogancia. Y estaba dedicado por completo a su trabajo y a su país. Detestaba la idea de que alguien pudiera romper el código de honor de Jesse.

Se escondió entre las sombras del edificio y llegó hasta la esquina, donde intentó localizar la energía que le indicara que no estaba sola. La energía era un arma de doble filo. Cuando se acumulaba a su alrededor, ella perdía la habilidad de «sentir» de dónde venía. Sin embargo, la que percibía ahora salía de la casa: nervios, miedo y la determinación de vivir. El equipo del NCIS que estaba dentro esperaba encontrarla sola y por eso habían entrado sin hacer demasiado ruido, para ahorrarse problemas. Pero ahora sabían que se encontraban rodeados y que un enemigo desconocido estaba a punto de atacarles.

Pero Nicolas había decidido igualar un poco la partida. Estaba tendido en el tejado, con la vista puesta en su primer objetivo. Si iban a liquidar al equipo entero del NCIS, él se aseguraría de que lo pagaran caro. Por primera vez, se sentía ligeramente distraído, pues una parte de él quería llamar telepáticamente a Dahlia y saber si se encontraba bien. Estaba seguro de que, si la chica tenía problemas, él lo sabría. Colocó el dedo en posición y mantuvo el ojo pegado a la mirilla, con la esperanza de que ella estuviera lo suficientemente lejos cuando apretara el gatillo.

Dahlia cayó de rodillas cuando la ola de violencia la sacudió. Se agarró el estómago mientras intentaba reprimir el mareo. Vio puntos blancos delante de los ojos. Notaba cómo las vías respiratorias empezaban a cerrarse. Se levantó y consiguió avanzar por el estrecho camino de tierra lleno de arbustos y papeleras, sujetándose a las ramas mientras intentaba inspirar. Trató de controlar el ruido de su respiración. Los sonidos destacaban mucho en la noche y, a pesar de la música que se oía de algún local a una o dos calles, sabía que los hombres que iban tras ella para matarla estarían atentos a cualquier ruido.

Tenía que cruzar una calle. No vio a nadie y la ola de violencia era tan intensa que le resultaba imposible saber si había alguien cerca. Tenía que arriesgarse a cruzar. Para ella, era vital alejarse lo máximo posible del campo de batalla. Miró a su alrededor, una última mirada cauta, y empezó a cruzar la calle lo más rápido que le permitían sus piernas de mantequilla. Se le nubló la vista. Las calles no eran lisas; estaban llenas de baches y grietas. Tropezó y confió en que si alguien la había visto, diera por sentado que había estado bebiendo. Ya casi había llegado al otro lado cuando un hombre apareció entre las sombras y se colocó en medio de la acera. Llevaba una pistola, y la estaba apuntando.

Dahlia percibió las ondas de malevolencia que emitía, pero siguió caminando, con paso indeciso y tambaleante, murmurando para sí misma como si no lo hubiera visto. El Barrio Francés casi siempre estaba lleno de gente, incluso a pocas horas del amanecer, y los turistas bebían continuamente. Cuando se halló a un metro de él, levantó la mirada, fingió sorpresa y esperó parecer una persona normal de camino a casa.

—¿Vuelves de una fiesta de disfraces? Un traje muy chulo.

Dahlia arrastró las palabras, se tambaleó y se acercó a él, intentando colocarse a la distancia adecuada para atacarlo.

Percibió la confusión, profunda, mientras él intentaba decidir si esa chica borracha suponía algún peligro. Llevaba sudadera y botas, pero también el pelo suelto hasta la cintura y estaba claro que no iba armada. Era demasiado menuda para suponer una amenaza física. Entonces, el hombre se relajó.

—¿Qué coño estás mirando?

Ella murmuró algo inconexo, con la esperanza de seguir con la farsa de la borrachera.

Él alargó la mano, la agarró del brazo y la pegó contra la pared.

—¿Qué haces por aquí a estas horas? —Mientras la sujetaba con una mano, con la otra le agarró el pecho a través de la tela de la sudadera.

Dahlia sopesó las posibilidades de defenderse mientras mantenía la charada. Le estaba haciendo daño en el pecho. De repente, él se rió. Dahlia se dio cuenta de que ese tipo creía que toda la batalla se estaba librando al otro lado de la esquina. Estaba aburrido y un poco enfadado por no poder participar y porque lo hubieran dejado haciendo guardia. Se había cansado de ser un mero observador y ahora estaba decidido a divertirse él también un poco.

Dahlia esperó a que levantara la cabeza y dejara la garganta expuesta. En cuanto lo hizo, lo golpeó con la parte exterior de la mano, apoyando en ese punto todo el peso del cuerpo, a la vez que intentaba huir por un lado, ayudándose de la pared. Era un tipo increíblemente fuerte y, a pesar de toser y ahogarse con el golpe, la siguió y mantuvo su cuerpo clavado contra la pared. Cerró el puño y la golpeó en el estómago, luego retrocedió, todavía tambaleándose, mientras ella se doblaba de dolor. El tipo levantó la pistola y a punto estuvo de golpearle la cara con la culata.

Dahlia supo de inmediato que estaba muerto. El cuerpo y la mente prácticamente se le paralizaron. En la cabeza, justo antes de que la explosión resonara por todo su cuerpo, oyó su propio grito. La fuerza de la bala lo hizo retroceder, tambalearse como una muñeca de trapo y caer sin vida en la acera. La pistola retumbó contra el suelo. Todo pareció suceder a cámara lenta y la visión de Dahlia quedó reducida a la amarga imagen de la muerte.

Inmediatamente la golpearon las consecuencias de la violencia y su cuerpo notó cómo la energía destructiva corría hacia ella. Intentó resistirse, trató de mantenerse consciente, de encontrar una salida a la fuerza pura y violenta que se abalanzaba sobre ella. El aire crujía con la electricidad. Vio arcos de luz blancos zigzagueando encima de su cabeza. Y fue entonces cuando se dio cuenta de que estaba en el suelo, a escasos centímetros del hombre muerto.

Empezó a gatear, un esfuerzo tremendo cuando su cuerpo parecía estar hecho de plomo y le dolía todo entero con cada movimiento. Siguió avanzando por la acera. Percibió un fuerte olor a orina y a sangre, cosa que añadió todavía más miseria a su revuelto estómago. Vomitó varias veces mientras iba por la acera.

Nicolas apareció de la nada, recorriéndole el cuerpo con las manos, buscando heridas. Dahlia supo que era él por cómo la tocaba y por cómo la energía disminuía y le dejaba espacio para respirar. No podía ver entre los puntos blancos y la telaraña blanca que le nublaban la visión, pero lo tocó para transmitirle que estaba bien.

—Relájate, cariño —le ordenó—. Voy a sacarte de aquí.

Dahlia no tenía ninguna intención de protestar. Sólo quería dormir durante horas y horas.

Nicolas se la cargó al hombro porque necesitaba ambas manos. Ella tenía el estómago delicado y perdía y recuperaba la conciencia. Él la sujetó con una mano y se alejó de la zona. Había advertido a los hombres del NCIS y eliminado a un par de los asaltantes antes de ver que Dahlia tenía problemas. Ahora ella era su primera prioridad; la única. Él también tenía un par de refugios. Y todavía tenía el corazón acelerado por el miedo que había pasado por ella. Tenía un disparo, una oportunidad para salvarla, y Dahlia estaba muy cerca de su atacante.

Se adentró entre las sombras y se perdió en la noche. Cuando se cruzaba con un grupo de trasnochadores, o con la patrulla de la limpieza, subía hasta el tejado de la casa que tuviera más cerca. Antes de partir hacia esta misión, Gator le había dado unos mapas con varias casas en el pantano; casas de su familia que casi nunca utilizaban. Recurrió a sus habilidades sin ningún tipo de pudor para que aquellos con los que se cruzaba miraran hacia el otro lado mientras sacaba a Dahlia de la ciudad.

Nicolas se culpaba por la cara pálida y casi translúcida que tenía y del terrible precio que su cuerpo había tenido que pagar por la violencia. Había visionado las cintas de su infancia y su adolescencia. Sabía cómo le afectaba todo eso y, sin embargo, parecía tan segura, tan decidida, incluso «normal», mientras avanzaban por el Barrio Francés hacia la casa, que él incluso había llegado a creer que podría soportar el continuo ataque de la energía que la rodeaba.

Dahlia se movió y se aferró a la camisa.

—Déjame en el suelo antes de que te vomite en la espalda.

Le dolía el estómago, aunque más del puñetazo que de las arcadas, pero no iba a arriesgarse a hacer más el ridículo.

Nicolas se detuvo en seco y la dejó en el suelo. Estaban cerca del río y el terreno era irregular. Y él lo utilizó como excusa para sujetarla cuando ella se tambaleaba ligeramente.

—Lo siento, Dahlia. No tenía otra opción.

—Ya lo sé. Habría podido encargarme de él si no hubiera estado tan débil. Es que no puedo estar con nadie, Nicolas.

Tenía que decirlo. No tenía por qué gustarle. Había albergado esperanzas de encontrar la manera de vivir rodeada de gente, quizás en algún lugar cerca de Lily, para poder visitarla de vez en cuando y tener una amiga con quien compartir cosas. No se había atrevido a pensar en mantener a Nicolas en su vida. No podía tenerlo cerca y no tener fantasías.

Dahlia se aferró a él y apretó la tela de la camisa entre los dedos.

—Tengo que sentarme. No nos persigue nadie, ¿verdad?

No percibía que los estuviera persiguiendo nadie, pero estaba sobrecargada y no sabría decir si corrían peligro o no.

Nicolas la ayudó a sentarse en un banco. Ella se dejó caer, agradecida, y colocó la cabeza entre las rodillas para luchar contra el mareo e inspirar con fuerza.

—Tenemos que volver. —Lo miró—. Tenemos que volver, Nicolas. Puede que sea la única oportunidad que tengamos para seguirlos hasta donde tienen retenido a Jesse. —Lo miró a los ojos—. Tenemos que liberarlo. Esos hombres son asesinos. No quiero ni pensar lo que habrá tenido que soportar.

Nicolas meneó la cabeza.

—No estás en condiciones de ir a rescatar a nadie, Dahlia. Además, por lo que sabemos, podría estar muerto.

—De un modo u otro, tengo que saberlo. Por favor, Nicolas. Tengo que hacerlo, y no creo que pueda hacerlo sola.

—¿Puedes caminar?

Dahlia intentó reconocer frustración en su voz. Impaciencia. Esperó recibir la oleada de energía negativa de sus auténticos sentimientos, pero parecía tan estable y tranquilo como siempre.

—Sí. Me tiemblan un poco las piernas, pero he estado peor. —Forzó una lánguida sonrisa—. Desmayarse siempre ayuda.

—Entonces, vamos. No tenemos demasiado tiempo para seguirles el rastro y tampoco puedo ir paseándome por el Barrio Francés con un rifle en la mano. Vamos a tener que estar muy atentos los dos.

Dahlia observó cómo Nicolas desmontaba el arma con movimientos rápidos y eficaces. Sabía que le estaba dando unos momentos más para descansar. Cuando terminó y el rifle estuvo desmontado y guardado en la mochila, le ofreció la cantimplora.

—Eres como un milagro andante. Estás preparado para lo que sea, ¿no?

—Todo requiere habilidad y dedicación. ¿Y tú?

La miró llenarse la boca de agua varias veces y escupirla. Cuando por fin se deshizo del mal gusto del vómito, bebió un buen trago, y él se quedó fascinado por el movimiento de la garganta mientras tragaba.

Dahlia le devolvió la cantimplora y se secó la boca con el reverso de la mano.

—Yo soy más instintiva.

—No acabo de creérmelo del todo —respondió él, con una pequeña sonrisa. La agarró, la levantó y la cogió de la mano—. Vamos a dar un paseo por el Barrio Francés, Dahlia. Tenemos que evitar la casa como sea. Con tantos disparos y varios muertos, la policía va a estar peinando la zona.

—Y el NCIS. Enviarán a su gente, y a todo el mundo. Imagino que pondrán en marcha un OPREP-5 Azul Marino. Es un informe operativo, una alerta roja, para incluir a otras agencias como el FBI. —Y entonces preguntó—: ¿Están todos vivos?

Él se encogió de hombros.

—No lo sé. Yo hice lo que pude y luego fui a por ti.

Dahlia apartó la mirada. Todo había salido mal, y había empezado a morir gente. Ella no solía participar en intercambios de disparos ni asesinatos.

—Creo que esto no es para mí —admitió mientras caminaba a su lado.

Nicolas marcó el paso, un ritmo de paseo. Sabía de la importancia de pasar inadvertidos, de ser lo que los demás esperaban ver. A primera hora de la mañana, justo antes del amanecer, las calles estarían llenas de patrullas de limpieza, repartidores y policías. Con el tiroteo entre militares y unos asaltantes desconocidos, el barrio estaría más lleno de lo habitual de actividad y gente curiosa. El Barrio Francés era un lugar pequeño y la noticia de un tiroteo correría como la pólvora. Habría muchos rumores y nadie sabría la verdad hasta dentro de unas semanas.

Dahlia se concentró en respirar. Bloqueó la idea de que, en cualquier momento, podía pararlos la policía y hacerles preguntas, o que un miembro de su equipo del NCIS, o alguno de los asesinos, pudiera localizarlos. Intentó parecer una mujer que había salido a dar un paseo matutino con su pareja. La idea de que Nicolas fuera su pareja era casi más de lo que podía soportar. La hacía sentir ultra femenina, y nunca nadie había conseguido hacer que se sintiera así. Ella no solía pensar demasiado en el hecho de que era una mujer. ¿Qué sentido tenía, cuando su temperatura corporal siempre era demasiado baja o demasiado alta? ¿Y qué sucedería si intentaban hacer el amor? Un beso casi había provocado la erupción de un volcán.

Una delicada risa le recorrió la columna vertebral y la hizo estremecerse. Nicolas se acercó los nudillos de la mano de Dahlia a la calidez de su boca.

—Estás pensando cosas que es mejor no pensar.

—Ya lo sé. —No se arrepentía—. Pero si todo lo que tengo en la vida son pensamientos, no voy a desperdiciar la ocasión.

Seguía esforzándose por respirar, por olvidarse del temblor y de las arcadas. No quería hablar, excepto quizá para oír la voz de Nicolas. Quería pasear por las calles del Barrio Francés y, por un periodo breve de tiempo, fingir que era normal. Quería tener sus sueños con el hombre que caminaba a su lado y olvidarse de espías, muerte y hombres vendiendo su país a cambio de dinero. Pero, básicamente, no quería pensar en la energía y en los efectos que tenía sobre su cuerpo. Necesitaba un precioso remanso de paz para hibernar un tiempo.

Nicolas miró la cabeza agachada de Dahlia. Le apretó los dedos. Se estaba aislando de su alrededor. Notaba cómo, mentalmente, se había retraído y se había recluido tras las protectoras paredes mentales que ella misma había construido.

Lily había trabajado durante un tiempo con los Soldados Fantasma para enseñarles a construir barreras mentales contra el continuo asalto de emociones en su vida diaria. Pero hasta que no se puso a trabajar con los hombres con los que Whitney había experimentado, todos tuvieron que soportar distintos niveles de disfuncionalidad. Dahlia había encontrado una versión de barrera mental mucho más endeble, pero lo había hecho sola.

A Nicolas nunca le molestaban los silencios. A veces, necesitaba el silencio casi tanto como la soledad y como estar al aire libre rodeado de naturaleza. Descubrir que Dahlia era muy parecida a él lo hizo sorprendentemente feliz y le provocó una gran paz, incluso en medio de aquellas circunstancias. Cuando cruzaron la calle, vio los coches de policía alrededor de la casa. Se agachó.

—Tus enemigos tienen a alguien vigilando esta zona. Tenemos que localizarlo antes de que nos localice él.

De repente, se paró, casi mientras decía esas palabras, la colocó contra un pequeño hueco en la pared y se pegó a ella con su cuerpo más grande. Nicolas dejó la mochila en el suelo, donde nadie podía verla. Apoyó la palma de la mano en la pared, encerrando a Dahlia, con un lenguaje corporal obvio, posesivo y fácil de interpretar.

—Está en el tejado, al otro lado de la calle, vigilando a los policías. No veo personal militar, pero lo siento. Alguien está haciendo preguntas para intentar averiguar qué ha pasado. Podríamos ir en su busca, identificarnos y ponerte a salvo.

Ella palideció. Empezó a sudar donde nacía el pelo. La piel le ardía.

—Tendría que permitir que me encerraran. Mi identidad está clasificada y no puedo decirle esto a nadie. Tengo que encontrar a Jesse antes de entregarme.

—El NCIS no tiene ni idea de lo que ha pasado, Dahlia. Incluso podrían sospechar que estás involucrada en el ataque. Tienes la inteligencia para estar detrás de algo así, y eres distinta. Cualquier cosa o persona distinta es un objetivo fácil.

—Pareces preocupado por si me matan.

Le estaba acariciando la cara, caricias delicadas, como si le encantara la textura de su piel. Dahlia notaba las caricias hasta la punta de los pies. En su interior, en el núcleo femenino donde el calor se acumulaba, notó que su cuerpo reaccionaba.

—Sólo quiero saber si quieres confesar ya, Dahlia. Yo puedo ir a por Calhoun solo.

—Mientras yo espero. —Estaba agachada y mirando por debajo de su brazo, para ver si localizaba al hombre del tejado—. Ni lo sueñes. Yo he provocado este lío, y yo lo solucionaré. No te dejes engañar por el hecho de que vomite cuando estoy rodeada de gente y violencia. Soy perfectamente capaz de cuidarme solita.

Nicolas no le recordó que había disparado a un hombre para mantenerla con vida.

—¿Lo ves? ¿El rubio del tejado?

—Sí, ha mirado hacia aquí un par de veces. Lleva unos prismáticos.

—Entonces, será mejor que le demos algo que mirar.

Se acercó a ella y sus cuerpos casi se rozaron, pero todavía no.

Dahlia enseguida percibió que la temperatura a su alrededor aumentaba.

—Esto es arriesgado.

—¿Besarte? —Le agarró la barbilla con fuerza y la miró fijamente.

—No puedes besarme, Nicolas.

El corazón le latía tan fuerte que temía que en cualquier momento estallara. El rostro de Nicolas era tan perfecto, esculpido en granito, las facciones rectas y planas propias de un hombre, no de un niño.

Él agachó la cabeza muy despacio, sin dejar de mirarla. Se detuvo cuando sus labios estuvieron a escasos milímetros. Cuando ella podía saborearlo. Cuando el corazón de Dahlia pasó del latido acelerado al latido emocionado y su cuerpo empezó a crujir con la electricidad.

—Creo que besarte es una idea maravillosa.

Dahlia notó cómo sus palabras vibraban por todo su cuerpo. En realidad, Nicolas no tenía que besarla para que se derritiera entera. Ya se derretía con tan sólo pensar en besarlo.

—Tienes una boca preciosa, Nicolas. Muy tentadora, ¿sabes? Pero, cuando nos besamos, saltan chispas. Y no queremos llamar la atención, ¿verdad?

—¿Es una pregunta trampa? Si digo que no, ¿significa que me quedo sin besarte? Porque, ahora mismo, besarte parece lo más importante del mundo.

Le encantaba cómo su voz mágica se oscurecía y sus ojos pasaban de fríos a apasionados cuando la miraba.

—Bueno, ¿y quién soy yo para decirte que seas sensato?

Lo susurró. Apenas podía respirar teniéndolo tan cerca. ¿Cómo iba a poder formar un pensamiento racional?

Él sonrió. Justo antes de besarla, dibujó una sonrisa arrogante, satisfecha y masculina. Y entonces ella ya no pudo pensar más, ni siquiera para reñirle. Se perdió en la cálida urgencia de la boca de

Nicolas. Se unieron, se fusionaron, ardieron en los brazos del otro. Y lo más extraño es que sólo estaban unidos por la boca. El cuerpo de Nicolas estaba cerca, tanto que ella notaba el calor que la envolvía, pero él tuvo la precaución de no unirlos. Y, seguramente, fue lo único que evitó que Dahlia se derritiera en un charco a sus pies.

Le temblaron las rodillas y la cabeza le empezó a dar vueltas. La tierra se sacudió y se movió. Vio luces de colores tras los ojos, y en su mente oyó un extraño ronroneo. Quería adentrarse en él y refugiarse allí, esconderse en los fríos lagos que veía en su mente. No sabía cómo podía ser tan frío por dentro y calentar su mundo tan deprisa. Aunque le daba igual. Ahora sólo importaban su boca y la magia que hacía con ella.

Capítulo 9

Nicolas levantó la cabeza con más reticencia que autocontrol. Jamás debería haberla besado en plena calle. Su cuerpo reaccionó de inmediato con urgencia. Y lo peor era que, al parecer, su cabeza daba vueltas, igual que su entorno. Le dio un breve y delicado beso en la boca y giró ligeramente la cabeza para echar un vistazo al observador del tejado.

—Creo que se me ha nublado la vista —murmuró.

Ella respondió con una sonrisa dubitativa.

—Si eso es lo único que te ha pasado, es que esto de besar se te da mucho mejor que a mí. Yo no me aguanto de pie.

—Me da miedo tocarte. Podríamos arder en llamas.

Ella suspiró.

—La historia de mi vida. ¿Qué hace nuestro amigo?

—Está bajando del tejado. La calle estará llena de gente dentro de poco, y no puede arriesgarse a que lo vean. Debería haberse puesto en un balcón, como los demás.

—Si alguna vez quieres cambiar de trabajo, puedes escribir un manual. —No podía apartar la mirada de su cara, ni siquiera para mirar al hombre que tenían que seguir. Nicolas la hipnotizaba. Le estaba acariciando la barbilla con la yema del pulgar, imponiendo un ritmo lento que la fascinaba y la hacía estremecerse—. ¿Alguna vez has sido la obsesión de alguien?

Él relajó el gesto con una pequeña sonrisa.

—Sólo de aquellos que quieren matarme.

—¿Y son muchos?

—Están muertos. —Se agachó y recogió la mochila—. No me gusta que intenten matarme, obsesionados o no. Tengo una norma respecto a eso. Vamos. —La tomó del brazo—. Está en marcha. Camina a mi lado, flirtea y cógeme de la mano. Compraremos una taza de café.

—Quieres que me mezcle con la gente. —Ella suspiró y se echó la mata de pelo hacia atrás—. Nunca se me ha dado muy bien. Prefiero los rincones oscuros.

—No quiero que te vea.

—No me conocen. Me entrenaron bajo otra identidad. Aunque consigan esa información, no les servirá de nada.

Él la miró.

—Te entrenaron bajo el nombre de Novelty White. Cuya traducción, obviamente, es Dahlia Le Blanc. No fueron muy listos.

Ella se encogió de hombros.

—No fue idea mía. ¿A ti te gustaría que te llamaran Novelty? —Arrugó la nariz—. Por el amor de Dios, era una adolescente.

—Tienes razón. Diría que manifestaste tus quejas.

—En aquella época mis respuestas eran prácticamente nulas. Estaba atravesando la etapa silenciosa. —Lo miró con una pequeña sonrisa—. Ya sabes, la etapa de «soy la adolescente superior y tú no eres nadie». Básicamente, quería irritar a Whitney. Me encantaba enfurecerlo. ¿De verdad que se deshizo de todas menos de Lily? Porque, si Lily es real, las demás también lo son.

—¿Te acuerdas de las otras chicas?

—De algunas. Algunos recuerdos son vagos, pero a un par de ellas no las he olvidado, como Lily. A Llama. Tenía otro nombre, pero no sé si lo recuerdo.

—Iris —dijo él—. Whitney odiaba que la llamaran Llama.

—Whitney nos odiaba a todas y punto. No hacíamos lo que quería cuando quería. Necesitaba robots, no niñas.

—Bueno, si te sirve de consuelo, cuando nos reclutó a nosotros tampoco lo hizo mucho mejor. También nos veía como un fracaso. A pesar del entrenamiento militar, las buenas referencias y nuestra fuerza y disciplina, no nos fue mejor que al grupo de niñas que abandonó.

—Pobre Lily. Debió de ser muy duro descubrir la verdad sobre él. La recuerdo como una chica amable y simpática. Era lista, muy lista. Recuerdo sentarme con ella por la noche y hablar de los planetas y de la rotación de la Tierra, aunque quizá fue un sueño, porque no debíamos de tener más de cuatro o cinco años. Si alguna vez salía a hurtadillas de la habitación y Whitney me descubría, me castigaba.

—¿Cómo? —A Nicolas le interesaba la conversación, aunque toda su atención estaba puesta en el hombre al que estaban siguiendo por la calle—. ¿Cómo te castigaba?

Dahlia lo miró. Le había confesado más cosas sobre ella en el breve periodo que hacía que lo había conocido de lo que jamás le había dicho a nadie. Se preguntó si realmente la habría hechizado. ¿De qué otra forma podía explicar cómo se sentía y se comportaba a su lado?

Él ladeó la cabeza y arqueó una ceja, esperando una respuesta.

Era inútil. Iba a explicárselo de todos modos.

—Tenía una manta vieja y rota. La utilizaba para fingir que mi madre la había tejido para mí y que la dejó en la cuna cuando me abandonó en el orfanato. Seguramente, Whitney la adquirió cuando me compró a mí, pero, aún así, era una fantasía que me ayudaba a calmarme los días en que creía que me iba a volver loca y que la cabeza me iba a estallar.

—Y la guardaste, ¿verdad?

Ella apartó la mirada.

—Claro. Era una de las pocas cosas que guardaba de mi pasado. No tuve abuelos ni tíos, así que valoraba las cosas pequeñas. —Se echó el pelo hacia atrás con la mano que tenía libre—. Intento no pensar demasiado en Milly y en Bernadette, ni en mi casa ni mis cosas. Cuando lo hago, siento una gran pena y rabia que se acumulan hasta que sé que soy peligrosa. —Lo miró—. Seguramente, conocerte haya sido una buena idea. Si no, estaría provocando incendios de forma accidental por todas partes.

—La metí en la funda de la almohada para ti.

Cuando hablaba de su pasado, quería abrazarla. Pegarla a su cuerpo, donde sabía que podía mantenerla a salvo y lejos del dolor por no haber tenido la más básica de las necesidades: una familia. ¿En qué estaba pensando Whitney cuando envió a todas esas niñas al mundo exterior sin nadie que las protegiera? Les había dado dinero y creyó que con eso ya tenían suficiente.

Ella lo miró desde debajo de las infinitas pestañas.

—Estás enfadado.

—Perdona. ¿Lo sientes? —Dahlia se había colocado la mano encima del estómago. Era la tercera vez que lo hacía, casi sin darse cuenta.

—No, tu nivel de energía está muy bajo. Pero ya empiezo a conocerte mejor. Cuando te enfadas, haces una cosa rara con las cejas.

—No es verdad. He trabajado mucho para aprender a mantener el rostro perfectamente inexpresivo.

—Y lo has conseguido —aseguró ella—. Excepto por lo de la ceja.

Nicolas le apretó la mano y se la pegó a la cadera mientras subían al ferri que los llevaría al otro lado del río, a Algiers. La mantuvo a una distancia prudencial de su presa y se colocó al otro lado de la gente que tomaba el ferri a primera hora de la mañana para utilizarlos como pantalla. Su lenguaje corporal gritaba posesión y celos. Pocos hombres se acercarían mientras la mantuviera tan cerca de él.

—Gracias por salvar la manta. Significa mucho para mí.

Se sintió como una estúpida admitiéndolo. Una manta de su infancia. Su único recuerdo de su madre de mentira. Era algo patético tener que admitirlo delante de él... o de ella misma.

Nicolas le acarició la cara con los dedos.

—Conseguí salvar varios de tus libros y un jersey. Ojalá hubiera podido coger más cosas.

—No tenía tantas cosas de valor, Nicolas. Fue mejor que salieras de allí con vida. —Se asomó por debajo de su brazo. La brisa que venía del mar a esas horas tan tempranas era muy fresca. Dahlia levantó la cara para que el viento le acariciara la piel.

—¿Nos está mirando? —Nicolas sonó tranquilo, casi aburrido. Movió el cuerpo para protegerla mejor.

—No, está mirando el agua. Pero viene hacia aquí.

Nicolas se concentró en conectar con la mente del hombre mientras se dirigía hacia la barandilla del ferri. Quería sondearlo, «leerlo» como hacían los Soldados Fantasma. A veces, cuando los pensamientos llevaban una fuerte carga emocional era más fácil leerlos, pero, a menudo, era muy difícil encontrar el camino a la mente de alguien en medio de una multitud. Casi siempre que había gente alrededor captaba un batiburrillo de impresiones en lugar de pensamientos claros.

Nicolas la agarró del brazo y la obligó a darse la vuelta y mirar hacia el agua, y él se movió de izquierda a derecha. *Tranquila, Dahlia. El hombre que estamos buscando está a tu derecha, a unos cuantos metros de nosotros.*

¿Qué quieres decir? Había vuelto a acelerarle el corazón. Empezaba a hartarse de corazones acelerados. Y empezaba a estar cansada de estar rodeada de tanta gente. Incluso con Nicolas tocándola, recibía mucha energía.

El hombre de la camisa azul debe de ser un subordinado al que han contratado para vigilar el edificio, y seguramente buscar a una mujer sola entre el gentío. Informa al hombre de la camisa oscura.

Dahlia no volvió la cabeza, sino que siguió mirando el agua. El ferri provocaba unas pequeñas olas de espuma en el río. Una lancha las atravesó. Se le encogió el estómago y se aferró al brazo de Nicolas.

—Va a matarlo —dijo tan bajo que apenas se oyó, aunque enseguida descubrió que Nicolas también lo sabía.

Dahlia todavía estaba sobrecargada del episodio de violencia anterior. Otra oleada de violencia podría provocarle un ataque. Nicolas soltó una carcajada y la agarró en brazos. Dos turistas divirtiéndose en sus vacaciones. Ella se aferró a su cuello y pegó la cara a su garganta mientras él daba vueltas y se la llevaba al otro lado del ferri.

—No vas a vomitar, Dahlia —lo dijo en tono de orden.

Se produjo un pequeño silencio y Nicolas notó cómo las pestañas de Dahlia le acariciaban la piel.

—¿Ah no? ¿Y por qué?

En lugar de la fuerza que ya le estaba minando las defensas, en su voz notó una pequeña nota de diversión. Notó cómo su piel empezaba a calentarse, como si estuviera ardiendo por dentro. Despertó en él una feroz necesidad de protegerla. Era tan fuerte que lo sacudió.

—Aguanta, Dahlia. Lo conseguiremos. Y no vas a vomitar porque lo digo yo.

Notó el roce de sus labios en el cuello. Las entrañas de Nicolas se derritieron de una forma que lo molestó mucho. ¿Por qué tenía ese efecto sobre él? Vivía con la capacidad de alejarse de lo que fuera y de quien fuera y, sin embargo, sabía que su vida estaría para siempre ligada a la de Dahlia y jamás podría deshacerlo. Ante el contacto de sus labios en su piel, la entrepierna se le endureció. Si sólo hubiera sido la química explosiva entre ellos habría sido mucho más fácil, pero Nicolas sabía que era mucho más que eso. Quería llevársela y no mirar atrás. Se la llevaría a sus queridas montañas y nadie los encontraría jamás. Ni siquiera los otros Soldados Fantasma. Allí estaría segura y podría protegerla de las cosas que tanto perjudicaban su cuerpo y su mente.

Dahlia se acercó a él y le agarró la cabeza para hablarle al oído.

—Tu nivel de energía está aumentando, y no es sexual. Te estás permitiendo estar enfadado conmigo. Esto es lo que soy, Nicolas. Y si vas a pasar un tiempo conmigo, aunque sea poco, tienes que aceptarlo. —Se echó hacia atrás para mirarlo, con los ojos oscuros muy serios—. Quiero que sepas realmente lo que implica estar conmigo. Nunca voy a ser una mujer con quien puedas ir a cenar o salir al teatro. No tengo ese tipo de control. Piensa en cómo sería realmente la vida conmigo, no te limites a una fantasía que está tan alejada de la realidad que no duraría más de dos o tres días.

—Mi fantasía es tenerte para mí solo, no en un restaurante o en un teatro. Me gustaría tenerte sólo para mí. No soy un tipo que necesite demasiada gente alrededor, Dahlia.

Ella notó la explosión de violencia que la atravesó. Se agarró con fuerza a Nicolas y se pegó a él, al único santuario que le quedaba para sobreponerse a las consecuencias de la muerte. Se quedó sin aliento. Sabía que el cuerpo estaba en el agua y que nadie lo había visto caer. El hombre de la camisa azul había recibido una puñalada y lo habían tirado al agua, pero no estaba muerto y veía cómo el agua se lo llevaba hacia abajo donde nadie podría ver cómo luchaba por sobrevivir. Pero ella sí que podía sentirlo. Y notó la erupción de sus últimas energías mientras gritaba para que alguien lo viera e impartiera justicia.

Tenía un nudo en la garganta y le costaba respirar. La oleada de energía violenta la golpeó con fuerza y le fallaron las rodillas, a pesar de que Nicolas la tenía agarrada. No podía ver ni pensar y notaba una enorme presión en la cabeza y en el cerebro.

Nicolas la pegó a su pecho y ella no pudo detenerlo. Incapaz de advertirle que tenía que liberar la energía o tendría un ataque, fijó la mirada en el agua, desesperada. Tenía demasiadas emociones revoloteando por el estómago, aparte de la terrible energía que la estaba invadiendo.

—Mírame, Dahlia.

—¡No! —exclamó ella, entre dientes, mientras reprimía las ganas de arañarlo y gritar. Su cuerpo estaba ardiendo por dentro.

Nicolas la agarró con fuerza de los brazos. La sacudió ligeramente.

—Compártelo conmigo. Es un profesional, Dahlia. Ha matado a un hombre rodeado de gente y nadie lo ha visto —le dijo, muy serio—. Si empiezan a caer bolas de fuego en el muelle o vomitas, se dará cuenta.

Dahlia maldijo y se dobló de dolor. Empezó a sudar. En ese momento, detestó a Nicolas. Estaba presenciando su vulnerabilidad, su momento más bajo. Maldito fuera por haber insistido en acompañarla, y maldito por ser testigo de su colapso. Si tenía un ataque delante de él, nunca más podría volver a mirarlo a la cara. Desesperada, levantó la cabeza, algo que no le resultó fácil teniendo en cuenta que cada movimiento le provocaba un intenso dolor de cabeza. Lo miró.

Nicolas agachó la cabeza hasta que sus bocas estuvieron a escasos centímetros.

—Compártelo conmigo, Dahlia. Suéltalo.

La aterraba con su valor. No tenía ni idea de lo que podía pasar, y ella tampoco. Abrió la boca para protestar, para advertirlo, pero fue demasiado tarde. Él la besó. Un arco de electricidad los envolvió y zigzagueó desde el cuerpo de Dahlia hasta el de Nicolas. El calor pasó de ella a él. Ella contuvo el aliento y se aferró con fuerza a su pecho. La temperatura estaba subiendo. Dahlia emitió un pequeño sonido de protesta, de miedo, pero las manos de Nicolas le acariciaron el pecho y le rodearon la garganta. Ella lo oyó gruñir, un sonido tosco y muy masculino. La energía enseguida se cargó de tensión sexual, aumentando la conciencia de Dahlia y su sensibilidad.

Nicolas apretó su cuerpo al de ella, con los brazos como barras de acero. La levantó con las manos y pegó su ardiente erección a su montículo femenino.

—Rodéame con las piernas, joder —ordenó, desesperado. Quería rasgar los finos pantalones de algodón y los vaqueros. Necesitaba estar piel con piel. Deseaba obtener la satisfacción de penetrarla con fuerza, carne con carne...

—¡Basta! —Dahlia le tapó la boca con la mano—. Nicolas, basta.

Él reconoció el sollozo en su voz. Y lo sacudió lo suficiente como para olvidarse de la pasión sexual que lo cegaba. Luchó contra la terrible hambre que tenía de ella, que le resonaba en la cabeza y gruñía por todo su cuerpo. La fuerza de la energía lo sorprendió cuando lo envolvió con la misma codicia que a Dahlia. Muy despacio, le dejó caer las piernas hasta el suelo. Respiró hondo, apoyó la frente en la suya y respiraron juntos. Estaba duro como una piedra, y le dolía tanto que estaba seguro de que se le rompería la piel. Y el calor... Nunca había experimentado nada igual. Aunque lo que más lo asustaba era el deseo de tenderla en la cubierta y arrancarle la ropa. Durante unas décimas de segundo, todo su cuerpo, su mente y su alma lo había empujado a hacerlo. Tembló con la necesidad de poseerla.

—Es la energía —susurró ella. Dahlia era muy consciente del peligro que corría. Podía leer la mirada de Nicolas, que irradiaba calor y pasión. Estaba medio loco.

—Ya lo sé —replicó él. Enseguida se arrepintió de su reacción. La idea era rebajar el nivel de energía que percibía Dahlia, no empeorarlo. No reaccionaba igual ante la energía sexual que ante la violencia, pero no, Nicolas no contaba con que ambas se mezclarían hasta que él mismo tuviera que hacer un gran esfuerzo para mantener el control—. ¿Te encuentras mejor?

Dahlia asintió.

—Sí, ya no tengo arcadas. Lo siento, Nicolas.

Quería alejarse de él. De ella. Había sido uno de los peores momentos que había tenido que vivir. Nicolas Trevane era un hombre de honor y, sin embargo, ella le había mostrado una parte de sí mismo que ningún hombre debería conocer.

Nicolas permitió que la energía se dispersara lentamente, como requería su flujo natural. La expulsó mediante la respiración, la alejó, aceptó la oleada de calor y la soltó. Miró a su alrededor con mucho cuidado. Estaban en un rincón escondidos, pero cualquiera que estuviera cerca seguro que había percibido la elevada tensión sexual que fluía a su alrededor.

—Dahlia, quizás esto no sea tan buena idea. No va a ser fácil seguir a ese tipo. —No tenía ni idea de qué decirle, cómo disculparse. Se sacudió el pelo con una temblorosa mano.

—Quieres decir, conmigo.

—Conoce el territorio, y nosotros no.

—Yo conozco casi toda la zona. No duermo mucho, así que me dedico a pasear. Por la noche es más seguro que de día. Puedo evitar las zonas más pobladas y, aún así, seguir sintiéndome parte de la raza humana. —¿Por qué le estaba explicando esas cosas? No podía creerse que le estuviera explicando cada pequeño detalle de su vida. Sonaba patética, incluso a ella misma. Y lo peor era que cada vez que le revelaba algún dato sobre ella, notaba que él no reaccionaba por dentro—. Puedo guiarte e incluso intentar adivinar adónde se dirige.

—Soy alto y tú baja. Se habrá fijado en todo el mundo que viaja en el ferri. He intentado «obligarlo» a mirar hacia el otro lado, pero no ha funcionado. Seguro que nos ha visto en plena pasión. No puede ver que lo seguimos.

—Se me da muy bien que no me vean.

Dahlia quería perder la conciencia, descansar de la paliza que le había dado la violenta oleada de energía. Era una reacción normal, y más después de haber sufrido un ataque. Su cuerpo y su cerebro necesitaban un descanso. Parpadeó deprisa para evitar que se le cerraran los ojos y luchó por mantenerse de pie. Le dolía todo el cuerpo por el puñetazo que le habían dado en la calle. Se notaba los órganos internos hinchados y magullados, y la mente apaleada por el continuo asalto de energía provocado por la cercanía a tanta gente, aparte de por la violencia del asesinato.

—Quizá sería mejor que te dejara en un hotel —insistió él.

Ella consiguió, por los pelos, mantener la compostura. Era su problema, no el de Nicolas.

—Vete tú a un hotel —replicó. Se sentía humillada y frustrada y, sobre todo, deseaba estar sola, pero no iba a permitir que Nicolas se encargara de hacer su trabajo. Y ahora también estaba el miedo secreto por él. El miedo por su increíble fuerza y lo que podía hacerle si perdía el control. Se odiaba a sí misma por eso.

Nicolas percibió que el mal humor de Dahlia iba en aumento. Las consecuencias de la energía les estaban pasando factura a ambos.

—Tengo que llamar a Lily y comprobar si tiene información para nosotros —dijo, con suavidad—. El móvil no funciona demasiado bien en esta zona, pero si nos alejamos un poco quizá pueda hablar con ella.

Dahlia se aferró a su camisa con las dos manos. Mientras mantuviera el contacto físico con él, la energía no se apoderaría de ella completamente. Y eso era otro motivo de irritación. No quería tener que estar constantemente pegada a él como una lapa.

—A los móviles no les gusta el pantano ni el río. Debe de ser cosa del agua.

—Pero ¿y cuándo vivías en el pantano? Seguro que Calhoun te dio un móvil para poder hablar contigo cuando estabas en la ciudad.

—Derretí dos. Y Jesse decidió que no valía la pena seguir insistiendo.

Nicolas la miró fijamente para asegurarse de que no le estaba tomando el pelo. Ella estaba muy seria.

—¿Los derretiste?

Ella asintió.

—Derrito cosas. De forma accidental.

Nicolas no iba a insistir. Teniendo en cuenta cómo se derretía por dentro cada vez que estaba cerca de ella, no dudaba ni un segundo de que hubiera derretido un par de teléfonos. Al fin y al cabo, esos aparatos eran mucho más pequeños que él. Soltó el aire y la tomó de la mano, decidido a relajar el ambiente entre ellos.

—Intenta no derretir ninguna parte corporal mía.

Se quedaron ligeramente rezagados mientras los pasajeros empezaron a desembarcar. Nicolas no apartó la mirada de su presa.

—Mira cómo se mueve, Dahlia. Probablemente sea un ex militar, seguramente un mercenario. Apuesto a que es un buen luchador cuerpo a cuerpo. Mírale los ojos. No se le escapa nada, lo ve todo. Acaba de matar a un hombre y, sin embargo, no tiene ninguna prisa.

Nicolas no quería llamar la atención alejándose demasiado del grupo, pero también era importante proteger a Dahlia de la exposición prolongada a tanta gente. Hizo coincidir su salida con el momento en que el hombre de la camisa oscura se apartó y se volvió para encenderse un cigarro. Estaba claro que estaba esperando a que el grupo pasara por delante de él. Nicolas mantuvo a Dahlia al otro lado, protegiéndola con su cuerpo mientras pasaban junto a él.

Su energía es malévola.

No vomites o te preguntaré si el bebé está bien justo delante de él.

Dahlia estuvo a punto de ahogarse. Mantuvo la cabeza agachada y una mano apretándose el estómago donde le habían dado el puñetazo. Dar un paso le dolía. Se volvió hacia el agua con añoranza. Le encantaría volver a estar en su pequeña isla, rodeada de sus libros.

Nicolas le apretó los dedos y la acercó un poco más al cobijo de su cuerpo. Pasó por delante de su presa sin ni siquiera mirarlo y se inclinó para susurrar cualquier tontería al oído de Dahlia, para fingir que estaban totalmente absortos el uno en el otro, así como para ocultar su imagen lo máximo posible.

Y deseó que estuvieran totalmente absortos el uno en el otro. Nunca nada ni nadie había sacudido su mundo tranquilo y racional como lo hacía ella. Había construido su vida entera sobre los principios que le habían enseñado sus abuelos. Creía que estaba preparado para todo... hasta que llegó Dahlia. Apenas podía concentrarse en salvarles la vida o en seguir a su presa. Mientras caminaban hacia el popular restaurante que había en el montículo con vistas al río, intentó darle algún sentido a los estragos que Dahlia le causaba.

Era el incendio que derretía su hielo. Donde él era frío y tranquilo, ella era feroz y aparentemente descontrolada, alterada por la energía de cualquier ser vivo. ¿Dónde encajaba en el universo? ¿Cómo sobrevivía alguien como Dahlia en un lugar tan hostil a su naturaleza? ¿Y por qué de repente le parecía tan necesario que sobreviviera en algún lugar con él?

Podía aceptar la atracción física, a pesar de que su intensidad podía resultar desastrosa. Incluso podía aceptar su profunda necesidad por protegerla. Él siempre era quien velaba por sus hombres, y se lo tomaba muy en serio. Formaba parte de su carácter y lo sabía. Pero obsesionarse, y era el verbo perfecto para describir su situación, era incómodo. Estaba intentando mantenerlos con vida a los dos, y en lo único que podía pensar era en ella. El sonido de su voz. La forma en que su sonrisa lo iluminaba de forma inesperada. Era desconcertante lo mucho que pensaba en ella.

—No pienses tanto en eso —le advirtió Dahlia en voz baja.

—¿En qué?

Hizo un esfuerzo por mantener la voz inexpresiva. Le había dicho que no era telépata y que no leía la mente. No quería que Dahlia captara su confusión. No estaba dispuesto a compartir las preguntas hasta que tuviera las respuestas.

—En lo que sea que estás pensando. No vale la pena molestarse aún más.

—Las personas tienen pensamientos molestos, Dahlia.

—Ya lo sé. Lo creas o no, soy una persona y también pienso en cosas. Incluso tengo las emociones habituales. Una vez vi a un hombre dar una patada a un perro y me enfadé tanto que tres casas que había detrás del hombre se incendiaron. Tenía nueve años. —Lo miró para ver cómo se lo tomaba. Acababa de explicarle algo importante. Algo que ambos debían saber—. ¿Te imaginas qué pasaría si alguna vez me peleo con mi marido? Porque se le haya ocurrido ponerme más leche de la que me gusta en el té o por cualquier otra tontería. ¡Puf! Reducido a cenizas.

Cuando él bajó la mirada hacia ella, Dahlia ya tenía la suya perdida en el río.

—¿Qué pasa cuando sientes dolor?

—¿Por la sobrecarga?

—No, dolor normal. Cuando te das un golpe en el pie. O cuando te constipas. O cuando un tipo te da un puñetazo en el estómago en plena calle porque soy demasiado lento para apretar el gatillo.

Había una nota de rabia en su voz. De la nada, apareció un calor que le quemó el estómago y ardió con una llama oscura que amenazaba con consumirlo. Colocó la mano encima del estómago de Dahlia y la dejó allí. La intención era impersonal, calmarla. Alejar el dolor. Pero se convirtió en algo muy distinto. No sexual, pero sí íntimo. Y la piel de Dahlia ardía a través de la tela gruesa de la sudadera oscura. O quizás era su piel. No debería haber podido sentirla y, sin embargo, la sentía.

Ella cerró los ojos ante las emociones que la invadían. O quizás era energía porque, sinceramente, ya no lo sabía. Quería huir con él. Alejarse de todo el mundo. Le dolía la cabeza, la piel le picaba y parecía que estaba demasiado tensa para su cuerpo.

—No intentes dejarme tirado, Dahlia —advirtió Nicolas, leyéndole el pensamiento. Habló con la voz ronca, extrema—. Estás tan ocupada intentando mantener la distancia emocional que te has olvidado de lo que hemos venido a hacer. —La apartó de delante de la ventana, donde su cara se podía reflejar en el cristal y se la llevó hasta el lateral del edificio, clavándola contra la vegetación.

Ella lo miró fijamente con sus ojos negros.

—De los dos, el compromiso emocional te asusta mucho más a ti que a mí. Puede que yo tenga límites, pero, al menos, me muestro tal y como soy. Tú estás tan ocupado preocupándote de que nada perturbe tu perfecta tranquilidad que te has olvidado de vivir la vida.

El aire crujía con electricidad. Nicolas notaba la creciente energía que empezaba a rodearlos. Alimentó la emoción que estaba sintiendo. También vio que su presa pasaba por la calle hacia un pequeño Ford azul que estaba aparcado frente al siguiente edificio. No parecía tener ninguna prisa; casi parecía que iba paseando como si no tuviera ninguna preocupación.

Nicolas miró a su alrededor y vio un taxi aparcado cerca de un restaurante. Estaba seguro de que estaba esperando a algún cliente, así que cuando lo llamó con la mano, le enseñó un billete de veinte dólares. Mantuvo la mano firme en el cuello de Dahlia, para mantenerlos conectados. Se dijo que era porque necesitaba estar cerca de ella para mantener controlada la energía, pero en el fondo sabía cuál era la verdad. Era él quien necesitaba el contacto. Habían discutido y, al menos, necesitaba el consuelo del contacto físico.

—Me estás arrastrando —comentó Dahlia, con cierta mordacidad.

Nicolas apretó los dientes y maldijo por dentro. Estar siempre tan descontrolado cuando estaba con ella era una locura. Una locura y una incomodidad. Y lo peor era que, en cualquier momento, Dahlia podía dejarlo. Puede que a ella no le hiciera gracia, incluso puede que fantaseara con él de vez en cuando, pero podía hacerlo. Y ella era la emocional, la instintiva. Él no podía dejarla. No tenía ni idea de cómo había pasado, cómo había conseguido introducirse en sus pulmones hasta el punto que, sin ella, no podía respirar.

—Sube al taxi.

Lo dijo como una orden, sabiendo que ella detestaba las órdenes.

No tenía ni idea de cómo había sucedido. Había vivido perfectamente bien sin ella durante años. Nunca había pensado demasiado en encontrar una mujer con quien compartir la vida. Llevaba una vida solitaria, iba donde quería, no estaba atado a nada, ni física ni emocionalmente, y así lo prefería. Hasta que llegó a Louisiana y conoció a una mujer que podía sacudirlo de arriba abajo con una sola mirada.

Dahlia subió al asiento trasero del taxi. La presión que se le acumulaba en el pecho era increíble. La rabia era intensa y furiosa. Igual que la intensidad de la pasión que compartía con Nicolas. Llenó de aire los pulmones. Se retroalimentaban. No había otra explicación. Cuando tocaba a Nicolas, él disminuía la cantidad de energía que se acumulaba en ella. Cuando formaban un arco de energía entre ellos, construían juntos la fuerza y la pasión del mismo; uno alimentaba la intensidad del otro.

Se aclaró la garganta cuando Nicolas dobló su enorme cuerpo y se sentó a su lado. Esperó a que diera las instrucciones pertinentes al conductor y, luego, le tomó la mano. Esperó a ver si la apartaba. Todavía desprendía ira, pero se aferró a sus dedos.

—Estamos amplificando las emociones del otro.

Dahlia lo dijo en voz baja, con claridad y sin maquillarlo, mientras miraba por la ventana.

Nicolas cerró los ojos un momento. Dahlia tenía razón y él lo había sabido desde el principio. La certeza de que, en cierto modo, lo sabía e igualmente había permitido que amplificara sus emociones le molestaba casi tanto como la necesidad que tenía de estar con ella. Al fin y al cabo, ¿qué sabía de ella? La miró. Era todo lo que siempre había querido, aunque nunca lo había sabido. ¿Y ahora qué iba a hacer? Frotó sus dedos con el pulgar con la intención de tranquilizarla.

Respira conmigo. Necesitaba que Dahlia lo alejara de un precipicio que no entendía demasiado bien. La ira que había nacido en él, cruel, firme y desagradable, enseguida se había convertido en una necesidad vital de fundirse con ella. De acercarla a él tanto como él se había acercado a ella. Quería que lo necesitara al mismo nivel primitivo que él. Le costaba admitir que no controlaba tanto sus pensamientos, sus sentimientos, ni siquiera sus palabras como siempre había creído.

Dahlia percibió el cambio en la energía en cuanto los dos empezaron la respiración meditativa. Rítmica, controlada, profunda. Notó cómo la oscura ira se evaporaba, salía con el aire que expulsaba de los pulmones. Fuera. La emoción los envolvió a los dos en una oleada de energía renovada. Intentó respirar a través de esa energía.

¿Qué es eso?

¿Lo has notado? Dahlia vio cómo Nicolas asentía. *Estamos cada vez más compenetrados. Percibo el más mínimo cambio en tu humor y ahora tú puedes hacer lo mismo conmigo. Nunca antes habías percibido la energía así, ¿verdad?*

Nicolas se tomó su tiempo para pensárselo. A veces podía captar pensamientos. Sí que podía percibir emociones. Si alguna vez había «sentido» la energía, había sido antes de un ataque. Quizás una rabia oscura en una persona muy agresiva. ¿Acaso estaba ganando habilidades? No sabía si deseaba la misma maldición que le habían regalado a Dahlia.

Es que hemos conseguido controlar la energía juntos, Nicolas. Estaba muy emocionada. *Quizás el primer intento no fue tan bien, pero ahora ha funcionado. Nunca había conseguido controlarla. Sólo la gestionaba. La mantenía acumulada hasta que encontraba un lugar donde poder deshacerme de ella, pero ahora hemos respirado juntos de verdad y he encontrado el pequeño y tranquilo lago de tu mente y la energía ha desaparecido.* No sabía cómo explicarle el enorme adelanto que suponía para ella. Durante años, había probado la meditación y las prácticas de cánticos, y no había funcionado nada. La meditación la había ayudado a sobrellevar la carga, pero nunca había conseguido que la energía se disipara. Con Nicolas, por fin lo había logrado. Le parecía un milagro.

He notado que tu habilidad para utilizar la telepatía es mucho más fuerte. No tengo que mantener el puente solo. Nos hemos encontrado a medio camino.

Dahlia parpadeó. *¿Ah sí? Eso no tiene sentido. No tengo ninguna habilidad telepática. Nunca la he tenido. Si la otra persona es telépata, puedo enviarle todos mis pensamientos y ella hace todo el trabajo.*

Pues no lo estoy haciendo todo yo. Nicolas la rodeó con el brazo. En el espacio de pocos minutos, había pasado de estar enfadada, a estar feliz, y a estar asustada.

¿Qué significa eso? Dahlia no quería ser telépata. Ya tenía bastante trabajo con gestionar los «regalos» que tenía.

—Pare —dijo Nicolas de repente, asustándola—. Nos bajamos aquí mismo.

Dahlia miró por la ventanilla y vio que estaban en las afueras de la ciudad, con un puente que cruzaba el río. El taxi aparcó bajo unos árboles. Nicolas le dio varios billetes antes de apearse del coche. Tuvo la precaución de no soltarla y de mantener el taxi entre ellos y cualquiera que estuviera observando. Enseguida se la llevó al santuario que suponía la arboleda. Vieron cómo el taxi se marchaba.

—¿Dónde está? —Dahlia no veía el Ford azul ni a su presa.

—Al otro lado del puente. Ha aparcado en un camino de tierra y se ha bajado del coche. Ha seguido a pie.

—No me gusta. No hay donde esconderse.

—No esperaba que nos lo fueran a poner fácil. Seguro que han buscado un lugar aislado para poder sonsacar información a quien quiera que trajeran aquí y que fuera fácil de defender. Con un camino de tierra despejado, verán a cualquiera que se acerque.

Dahlia se dejó caer al suelo y se quitó la sudadera. Ya empezaba a hacer calor y la camiseta que llevaba debajo ya estaba empapada.

—Imagino que nos quedaremos aquí todo el día, ¿no?

Se recogió el pelo en una trenza y luego lo retorció para hacerse un moño y dejarse la nuca despejada. Su cuerpo necesitaba desesperadamente unas horas de sueño; un sueño que le permitiera no seguir pensando en lo que había surgido entre ellos en el ferri.

—Voy a echar un vistazo a la zona cercana al camino y asegurarme de que mis teorías son correctas, pero, sí, podemos descansar aquí.

—Dejó la mochila en el suelo, junto a Dahlia—. Al menos, estás al aire libre y lejos de cualquier persona.

Dahlia se fabricó una almohada con la sudadera y se acurrucó en el suelo.

—Mientras tú haces tus cosas, voy a dormir un poco. Estoy agotada.

Tendida en el suelo, parecía muy vulnerable. Nicolas notó un nudo en el estómago. Se arrodilló a su lado y le dio la cantimplora.

—No tardaré.

Le apartó varios mechones de la cara.

Ella le ofreció una delicada sonrisa.

—Tómate el tiempo que necesites. Voy a dormir. Tras una situación altamente traumática, necesito dormir mucho. Y esta sería una de esas situaciones.

Nicolas continuó acariciándole los mechones de pelo entre los dedos.

—Creía que te costaba dormir.

—He dicho que necesito dormir. No es lo mismo.

—¿Vas a preocuparte por mí?

—Para nada. Ya eres mayorcito.

Nicolas se rió.

—A veces eres muy mala.

Ella fingió engreimiento.

—Es lo que me hace tan atractiva.

Nicolas empezó a levantarse, pero ella lo agarró del brazo.

—¿Has traído esa manta vieja?

Nicolas sintió la repentina tensión que se formó entre ellos. Ella hizo lo que pudo para adoptar un aire despreocupado, como si no le importara en lo más mínimo, pero Nicolas juró que oyó la fuerza con que le latía el corazón. Dahlia apartó la mirada y dejó caer la mano.

—Sí.

Su voz sonó más ronca de lo que pretendía. Encontró la vieja manta con los extremos deshilachados en el fondo de la mochila y la alisó con las manos.

Dahlia se incorporó y alargó la mano muy despacio. Se agarró a la tela casi con devoción. Nicolas la observó mientras la acariciaba, como lo haría una niña pequeña, casi como si no supiera lo que estaba haciendo o como si sus gestos fueran automáticos. Las yemas de los dedos acariciaban los extremos, un delicado gesto. Dahlia le sonrió. Una sonrisa sincera, aunque también con lágrimas en los ojos.

—Gracias, Nicolas —dijo, casi ahogada.

Todo en el interior de Nicolas gritaba que la abrazara.

—De nada, Dahlia.

Se volvió porque tenía que hacerlo. Porque sus sentimientos los abrumaban a los dos. Porque ella creería que era lástima y lo odiaría por eso. Porque Dahlia lo estaba consumiendo por dentro. La vio tranquilizarse con una estúpida pieza de tela, como si esa cosa representara su familia, su pasado... y así era. Mientras se alejaba, maldijo a Peter Whitney.

Quería ser él quien la tranquilizara, y no una estúpida manta que deberían haber tirado a la basura hacía años. Jamás en su vida había pensado que una situación lo superaría. Ni siquiera de pequeño, cuando su abuelo desapareció en la montaña y lo obligó a encontrar el camino de vuelta solo. Ni en el dojo, durante su entrenamiento, cuando lo «atacaron» varios hombres adultos mucho más preparados que él, ni siquiera en las Fuerzas Armadas ni cuando lo dejaron solo en la jungla para una misión. Pero ahora sí. No tenía ni idea de cómo retener a Dahlia con él.

Había crecido sin madre ni abuelas. Nunca había explorado las relaciones emocionales o el matrimonio. Nunca había recibido ningún consejo sobre esos asuntos. Lo más cerca que había estado de una relación fue cuando vio cómo Ryland Miller perseguía a Lily. Se había vuelto loco. Y ahora Nicolas tenía la sensación de que se había unido a la multitud de hombres que habían perdido la cabeza por una mujer.

Meneó la cabeza mientras avanzaba junto al río, escondiéndose entre los arbustos. Necesitaba encontrar una buena posición para observar el terreno que cruzarían por la noche. También quería comprobar con cuánta gente tendrían que enfrentarse. Era posible que

Calhoun ya estuviera muerto y que estuvieran arriesgando la vida por nada. Estaba en una misión de reconocimiento y le resultaba familiar. Podía concentrarse en el trabajo y no pensar en la violencia de sus emociones cuando pegaba a Dahlia a su cuerpo. No pensar en el calor, la necesidad y la pasión. Gruñó y cerró los ojos, meneó la cabeza y recurrió a su fuerza interna para apartarla de su mente. Alcanzó cierta calma, pero tenía que reconocer que ella estaba con él, en algún lugar cerca de su corazón y en lo más profundo de su ser, de donde jamás podría sacarla.

Nicolas cortó varias ramas de una planta que crecía en abundancia en las orillas del río. Se fabricó un disfraz para pasar desapercibido. Se tomó su tiempo y consiguió una réplica bastante exacta de los arbustos entre los que se movería. Tenía todo el día y era un hombre paciente. Simplemente, se convirtió en la planta y avanzaba tan despacio entre los juncos que era imposible verlo. Llegó en un lugar abierto, bocabajo, tendido entre las plantas y los arbustos, arrastrándose por la orilla del río hasta que vio la vieja casa.

Entonces encontró un lugar perfecto, en el barro, en la orilla del río, con el agua rozándole el estómago, rodeado de juncos y arbustos, así como una buena vista de su presa. Por el día, había muy poca actividad en la casa. Contó tres guardias. Uno estaba soñoliento bajo el sol, incómodo por el calor y la humedad, lo que dejaba claro que no era nativo de Louisiana. Otro iba de un lado a otro, siguiendo siempre la misma ruta y sin dejar de fumar. El tercero se tomaba en serio su trabajo. Ignoraba las conversaciones entre los dos primeros y, con los prismáticos pegados a los ojos, observaba el río, el camino y todas las zonas alrededor de la casa con meticulosidad. Ninguno de ellos era el tipo del ferri. Y eso significaba que, como mínimo, había cuatro personas vigilando a Calhoun, suponiendo que lo tuvieran allí.

Capítulo 10

Nicolas regresó con Dahlia después de la puesta de sol. Ella estaba sentada bajo los árboles, como una preciosa muñeca de porcelana. Tenía una piel perfecta, tan inmaculada que parecía que brillaba. Llevaba varias ramas y hojas entre el pelo, pero, en lugar de restar belleza a la imagen, eso lo llevó a pensar en noches salvajes y sexo apasionado. En el suelo había un mantel blanco con lilas. Y, encima, dos platos de papel con pollo frito frío, judías blancas y arroz.

—Estás quemado —lo saludó, con una sonrisa.

—Has estado ocupada —comentó él. No estaba seguro de si le gustaba la idea de que hubiera ido a comprar mientras el enemigo estaba en la misma zona, pero se guardó sus opiniones.

—He pensado que, después de pasarte el día tendido al sol, tendrías hambre y sed.

Nicolas ya estaba bebiendo. El agua le refrescó la garganta. Estaba muerto de sed. Le había dejado la cantimplora a Dahlia y, aunque el río lo había mantenido relativamente fresco, estaba deshidratado.

—Pues has acertado.

Estaba acalorado, sucio y desaliñado.

—Si quieres lavarte, he descubierto un cobertizo al otro lado de la arboleda. Hay una pila y agua corriente. —Se levantó de un salto—. Ven, te lo enseñaré.

—Ya lo encontraré.

Mirarla le hacía daño. Estaba claro que, cuando se trataba de Dahlia Le Blanc, estaba indefenso. Recogió la mochila y siguió la dirección que ella le había indicado. Hasta los pulmones le dejaban de funcionar cuando estaba cerca de ella. Parecía que, en algún momento, los papeles se habían invertido. Él siempre había sido el tranquilo, el que había sabido controlar sus sentimientos, y Dahlia lo contrario. Ahora, podía jurar que ella había hecho algo para cambiarlo todo. Había salido por la mañana y todo había ido como estaba planeado, pero al volver, la había mirado y había perdido los estribos. Mirarla y no saber qué hacer no era agradable. Sus ojos lo obsesionaban.

En lo más profundo de los ojos de Dahlia, donde sus miradas se encontraban, vislumbró cicatrices y horribles heridas que nunca se habían cerrado del todo, que todavía seguían abiertas, dolían y estaban escondidas para el resto del mundo. Pero él las veía cuando nadie más podía, y supo que había nacido para ella. Había nacido para curarla. Le habían dicho, una y otra vez, que había nacido con ese talento y, sin embargo, cuando la miraba y la tocaba, no conseguía reducir el dolor por su pasado. Todo lo contrario, parecía que sumaba preocupaciones a esa silenciosa carga.

Encontró el cobertizo detrás de un taller más grande. Se quitó la ropa sucia, aunque no los pantalones. Dahlia y él se pasarían gran parte de la noche en el agua y no quería mojar toda la ropa que llevaba. Se lavó meticulosamente, incluso el pelo. Por primera vez, le importaba el aspecto que tuviera delante de otra persona.

Cuando regresó, ella tenía la misma sonrisa decidida.

—Ven a comer, Nicolas. No puedes ir a buscar a Jesse hasta que haya anochecido, así que incluso puedes dormir un poco.

Dahlia esperó a que se tendiera en la sábana que había «tomado prestada» de una cuerda de tender. Estaba tan guapo que tenía miedo de hablar demasiado, así que se quedó callada y lo observó mientras devoraba el pollo, el arroz y las judías que había comprado en una tienda que estaba a varios kilómetros. Había tenido que caminar un buen rato y estar en compañía de un pequeño grupo de gente mientras escogía lo que a Nicolas le gustaría comer, pero viéndolo disfrutar de la comida estaba claro que había valido la pena. Se sentía orgullosa de sí misma e incluso un poco esposa, cosa que en realidad era una estupidez y que la molestaba sobremanera. Aunque no podía dejar de sonreír como una tonta. El sueño le había sentado muy bien y se encontraba mucho mejor y lista para volver a empezar. Se avergonzaba de haberse enfadado y deseaba que su gesto lo compensara.

—No he visto ni rastro de Calhoun —admitió Nicolas mientras se terminaba las judías—. Pero la casa está muy vigilada y, si estuviera muerto o lo tuvieran en otro sitio, no tendría que ser así. Creo que tenemos muchas posibilidades de encontrarlo con vida, Dahlia.

—¿Crees que alguno de esos hombres será como nosotros? ¿Un Soldado Fantasma? —Utilizó aquella definición a propósito. Para ver si encajaba con ella. Si podría formar parte de algo cuando no tenía nada—. Porque Jesse es telépata. Yo no puedo alcanzarlo, pero tú quizá sí.

Durante las largas horas que se había pasado bajo el sol vigilando la casa, había pensado en intentar establecer comunicación varias veces. Lo único que lo había frenado era una posible trampa. Estaba seguro de que los secuestradores de Jesse Calhoun querían que Dahlia los siguiera. Había sido demasiado fácil. Estaban esperando que fuera ella quien intentara rescatar al rehén. Nicolas no se imaginaba que la brutalidad del hombre que había visto en el gimnasio del sanatorio fuera fingida. Dudaba que Calhoun estuviera metido en el ajo, pero aquellos hombres estaban demasiado bien entrenados e iban demasiado armados para no formar parte de algo muy bien planificado y sucio.

—No lo sé. Puedo establecer contacto con alguien si he creado un vínculo con él, pero, por desgracia, Calhoun y yo no tuvimos tiempo para eso. Si alguien de la casa fuera telépata, podrían interceptar la comunicación. No quiero arriesgarme a ponerlos sobre aviso. Puede que lo mataran antes incluso de que llegáramos.

—Puedo escurrirme entre ellos, Nicolas.

Él levantó la cabeza al instante, con los oscuros ojos fríos como el acero.

—Estoy seguro de que puedes, Dahlia, pero no vamos a hacerlo así.

Dahlia intentó no ofenderse por el tono autoritario de su voz.

—No te pongas en plan militar conmigo. Este es mi problema, ¿recuerdas? Sólo digo que puedo entrar y comprobar si está vivo antes de que entres. ¿Por qué arriesgarnos, si resulta que no está ahí dentro? Sería una estupidez.

Nicolas quería sacudirla. Estaba sentada frente a él con una actitud fría, tranquila y decidida. No, obstinada. Parecía obstinada. No había otra palabra para describirla.

—Pareces obstinada en lugar de razonable, Dahlia. Olvídalo. Esto no es una democracia.

—Exacto. Me alegro de que estés de acuerdo conmigo. Puedes quedarte detrás y hacer lo que haces siempre. Pega el ojo a la mirilla y protégeme. Yo me escurriré en la casa entre la oscuridad y echaré un vistazo. Es imposible que hayan instalado un buen sistema de seguridad en tan poco tiempo y, en cualquier caso, he desactivado muchos.

—Apuesto a que sí. Así que crees que debería dejarte entrar allí sola con al menos cuatro hombres bien entrenados en tácticas militares. —Levantó la mano antes de que ella pudiera responder—. Porque, para mí, no tiene sentido enviarte allí dentro cuando esperamos encontrarnos a Calhoun torturado y dolorido. Los dos sabemos que le dispararon. ¿Has pensado en el tipo de energía que emitirá? ¿Qué clase de energía combinada emiten esos cuatro hombres juntos? Me atrevería a decir que sería un mal plan enviar a una mujer de tu tamaño, incapaz de sacarlo de ahí en brazos y con tus problemas. Te encontraría en el suelo en pleno ataque, y entonces tendría que sacaros a los dos.

La había herido. Lo vio en sus ojos antes de que las pestañas se cerraran. Una mirada bastó para que se le hiciera un nudo en el estómago.

—Maldita sea, Dahlia. Te estoy diciendo la verdad, y lo sabes. Enviarte allí dentro sola sería un suicidio. No me mires así, sabes que tengo razón.

Ella juntó las yemas de los dedos y las apretó.

—Podría pasar. No voy a negar que podría pasar. Por otro lado, me niego a vivir la vida con miedo. ¿Qué otra cosa vamos a hacer?

Puedo desdibujar mi imagen y meterme en sitios pequeños. Créeme, no me verán. La otra opción es... —Dejó la frase en el aire, lo miró y abrió los brazos para definir su tamaño.

—Iré yo. Soy un Soldado Fantasma, Dahlia. También tengo mis propios talentos.

—Pero puedes protegerme con un arma, y no estoy segura de que yo pueda hacer lo mismo por ti. Me han enseñado a disparar y puedo darle al objetivo, pero dudo que pudiera disparar a un ser humano. Lo intentaría, Nicolas, pero las repercusiones serían tan terribles que sufriría la energía de la intención de matar a alguien. Ya has visto lo que puede pasar.

—Y lo he sentido —admitió, muy serio. Y no tenía ninguna intención de volver a vivirlo.

—En casa, quería ayudar a Jesse, evitar que le hicieran daño. No pretendía quemar a nadie, sólo asustarlos mientras se lo llevaban. Cuando la energía es tan potente no puedo controlarla. Podría quemar la casa entera contigo y Jesse dentro.

Intentó mantener la voz pausada. Jamás se había sentido tan inútil. Nicolas había conseguido reducirla a una carga. Apartó la mirada hacia los árboles y respiró hondo para intentar controlar las crecientes emociones. Necesitaba alejarse de todo, regresar a su santuario en el pantano. Era el único lugar que conocía. El único que sentía como su hogar.

—Dahlia. —Nicolas alargó la mano y le secó las lágrimas que le resbalaban por las mejillas—. No puedo cambiar lo que soy, ni siquiera por ti.

Ella apartó la cara de la caricia.

—No entiendo a qué te refieres.

—Me refiero a que siempre entro primero. Me refiero a que me encargo de la misión peligrosa. Rijo mi vida por un estricto código y, para mí, es una cuestión de honor.

Ella se quedó sentada en silencio unos minutos antes de moverse y apoyarse en el tronco del árbol más cercano para dejarle espacio para tenderse.

—No invalida lo que has dicho. Si entrara, sería una carga para ti. Para los dos.

Nicolas suspiró mientras se tendía en la sábana y apoyaba la cabeza en su regazo. Dahlia no protestó y su mano reposó en su pelo de inmediato. Le acarició unos mechones de pelo con los dedos pulgar e índice.

—Yo no dicho nada de una carga, Dahlia. Nunca podrías ser una carga. Tengo que hacerlo a mi manera. De la forma que me entrenaron. A ti se te dan bien muchas cosas. Y a mí se me da bien esto.

Ella se reclinó en el tronco.

—¿Y qué se supone que tengo que hacer mientras entras en la casa solo?

—Esperar. Si está vivo, vamos a tener que sacarlo muy deprisa. Necesitará atención médica lo antes posible. Tendremos que ponernos en contacto con tu gente y llevarlo al hospital.

Su voz era somnolienta. Dahlia bajó la mirada hasta su rostro perfectamente esculpido. Le recorrió la potente mandíbula con los dedos.

—Yo no tengo gente. Trabajo para ellos, pero no soy uno de ellos. No es lo mismo. Jesse es un NCIS; yo no soy nadie.

Nicolas intentó analizar su voz. ¿Era la pena por la soledad o el tono? O quizá despertó algo en él. Incluso en las sesiones de entrenamiento se había sentido diferente, hasta que intentó aprender a utilizar las habilidades para curar que sus dos abuelos dijeron que tenía. Se había presentado voluntario para que le reforzaran las habilidades, básicamente con la esperanza de que le abrieran la mente a las artes curativas. Había conseguido muchos talentos psíquicos y, por primera vez, se había sentido parte de algo más grande, aunque, para su desgracia, seguía sin poder recurrir a la potente fuente de energía que sus abuelos vieron en su interior.

Alargó el brazo, la tomó de la mano y le rodeó los dedos.

—No digas que no eres nadie, Dahlia. Eres un Soldado Fantasma. Te contrataron porque eres excepcional en tu trabajo. Y, para ser un par de personas que prefieren la soledad, no lo hacemos nada mal juntos, ¿no crees?

Ella dibujó una delicada sonrisa.

—Al menos, he aprendido a no quemar dedos.

El agua del río trajo una fresca brisa nocturna que ayudó a disipar el calor del día.

—Me gusta estar contigo, Dahlia. Con los dedos quemados o sin ellos.

Dahlia lo miró. Tenía los ojos cerrados y la voz soñolienta, poco más que un murmullo. Había algo en él que le transmitía tranquilidad. Se había esforzado mucho para encontrar paz en la vida, un santuario, pero siempre había sido sola, en su casa, en el pantano, nunca acompañada. Era incapaz de pasar más de media hora con Milly, Bernadette o Jesse. En cambio, estaba con Nicolas casi de forma continua y, cuanto más contacto físico tenía con él, más fácil le resultaba.

Se quedó callada, porque quería dejarlo dormir. Nunca parecía cansado y, sin embargo, ahora le veía arrugas de agotamiento en la cara. Se las acarició con las yemas de los dedos y luego volvió a dedicarse al pelo. Necesitaba tocarlo. Quería tocarlo. Nicolas tenía el sueño ligero. Ella era muy consciente de que sabría las libertades que se estaba tomando, pero no importaba. Que durmiera y soñara con ella.

Dahlia deslizó los dedos hasta su pecho; unos dedos preciosos con más fuerza de la que Nicolas imaginaba. Más magia. Los dedos impusieron un ritmo sensual sobre su piel, tensando cada músculo y aumentando el placer. Dahlia le parecía menuda y frágil, pero aquellas caricias tenían una intención. Incluso una exigencia. La brisa nocturna le rozó la piel, refrescando el calor y aumentando la sensibilidad.

Nicolas sabía que estaba entre el sueño y la realidad, en algún lugar entre las dos fases. Incluso puede que estuviera sonámbulo. Tenía todas sus facultades. No le importaba, y se negaba a analizarlo. Deseaba sus caricias más que saber lo que era real.

La escuchó susurrar, delicada como la brisa, y notó la calidez de su aliento en la cara. El roce de sus labios en los suyos. Suaves, sensuales... Pequeños besos que lo tentaban. Le mordisqueó el labio inferior. Le recorrió el perfil de la boca con la punta de la lengua. El corazón de Nicolas latía acelerado, y el sonido resonaba en su cabeza como un trueno.

La agarró por la nuca, aplastándole el sedoso pelo con la mano, y la sujetó con fuerza para que no escapara. ¿Por qué siempre tenía la sensación de que estaba a punto de escaparse? Estaba soñando. Era su sueño y quería besarla. Su boca se apoderó de la de Dahlia. Y se perdió en la calidez. Decidió dejar de fingir que estaba dormido, porque quería que fuera real y perderse en su sabor y textura.

—Dahlia —susurró el nombre contra su piel. Inhaló su esencia y se llenó los pulmones con ella—. ¿Qué haces?

—Perder la cabeza —respondió ella, también en un susurro, con la boca ardiendo y expulsando lava hacia su torrente sanguíneo—. Quería sentirme como una mujer de verdad, aunque sólo fuera por esta vez. Estabas ahí tendido tan guapo, tan relajado, y la noche es tan perfecta. Casi he olvidado lo que soy. —Movió la cabeza, resistiéndose a su firmeza y con dolor líquido en los ojos—. Es hora de despertarse.

Nicolas le tomó la cara entre las manos y la sujetó. Sabía a qué se refería, pero no estaba dispuesto a renunciar a su sueño.

—Hemos estado despiertos. Todo este tiempo, los dos estábamos despiertos. —Le besó los párpados con delicadeza. Y la punta de la nariz. Y las comisuras de los labios—. Eres un Soldado Fantasma, y eso no tiene nada de malo.

Ella se apartó y volvió a apoyarse en el tronco.

—Para ser un hombre tan sensato casi siempre, no eres demasiado realista cuando se trata de mí. Te arriesgaste mucho en el ferri. ¿Qué hubiera pasado si, en lugar de diluir la energía violenta con la sexual, te hubieras quemado? ¿Te paraste a pensar que podía suceder? —Se tapó la boca con la mano—. Yo sí.

—Claro que lo pensé, Dahlia. Pero ¿cuál era la alternativa? Supongo que habría podido lanzarte al agua o dejar que tuvieras un ataque delante de todo el mundo. *Delante de mí. Puedo leer tus pensamientos, ¿recuerdas? Sabía que, si eso sucedía, no hubieras querido volver a mirarme a la cara.*

189

Ella levantó la cabeza, con los ojos ardiendo con ira.

—Entonces, ¿arriesgaste tu vida en lugar de permitir que me humillara en público? Joder, Nicolas, no tiene sentido. No necesito un príncipe azul. —Si alguien necesitaba un príncipe azul, era Dahlia. Y lo peor era que sólo pensar en el riesgo que había corrido por ella la hacía estremecerse. Se frotó las doloridas sienes—. ¿Y no pensaste que podías haberme violado allí delante de toda esa gente?

Fue muy dura a propósito, porque necesitaba que despertara de su sueño para poder despertar ella también.

Nicolas se sentó y dibujó una sonrisa irónica.

—Bueno, no, ni se me pasó por la cabeza. Ahora ya sabemos lo que puede pasar cuando se juntan las dos energías. ¿Qué sentías tú?

Ella se sonrojó.

—Creo que eso no importa. No deberíamos haber intentado nada sin saber lo que iba a pasar. —Detestaba su voz recatada—. ¿No va siendo hora de que te marches?

Nicolas miró el reloj.

—Quiero que estén cansados y desubicados. Además, la conversación se estaba poniendo interesante.

—Vas a obligarme a responder, ¿verdad? Creía que eras un caballero.

—Sólo cuando sirve a mi propósito —respondió él, sin dudarlo.

Dahlia puso los ojos en blanco.

—Si quieres saberlo, sentía lo mismo. Agresiva y fuera de control.

—Entonces, ¿querías arrancarme la ropa?

—No es gracioso, Nicolas. Habría podido salir muy mal.

—Pero salió bien. —Se colocó encima de ella, amoldándose a su cuerpo. Le besuqueó la mejilla y le mordisqueó el labio inferior hasta que ella se relajó—. Y salió bien porque controlamos la situación. Puede que dudáramos un poco, pero funcionó. No nos arrancamos la ropa y no tuviste un ataque. Ahora ya sabemos que podemos diluir la energía violenta con otra distinta. La próxima vez, explicaré chistes verdes.

Ella lo acarició.

—Te arriesgas demasiado, Nicolas. He pasado mucho miedo por ti.

Lo dijo con la voz entrecortada y el corazón de Nicolas dio un vuelco.

—Quien estaba en peligro eras tú, Dahlia. Soy mucho más fuerte que tú y no presentaste demasiada resistencia, que digamos.

—Y nunca te lo habrías perdonado, Nicolas. He tenido que vivir con eso. He hecho cosas terribles. Siempre fueron accidentes, pero, al final, la responsable era yo porque no había sabido controlar mis emociones o gestionar la increíble cantidad de energía que se acumulaba en mi interior. Tú has construido toda tu vida alrededor de la disciplina. Y yo soy un auténtico caos, ¿no lo ves? Me esfuerzo mucho por establecer el orden, pero interrumpo el flujo natural de la energía. No puedo evitarlo, así que he intentado encontrar formas para dispersarlo. Si no lo hubiera hecho, el dolor me habría vuelto loca. Tenía que aprender a imponer el orden, porque era el único momento en que los efectos de la acumulación de energía no me afectaban. Y eso no va a cambiar. Si hubiera alguna forma de cambiarlo, ya la habría descubierto.

—Dahlia, voy a entrar en esa casa y voy a sacar a Calhoun. Será mejor que estés aquí cuando vuelva. Te encontraría y, créeme, descubrirías que no siempre me controlo, así que quítate de la cabeza eso de marcharte para salvarme de mí mismo. —La agarró de los hombros y la sacudió un poco—. Soy un adulto. Tomo mis propias decisiones. Y no pienso aceptar que me protejas más de lo que tú quieres que yo te proteja a ti. ¿Entendido?

Dahlia suspiró, porque quería enfadarse para que Nicolas supiera lo que estaba pensando, pero, inexplicablemente, le gustaba que insistiera en que lo esperara.

—Entendido. Procura que no te maten. Me volvería loca y Dios sabe que, seguramente, quemaría medio estado de Louisiana.

Nicolas sacó su móvil.

—No lo derritas. Lo necesitamos.

—Entonces, ¿por qué me lo das?

Lo dejó caer encima de la sábana.

—Porque puedes necesitarlo. El número de Lily está en la memoria.

Dahlia miró el teléfono con interés. Lily estaba al otro lado. La Lily de verdad, no un producto de su imaginación. No la Lily de sus sueños. La tentación de descolgar el teléfono era casi tan grande como su repentino miedo.

—Ten cuidado, Nicolas. No seas demasiado confiado. Tienes tendencia a serlo.

—Nunca soy demasiado confiado —replicó él. La tomó por la barbilla y le frotó los labios con los suyos—. Escúchame bien, Dahlia. Si algo sale mal, lo que sea, márchate enseguida. Tienes el teléfono y el número. Llama a Lily. Los Soldados Fantasma vendrán lo antes posible.

Dahlia lo agarró antes de que pudiera darse la vuelta.

—Ahora escúchame bien tú a mí, Nicolas. Si algo sale mal, no te hagas el héroe. Márchate enseguida y de una pieza. Llamaremos a Lily y ella enviará a los demás.

Nicolas la miró durante lo que pareció una eternidad, un momento que se alargó en el tiempo. Sus facciones duras se relajaron. Y sus ojos negros se llenaron de ternura.

—De acuerdo. Volveré.

Nicolas notó cómo los dedos de Dahlia se aferraban a él unos segundos más y luego lo soltaban. Se fue con el equipo mínimo, porque quería entrar y salir lo más sigiloso y deprisa posible. Se deslizó en el agua y se convirtió en una sombra que avanzaba río arriba hacia la casa. No hizo ruido, ni siquiera una pequeña salpicadura que delatara su posición. La corriente era fuerte, pero se mantuvo cerca de la orilla, maniobrando entre juncos, arbustos y rocas. Sólo sobresalía la cabeza, con la mirada despierta y fija en el guardia que estaba frente al río. Con las rocas a su espalda y los arbustos protegiéndolo, sabía que estaba en una buena posición para esconderse.

La tensión aumentó. Una mala señal, una señal que había aprendido a interpretar como una señal de alerta. El guardia observó el agua oscura un rato antes de volver la cabeza. Después de haberlo observado durante todo el día, Nicolas sabía que el hombre se cegaría temporalmente cuando prendiera una cerilla y se encendiera un cigarro. Esperó el inevitable momento y, en cuanto la cerilla prendió, salió del agua y subió al dique, a escasos metros de la casa. No había nada tras lo que esconderse. Estaba tendido en el suelo, al aire libre, formando parte del terreno rocoso y moviéndose centímetro a centímetro.

Ya se había arrastrado por el camino que había visualizado mentalmente durante el día, tirado en el río, y sabía precisamente dónde tenía que ir y qué iba a encontrarse. No había perros que alertaran de su presencia y el guardia estaba aburrido e irritado con su trabajo, pero Nicolas no corrió más de la cuenta. Había un hombre que vigilaba bien durante el día y que, ocasionalmente, reprendía a los otros dos.

Avanzó hasta el perímetro de la casa y descubrió un fino cable en el suelo entre dos árboles. Había visto un destello de luz un par de veces y sospechaba que habían instalado alguna medida de seguridad provisional. Aunque estaba más bajo de lo que le hubiera gustado. No podía pasar por debajo del cable, como habría preferido. Tenía que pasar por encima, y apenas había tres o cuatro centímetros de césped para protegerlo.

Nicolas esperó en la oscuridad, respirando muy despacio, con los sentidos alerta para «sentir» algún movimiento en la noche. Algo hizo crujir las rocas que estaban en la esquina de la casa. Pasos que se dirigían hacia él. El guardia que sabía lo que se hacía estaba haciendo la ronda con su habitual meticulosidad. Nicolas alargó la mano hasta que encontró la forma familiar de la navaja. Con cuidado de no hacer ruido, la sacó de la funda que llevaba fija a la pantorrilla. Recurrir a la fuerza psíquica siempre era arriesgado. Animó al hombre a mirar hacia el otro lado, aunque de forma suave. Si se encontraba con una gran resistencia, pararía de inmediato. Algunas personas tenían una resistencia débil y enseguida aceptaban las sugerencias, por sutiles que fueran. Otras, en cambio, tenían barreras más fuertes y solían resistirse e incluso sospechaban, o se incomodaban. Miraban a su alrededor, meneaban la cabeza y se resistían al «empujón» que les daba para que hicieran algo que no querían.

Oyó un terrible grito que salía de la casa. Los insectos nocturnos se callaron al instante. El guardia del porche lanzó el cigarro al suelo y se inclinó para dirigirse al que estaba rodeando la casa.

—No va a decirle nada a Gregson. ¿Por qué no lo mata de una vez y terminamos con todo esto?

—Cállate, Murphy, y sigue vigilando.

Murphy maldijo y se alejó de la barandilla.

—Con tantos gritos, Paulie, ¿no crees que los vecinos no tardarán demasiado en llamar a la policía?

—Cuando alguien lo oiga, Gregson lo matará y nos largaremos. —Paulie se detuvo y retrocedió hasta que pudo ver a Murphy. Sus botas estaban a metro y medio de la cabeza de Nicolas—. Y será mejor que dejes de gritar. La mujer podría aparecer en cualquier momento.

Murphy dio media vuelta con el ceño fruncido. Miró a Paulie fijamente.

—Creo que con todos esos gritos sabrá que estamos aquí.

Paulie movió el rifle. Fue un gesto pequeño, pero una señal clara.

—Siempre has sido muy tiquismiquis, Murphy. Limítate a hacer tu trabajo.

Murphy escupió por encima de la barandilla y se marchó, pisando con fuerza la madera.

Paulie se quedó mirando la casa unos instantes antes de volver a recorrer el perímetro, por dentro del cable. Pasó a escasos centímetros de Nicolas. No estaba mirando al suelo, sino hacia la oscuridad.

Nicolas se quedó inmóvil hasta que Paulie dobló por la esquina de la casa. Se levantó y pasó por encima del cable. Casi de inmediato, en el porche, Murphy regresó. Nicolas se quedó inmóvil y lo «empujó» a mirar hacia otro lado. Ya no se oían más gritos, pero Murphy estaba muy incómodo con lo que estaba pasando. Se encendió otro cigarro y miró hacia el río, cegado por la cerilla. Cuando se alejó de la barandilla y empezó a ir de un lado a otro, Nicolas avanzó por el camino hacia la casa.

Las ventanas de ese lado estaban cerradas, pero no era un problema grave. Podía abrir cerraduras sencillas, y aquellas tenían los pestillos clásicos. Con toda la práctica que Lily les había hecho hacer, algo tan pequeño ya ni siquiera le daba dolor de cabeza.

Lárgate, Dahlia. Es una trampa. La voz masculina era débil y llena de sufrimiento, pero iba cargada con el inequívoco tono de quien está acostumbrado a obedecer.

Jesse Calhoun debió de sentir la energía de Nicolas manipulando los pestillos. *No soy Dahlia. ¿Alguno de los guardias es telepático?*

Nicolas notó la sorpresa de Calhoun y cómo, enseguida, se encerró en sí mismo. *Venga, hombre. No tengo mucho tiempo antes de que el guardia vuelva por este lado de la casa. Dahlia nos está esperando aquí cerca.*

Eres el francotirador. El del sanatorio. Su plan se fue a la mierda por tu culpa.

¿Cuántos hay dentro?

Cuatro. No sé los que habrá fuera, pero tienen la casa vigilada. Y tienen sensores en las habitaciones. Voy a morir de todas formas. No puedes salvarme, he perdido demasiada sangre y tengo las piernas hechas picadillo. Llévate a Dahlia lejos de aquí.

Voy a entrar.

Calhoun gritó de dolor, un grito eterno que provocó un nudo en el estómago a Nicolas. No tenía ni idea de si Gregson todavía seguía en la habitación torturándolo o si el grito tenía la intención de cubrir cualquier posible ruido. En cualquier caso, aprovechó la oportunidad para abrir la ventana y meterse en la casa. Mediante sus habilidades, activó los sensores de toda la casa mientras subía al techo, consciente de que irían a por él. No sabían en qué habitación estaba, así que tendrían que buscar una por una. Eso los dividiría.

Se pegó a las paredes como una araña, apretando con las manos y aferrándose con los pies, y avanzó hasta la esquina, encima de la puerta. No tuvo que esperar demasiado. La puerta se abrió de golpe y la sombra empezó a disparar. Las balas agujerearon las paredes y el suelo, y rompieron los cristales de la ventana.

El hombre entró en la habitación y la iluminó con la linterna. Nicolas se dejó caer en el suelo tras él, aterrizando sin hacer ruido y pasando la navaja de los dientes a la mano mientras lo hacía. Los otros estaban llenando de balas las otras habitaciones. Se abalanzó tras el guardia, un sombra sigilosa y letal y desapareció igual de deprisa, rodando por el pasillo, lejos de las botas que avanzaban hacia la habitación oscura. Justo encima del asiento bajo la ventana había un armario empotrado. Se subió encima y se escondió en la sombra mientras, con la mano, localizaba su Beretta.

—Es ella, joder —gritó alguien—. Id a la habitación de Calhoun. Ponedle una navaja en el cuello. Si consigue llegar hasta allí, amenazad con matarlo. Se rendirá.

Después de aquella orden, la casa se quedó en absoluto silencio. Nicolas escuchó atentamente los pasos que conducían hasta la habitación de Calhoun. Dos hombres venían hacia él, siguiendo las órdenes de Gregson.

Viene a ponerte una navaja en el cuello. No reacciones. Me encargo de él. Nicolas avisó a Calhoun de los planes.

Te digo que no vale la pena. Lárgate de aquí mientras puedas. La voz de Calhoun sonaba temblorosa, incluso en la mente de Nicolas.

¿Puedes encargarte del que viene hacia ti?

Estoy demasiado débil. Ni siquiera puedo levantar los brazos.

Nicolas localizó a los dos hombres que avanzaban como fantasmas por el estrecho pasillo. Era una mala posición para ellos, y lo sabían. Se escondían detrás de las puertas, aunque con cuidado después de haber descubierto el cadáver de su compañero.

Eres un Soldado Fantasma, Calhoun, igual que yo, igual que Dahlia. Oblígalo a alejarse de ti. Dame un poco de tiempo. Nicolas lo dijo como una orden. Calhoun era un Navy SEAL. Independientemente de para quién trabajara, cuando uno era un SEAL, lo era para toda la vida. Sabía reconocer una orden y la obedecería hasta el último suspiro.

A Nicolas le llamó la atención que Calhoun no cuestionara el término Soldado Fantasma. Ya lo había oído antes, y era algo que tener en cuenta. Sólo unas pocas personas con acceso a información confidencial conocían el término. Pero Jesse Calhoun no se había entrenado con él. ¿De dónde había salido?

Las luces parpadearon. Aquello se convirtió en una inmediata desventaja para él. Los fantasmas caminaban en la oscuridad. Nicolas se concentró en el circuito, en hacerlo saltar por los aires. No fue fácil. No tenía el talento de algunos otros Soldados Fantasma para eso. Casi de inmediato, empezaron a llover chispas y cristales. Los cables se derritieron y volvieron a dejar la casa a oscuras. Las llamas empezaron a subir por las paredes y el techo y a provocar sombras naranjas por todas partes. Nicolas no podía generar ese calor. Dahlia le estaba ayudando, concentrando la energía y dirigiéndola hacia un punto en concreto. Como siempre cuando se trataba de Dahlia, los resultados sobrepasaban sus expectativas.

Entonces esperó a que dos hombres pasaran por delante de él y se deslizó hasta el suelo en silencio, sustituyendo la Beretta por la navaja. Avanzó por el pasillo, pisando los talones a los dos hombres, haciendo coincidir sus pasos con los suyos. El primero abrió una puerta a la izquierda y, enseguida, Nicolas olió la sangre. El olor era muy fuerte, dulce y vomitivo. Y lo peor era el olor a infección. Como el fantasma que era, se colocó justo detrás del hombre que tenía más cerca, lo agarró por el cuello con un brazo de acero y se lo cortó.

Nicolas percibió la fuerza de Jesse Calhoun, que intentaba mantener toda la atención del primer guardia mientras avanzaba hacia la cama. Nicolas dejó el cadáver en el suelo y fue a por el otro. Ya tenía la navaja en la mano mientras se acercaba al agente del NCIS herido. Nicolas lo alcanzó antes de que llegara hasta Jesse y lo dejó caer al suelo sin importarle demasiado el ruido.

—Nicolas Trevane —se presentó, observando de cerca a Calhoun en busca de alguna señal de reconocimiento. El programa de los Soldados Fantasma había sido muy exclusivo.

—Ya sé quién eres —respondió Calhoun. Hablaba con un hilo de voz. El mero hecho de hablar parecía demasiado para él—. Saca a Dahlia de aquí. No pueden atraparla.

Nicolas le indicó que se callara. Podía sentir la presencia de Dahlia, a pesar de que le había dicho que se quedara lo más lejos posible de la casa, para que cualquier violencia que pudiera producirse se dispersara de forma natural antes de llamarla. Esperó en la oscuridad, asustado por ella, preguntándose si estaría bien mientras, a escasos centímetros, Jesse Calhoun estaba moribundo. Oyó que Gregson llamaba a sus hombres justo cuando una ráfaga de balas atravesó la pared. Se tiró al suelo y alargó la mano para agarrar a Calhoun.

El agente del NCIS era un peso muerto y ya estaba inconsciente cuando cayó al suelo. Nicolas lo tapó con el colchón para protegerlo un poco más de las balas que estaban abriendo boquetes en las paredes. Entonces se acercó a la ventana. El cristal estaba roto, aunque habían quedado varios trozos colgando del marco. Los rompió con la culata de la pistola y subió al tejado. Estaba justo encima de la cabeza de Murphy. El guardia se estaba asomando por la ventana, para intentar echar un vistazo a la casa.

Nicolas se quedó inmóvil, consciente del paso de los segundos. Segundos que Jesse Calhoun no tenía. Saltó en la oscuridad y Murphy ni siquiera tuvo tiempo de disparar su arma. La navaja se clavó en el objetivo y él se escabulló entre las sombras, tras Paulie.

La bala apareció de la nada y le rozó el hombro, llevándose tela, piel y pelo y quemándole la carne. La fuerza del disparo lo hizo darse la vuelta, pero se dejó llevar por el impulso y rodó por el tejado hasta que cayó al suelo del porche. Aterrizó de pie y rodó por el suelo hasta las macetas y la relativa protección que ofrecían.

—La tenemos arrinconada, Paulie —gritó Gregson—. Está en el porche.

Nicolas retrocedió hasta que tocó la barandilla con las botas. Los Soldados Fantasma preferían el terreno más elevado, pero se adaptaría a lo que tuviera a mano.

—No es la mujer, Gregson —informó Paulie a su jefe—. Es demasiado grande. Pero creo que le he dado. Dame un minuto para ponerme en posición y terminaremos con todo esto.

Nicolas saltó por encima de la barandilla y se escondió debajo del porche. Se deslizó por debajo de la casa siguiendo los pasos del guardia, y salió al exterior de la casa hasta que se colocó en una posición cercana al lugar de donde provenía la voz de Gregson. Esperó, contó los segundos y envió un «empujón» sutil al hombre para que volviera a hablar.

Gregson era de los que les gustaba controlar la situación, y la táctica de Nicolas funcionó.

—Envíamelo hacia aquí, Paulie.

Fue todo lo que Nicolas necesitó; una única frase para localizarlo. Apuntó y disparó en un movimiento ágil, con la intención de matar. Enseguida se movió y se pegó a la esquina de la casa.

—Sabía que abriría la bocaza. —La voz de Paulie estaba a escasos metros y venía de abajo, como si estuviera tendido en el suelo—. Y sabía que lo matarías.

Nicolas se quedó inmóvil mientras intentaba localizar al guardia. Notó un intenso calor a su alrededor. La temperatura aumentaba muy deprisa. Unas bolas de fuego anaranjadas cruzaron el cielo, dibujaron un arco por encima del río y explotaron en el suelo. Nicolas se tiró al suelo y, mientras rodaba, disparó tres veces hacia donde creía que estaba Paulie. El suelo temblaba con la fuerza de las bolas de fuego impactando contra la tierra. Oyó el gruñido de Paulie, bastante lejos de donde estaba antes.

Nicolas cerró los ojos y lo buscó con la mente hasta que localizó a su objetivo. Paulie se estaba arrastrando hacia él, intentando huir de la lluvia de fuego. Nicolas lo siguió, primero con la mente y luego con el arma. Apuntó y apretó el gatillo.

Capítulo 11

Se está muriendo, Nicolas. —Dahlia avanzó tambaleante hacia el hombre que estaba inmóvil en el suelo—. Jesse. —Los ojos se le llenaron de lágrimas—. No puedo perderte a ti también. No me hagas esto. —Se agachó a su lado, lo tomó de la mano, la apretó y miró a Nicolas—. Haz algo. —Dahlia jamás había visto nada parecido a esas piernas en carne viva que se suponía que eran las de Jesse. Se veían los huesos y los músculos, y había mucha sangre. Demasiada. Tenía quemaduras en el pecho y varios cortes, pero lo que realmente la horrorizó fueron las piernas.

—Ya he pedido una ambulancia, Dahlia, y el NCIS también ha enviado a varios agentes. Lily los ha avisado y llegarán en unos minutos.

Nicolas no podía mirarla. Estaba pálida como la pared y con los ojos demasiado grandes para su cara. Y el cuerpo entero le temblaba por las consecuencias de tantas muertes. Ya había vomitado una vez, y veía lo mucho que le costaba respirar. Estaba empapada y llena de barro después de haberse arrastrado por la orilla del río. Nicolas no tenía ni idea de cómo lo había atrapado, y cargando con la mochila, que pesaba lo mismo que ella, pero ahí estaba, con los ojos llenos de lágrimas y partiéndole el corazón.

—Puedes salvarlo, Nicolas —dijo ella—. Sé que puedes. Siento la fuerza en la habitación, con nosotros. Inténtalo. No vivirá hasta que llegue la ambulancia. Y lo sabes. Me dijiste que tu abuelo percibió ese talento en ti hace muchos años. Él podía curar, y tú también.

—Ya te dije que no puedo curar a nadie, Dahlia. Nunca he podido. —Fallarle a Dahlia lo hacía sentirse peor que jamás en su vida—. Lo siento, ojalá pudiera salvarlo por ti, pero no puedo.

No era que no pudiera sentir cómo la energía fluyera en su cuerpo. Estaba ahí, pero hecha un ovillo que nunca podría desenredar. De joven, había intentado aprender el secreto con todas sus fuerzas, había pasado tiempo en las montañas en busca de la visión, había meditado, y todo en vano. No podía sacar el poder de su cuerpo y trasladarlo a otro cuerpo, por grave que fuera la herida o por importante que fuera la necesidad.

—Hay un montón de energía bombardeándome, rodeándonos. Es violenta y desagradable, pero ya las hemos mezclado antes y podemos volver a hacerlo, aunque esta vez sea para una finalidad positiva. Puedo enfocar y concentrar la energía mediante los cristales. Nos has mantenido unidos mientras estabas aquí solo, y puedes mantenernos unidos para poder utilizar la energía. Nunca he podido soltar energía a través de los cristales, pero creo que tú sí que vas a poder.

—No tengo ni idea de cómo funcionan los cristales, Dahlia.

Y así era. Su gente usaba humo y espíritus, no rocas y minerales.

—Pero yo sí. —La energía se desplazaba hacia ella desde cualquier rincón de la casa para asaltarla como un gigantesco tsunami. Se meció hacia delante y hacia atrás, apretó los dientes y luchó por mantener la conciencia—. Tenemos que hacerlo ahora mismo, Nicolas.

Él se arrodilló a su lado.

—No podemos quedarnos aquí. Es demasiado peligroso, y los polis se van a poner en alerta en cuanto vean los cadáveres de fuera. Lo intentaré, pero apenas tenemos unos minutos. Y luego, nos iremos. —Ya estaba sacando las esferas de cristal de la mochila—. ¿Cuáles?

—Las ametistas para concentrarnos. Y el cuarzo rosa para curar.

Dahlia alargó la mano para buscar las esferas que quería, acariciando la superficie con las yemas de los dedos. El efecto relajante enseguida alivió parte de la enorme presión que se estaba acumulando en su cuerpo.

Nicolas colocó las manos encima del pecho de Jesse Calhoun. Las tenía congeladas. Notaba cómo la fuerza se movía en su interior, pero había una barrera que no podía superar. Por Dahlia, inició el centenario cántico sanador que su abuelo lakota le había enseñado.

Dahlia alargó los brazos, con los cristales en los puños, y colocó las manos encima de las de Nicolas, con las palmas hacia abajo. Enseguida, él notó una sacudida en el cuerpo, un latigazo de electricidad, y cómo el cálido flujo de energía pasaba de Dahlia a él y viceversa. El calor que emanaban las esferas le quemaba la piel mientras deslizaba las manos por encima del cuerpo de Jesse. La disciplina le fue muy útil, porque no permitió que su mente se concentrara en otra cosa que no fuera el maltrecho y destrozado cuerpo del agente del NCIS. En el latido de su corazón. En la corriente sanguínea por las venas y las arterias.

Nicolas notó cómo la energía crecía en volumen, fluía a su alrededor y a través de él; una masa turbulenta cada vez más fuerte a medida que Dahlia se concentraba y enfocaba la energía a través de las esferas de cristal. Entonces ella apretó las ametistas contra las manos de él. Por un momento, pareció que el tiempo se detenía. Una extraña luz violeta rosada brilló bajo las palmas de Nicolas e iluminó el cuerpo de Jesse. Nicolas parpadeó y, cuando abrió los ojos, había desaparecido. Seguramente, sólo había sido producto de su imaginación y, sin embargo, el calor era ciertamente real. El poder se movía por su cuerpo y el intrincado nudo empezaba a deshacerse, a abrirse y a crecer.

Ya no se sentía él mismo, sino parte de algo mucho más grande, parte de los átomos que llenaban el universo, que flotaban a su alrededor y que se acumulaban en su interior. Dahlia colocó el cuarzo rosa en las manos de Nicolas y él enseguida notó el fluido de energía. Se desplazaba por su cuerpo, le invadía las venas y las arterias, incluso el cerebro, viajando siempre hacia sus manos, hacia los cristales. Hacia el maltrecho cuerpo de Jesse Calhoun. La luz era intensa bajo las manos de Nicolas, irradiaba alrededor de Jesse y parecía cerrar todas las heridas, casi cauterizándolas mientras la fuerza pasaba de él al hombre que estaba tendido en el suelo sin moverse.

Las luces rojas de las sirenas de policía se reflejaron en la pared y rompieron el hechizo. Nicolas soltó el aire muy despacio y volvió a la realidad, sintiéndose extrañamente agotado. Se desplomó encima de Calhoun y se tambaleó unos instantes. Dahlia alargó las manos para sujetarlo. Él miró aquellas pequeñas manos en su brazo y luego miró a Jesse Calhoun. Tenía los ojos abiertos y lo estaba observando con cierto asombro.

—¿Qué has hecho?

—La policía está a punto de llegar. Y una ambulancia. Tengo gente esperándote que te mantendrán a salvo, Calhoun. Tenemos que irnos, pero sobrevivirás.

Calhoun miró a Dahlia.

—Alguien quiere matarla —dijo; cerró los ojos y pareció que había vuelto a perder la conciencia.

Nicolas le respondió de todos modos, por si todavía podía oírlo.

—Conmigo estará a salvo. —Luego se apresuró a guardar las esferas en la mochila y percibió, casi sin querer, que todavía estaban calientes—. Tenemos que marcharnos, Dahlia.

Ella se quedó mirando el cuerpo de Jesse. Respiraba con más facilidad y las heridas de las espinillas ya no sangraban. Estaba claro que tenía los huesos rotos, pero había recuperado el color y su boca ya no tenía ese tono azulado de antes.

—Creo que le hemos ayudado, Nicolas. Creo que sí. —Le tomó el pulso al agente—. El latido del corazón es más fuerte.

—Tenemos que salir de aquí ahora mismo, Dahlia. —Nicolas la tomó del brazo con firmeza y tiró de ella para apartarla del lado de Calhoun—. ¿No oyes las sirenas? Dentro de nada, la policía rodeará el edificio, y no podemos estar aquí dentro.

—Yo me quedo con Jesse —respondió ella, muy tranquila—. No voy a dejarlo así.

—Tú vienes conmigo —dijo Nicolas, adoptando un gesto severo con sus facciones bronceadas—. Calhoun vivirá o morirá, pero quedarte y sacrificar tu vida no cambiará su destino. Levántate o tendré que sacarte a la fuerza.

Dahlia no lo había oído utilizar ese tono nunca. Oyó que las sirenas cada vez estaban más cerca.

—Puedo superar que me encierren en la cárcel —dijo.

—No irás a la cárcel, Dahlia. Morirás —dijo Nicolas. Avanzó varios pasos hacia la puerta, arrastrando su pequeño cuerpo tras él—. Piensa con el cerebro, no con el corazón. Alguien te disparó a través de la ventana mientras estabas en la casa franca. ¿Quién conocía la existencia de esa casa? Tuvo que ser un miembro del NCIS. La agencia para la que trabajas. ¿En serio crees que fue un accidente? No los enviaron para matarte; pude leerlo en la mente del líder del equipo. Se suponía que tenían que entrar con sigilo y descubrir qué había salido mal. Tenían que controlar quién estaba en la casa, ponerte a salvo y protegerte hasta que hubieran averiguado quién era el responsable, pero, aún así, alguien consiguió dispararte. —Se pasó la mochila a la otra mano y continuó avanzando. Dahlia lo seguía, más despacio de lo que le hubiera gustado, pero lo estaba escuchando en lugar de resistirse—. ¿Quién sabía de la existencia del sanatorio? Es imposible que te siguieran. Llegaron antes que tú. Alguien debió de darles el chivatazo.

—¿Y Jesse? Si lo que insinúas es cierto, él también está en peligro.

Sin embargo, cada vez iba más deprisa, porque sabía que lo que Nicolas estaba diciendo tenía sentido. Demasiado sentido. Alguien había traicionado a Jesse Calhoun y había enviado a los lobos tras ella. Por eso toda la misión había salido mal. Alguien en quien Jesse confiaba había avisado al enemigo. Nicolas no podía contener a la policía más que ella, y Calhoun moriría si se lo llevaban con ellos.

—Lily ha enviado a los Soldados Fantasma para protegerlo. Se lo he explicado todo cuando la he llamado. Sabe que necesita protección y tiene los suficientes contactos militares como para asegurarse de que la obtenga. Nadie va a matarlo delante de la policía. Seguramente, el plan será intentarlo en el hospital, pero no tendrán la oportunidad. Lily tiene un helicóptero esperándolo. Recibirá el mejor tratamiento posible. Puede que lo que hemos hecho haya funcionado y aguante hasta que lleguen, o puede que no, pero, al menos, le hemos dado una oportunidad. Es todo lo que podemos hacer por él—. La agarró por la camisa y la alejó de la puerta principal—. Por aquí no. Sal por la ventana que da al río. Vamos a tener que meternos en el agua. Seguramente, habrá un helicóptero, así que tenemos que alejarnos de aquí enseguida.

Ella cambió de dirección al instante y sólo dudó un momento cuando se dio cuenta de que tenía que pasar por encima de un cadáver para llegar a la ventana. El cristal estaba roto y pasó por el agujero, ignorando los pedazos de cristal que todavía estaban pegados al marco. A pesar de las muchas veces que Nicolas había visionado las cintas del entrenamiento de Dahlia, sus habilidades físicas lo seguían impresionando. Atravesó la pequeña abertura de un salto, aterrizó sobre los pies y echó a correr hacia el río. Era tan menuda que resultaba casi imposible verla entre las sombras cuando llegó a la orilla del río.

Cuando los coches de policía y la ambulancia se detuvieron frente a la casa, el caos fue considerable. A lo lejos, Nicolas oyó el helicóptero. Se movió todo lo deprisa que se atrevió en aquel espacio abierto hasta que llegó al río. La policía buscaría en el agua. No era un refugio. Dahlia no lo había esperado y ya se había alejado, porque no quería que la energía cargada de adrenalina de los policías le afectara.

La corriente era fuerte y rápida y Nicolas sufría por si el pequeño cuerpo de Dahlia se alejaba mucho de él. La atrapó y alargó el brazo para agarrarla de la camisa mientras la corriente los arrastraba río abajo. Ella mantuvo las piernas flexionadas y flotó en silencio sin mirarlo, pero Nicolas notaba cómo su cuerpo temblaba y se sacudía continuamente.

No pudo reprimir la sensación de triunfo. Estaba convencido de que habían conseguido salvar la vida de Jesse Calhoun. Aunque no lo sabría hasta que Lily lo informara de su estado, pero había sentido cómo le transmitía la energía. Aunque no pudiera volver a repetirlo, habría valido la pena. Apretó los puños alrededor de la camisa de Dahlia. Ella lo había hecho posible. Era ella quien había abierto las compuertas para permitirle utilizar el poder curativo con el que había nacido. Dahlia había hecho realidad el sueño de su vida y parecía que no se daba cuenta de la importancia que tenía todo aquello. Infravaloraba la energía psíquica porque era lo único que conocía. Él había luchado mucho desde su visión de juventud hasta la pesadilla de la edad adulta, y ella había conseguido que hubiera valido la pena.

Dahlia.

Tengo frío.

Todos los sentidos de Nicolas despertaron. Era la primera queja que le había oído desde que la conocía. No percibió ningún quejido en su voz, sólo fue una afirmación, pero lo asustó.

Pronto saldremos de aquí. Tengo un sitio donde podemos pasar la noche. Incluso tiene agua caliente.

Se mantuvo cerca de ella mientras flotaban y dejaban que el río los arrastrara cada vez más deprisa. Cuando la corriente empezó a ser más fuerte, Nicolas agarró a Dahlia y arrastró su cuerpo hasta la orilla del río, donde se escondieron entre los juncos y las rocas. Dahlia no se resistió ni se apartó. Y aquello fue casi tan alarmante como la queja.

Dahlia se quedó en la orilla del río escuchando los sonidos lejanos del caos que reinaba en la casa que acababan de abandonar. El cielo y su mente estaban nublados. No le quedaba nada. Ni casa, ni familia, ni posesiones. Y ahora ni siquiera estaba segura de conservar el trabajo en el NCIS. ¿Acaso creían que ella era la traidora? ¿Que los había vendido por dinero? ¿Que había participado en la tortura de Jesse y en el asesinato de su familia? Alguien de la sede del NCIS había entregado información sobre ella a cambio de mucho dinero. Esperaba que les hubiera valido la pena, porque ella lo había perdido todo.

—¿Te encuentras bien, Dahlia? —La chica emitía mucho dolor. Mientras él estaba experimentando su momento más triunfal y eufórico, ella sólo sentía pena. Nicolas le apartó el pelo mojado de la cara—. ¿En qué estás pensando?

—En mi casa. En mi familia. En la traición. —Se volvió hacia él—. Tienes razón, por supuesto. Alguien ha tenido que venderme. Nadie sabía de mi existencia aparte de las pocas personas de las que recibía órdenes. Estaba clasificada, era su arma secreta. Alguien del NCIS nos ha vendido a Jesse y a mí a cambio de lo que esos profesores descubrieron.

—El torpedo sigiloso.

—Odio esa cosa. —Se estremeció—. Necesitamos una barca. Robar es mi especialidad. Dame unos minutos y buscaré un medio de transporte. Por la noche, en el pantano, todos los canales navegables parecen iguales —añadió, a modo de precaución.

—Te llevaré hasta la casa, Dahlia —le prometió Nicolas.

Se planteó protestar cuando la vio alejarse para buscar una barca, pero no lo hizo. Respetaba sus habilidades. Sabía lo que hacía. Y quizás eso era lo que más le preocupaba. Si quería abandonarlo, ese era su territorio. Dahlia conocía el pantano y las islas. Nicolas podría encontrarla, aunque tardaría un tiempo.

Pensó en el tono que había utilizado. «En mi casa. En mi familia. En la traición.» Nicolas había vivido la pérdida de sus dos abuelos y su mundo se había venido abajo. Dahlia estaba viviendo unos momentos de duelo mientras luchaba por salvar la vida. Se había pasado gran parte de la vida enfrentándose, en cierto modo, a la traición y ahora él le pedía que confiara en un extraño. Y no sólo que le confiara su vida, sino también su corazón.

—¿Vas a quedarte dormido o vienes conmigo?

La voz de Dahlia llegó desde el agua. Pocas personas podía acercársele sin que se diera cuenta y el hecho de que ella lo hubiera logrado sólo reforzaba su creencia de que era una auténtica Soldado Fantasma.

Nicolas se incorporó y miró hacia el río. No veía ninguna barca, pero siguió el sonido de su voz y giró una curva entre juncos. La barca estaba atada y Dahlia apenas era una sombra sentada en un extremo. Nicolas dejó la mochila dentro y observó aquel artilugio con ciertos prejuicios.

—¿Estás segura de que me aguantará? ¿Es de juguete? ¿Es una balsa?

La risa de Dahlia fue breve y delicada, pero apareció.

—Venga, hombretón. Sube. No hace ruido y es resistente. Aunque, de vez en cuando, los caimanes creen que pueden subir a bordo y compartir el espacio con nosotros. Te voy a dejar el timón y, si te pierdes, no pienso dejar que lo olvides nunca.

La nota divertida de su voz los sorprendió a los dos. Dahlia se frotó el barro de la cara y observó cómo Nicolas subía con agilidad. La balsa se tambaleó, pero no se hundió cuando se acomodó junto al motor.

—Estás muy guapa cubierta de barro —comentó Nicolas.

—Pues me alegro —respondió ella—. Parece que, últimamente, me paso más tiempo con la cara cubierta de barro que de maquillaje. —Se volvió hacia el río—. Sácanos de aquí, Nicolas. Necesito alejarme de todo y de todos.

De perfil, incluso en mitad de la noche, Nicolas adivinaba la tristeza en su cara. Alargó la mano y le acarició la mejilla.

—Todo irá bien, Dahlia.

Ella no respondió. Se sentó en el suelo de la balsa y mantuvo la cara apartada de él. Él señaló la mochila.

—Si tienes frío, ahí dentro hay una chaqueta.

Obtuvo una pequeña sonrisa como recompensa.

—La mochila mágica. —La abrió y sacó las esferas de ametista—. Creo que has salvado a Jesse. Gracias.

Él asintió con gesto solemne.

—Creo que lo hemos hecho entre los dos. Nunca había sentido esa clase de poder. Notaba cómo se acumulaba en mi interior, pero nunca había podido concentrarlo o utilizarlo. Y eso lo has hecho tú.

—¿En serio? —Dahlia empezó a hacer girar las esferas bajo sus dedos, concentrada, y habló con un tono vago, como si no le estuviera prestando demasiada atención.

—Sabes que sí.

—Sé que debería haberme puesto muy mala con todo lo que ha pasado, pero no ha sido así. Hemos utilizado la energía juntos. No he sido yo sola. La energía violenta es la peor. Es como manejar nitroglicerina inestable. —Mantuvo las esferas girando bajo la palma de la mano, mirándolas fijamente en lugar de a Nicolas—. Estoy afectada, pero no sobrecargada. Lo que sea que hemos hecho juntos me ha ayudado.

—La energía tiende a dispersarse de forma natural —dijo Nicolas.

—Sí, es una ley de la naturaleza, y sin embargo yo la altero. Atraigo la energía como un imán. Todavía no he descubierto exactamente cómo. Y no puedo cambiarlo ni reducir la intensidad de la atracción.

Hablaba en un tono práctico, incluso meditabundo, pero hubo un detalle que lo alarmó. Dahlia estaba en modo pensativo y él sentía que el hilo que los unía era frágil, como mucho tentativo. Casi notaba cómo se le escurría entre los dedos. Tardó en responderle porque quería elegir meticulosamente sus palabras, porque quería convencerla de que se quedara con él por propia voluntad.

Sentía que ella quería irse. Le leyó el pensamiento. Sí, era una invasión de su intimidad, pero la idea de que pudiera desaparecer lo hacía sentirse desesperado. Dahlia estaba a punto de llorar, sombría, sintiéndose melancólica y crispada al mismo tiempo.

—Lo que hemos hecho esta noche ha sido algo bueno, Dahlia. —Apeló a la científica que llevaba dentro—. Me pregunto si podríamos encontrar la forma de utilizar y dispersar toda la energía que fluye hacia ti si seguimos practicando. Cada vez la siento más, no como tú, claro, pero sé cuándo está presente. Si trabajamos juntos, podemos encontrarle una utilidad. Dudo que Calhoun hubiera sobrevivido hasta la llegada de la ambulancia si no hubiéramos controlado la energía, aparte de que fue genial utilizar algo tan terrible para una buena causa.

Eso captó la atención de Dahlia. Asintió.

—No lo había visto así. Supongo que podríamos volver a intentar mezclar distintos tipos de energía. Si no estoy demasiado sobrecargada, puedo concentrarme bastante bien y, por alguna razón misteriosa, cuando te toco reduces el impacto de la energía. —Miró al otro lado del río, a las luces de la ciudad—. Es tan extraño estar tan cerca de la gente y, a la vez, estar tan lejos.

—¿Te has planteado alguna vez que eso del superconductor que haces para aliviar la acumulación de energía puede ser perjudicial para ti?

Dahlia lo miró, luego apartó la mirada y se encogió de hombros ligeramente.

—Claro. ¿Cuáles son, a largo plazo, los riesgos para la salud de la sobrecarga energética frente a los riesgos de girar moléculas en mi cuerpo? Todavía no se han hecho muchos estudios sobre esto.

—Quizá sea una buena idea consultarlo con Lily.

Cuanto más mencionaba a Lily en sus conversaciones, mayor parecía ser la aceptación de Dahlia respecto a la integración de Lily en el equipo de los Soldados Fantasma.

—Si surge la ocasión, lo comentaré con ella. No quiero que piense que quiero conocerla sólo para utilizarla. Ya nos han usado demasiado a todos.

Nicolas se quedó en silencio e intentó pensar en algo para tranquilizarla. No encontraba las palabras, así que sacó el mapa que Gator le había dado.

—Mi amigo creció aquí y posee varias propiedades, la mayoría bastante alejadas. Puedes elegir entre una cabaña con agua corriente en el pantano o una casa más grande en una parcela de primera al final de una calle en Algiers, detrás del río. Las dos tienen generador, así que tendremos agua caliente.

—Llévame al pantano. Quiero ir a casa.

La pena de su voz le resultó casi insoportable. Quería abrazarla y colocarla cerca de su corazón; y era lo más estúpido que jamás había pensado, pero daba igual. La necesidad era mayor. Meneó la cabeza para aclararse los pensamientos. Dahlia lo volvía completamente del revés, algo que nunca le había pasado, pero decidió que estar con ella compensaba cualquier emoción desconocida.

—Lo más inesperado es la intensidad.

Lo murmuró en voz alta.

Dahlia pareció sorprendida, pero mantuvo el control de las esferas. Se movían bajo la palma de la mano dirigidas por los dedos, pero nunca las tocaba.

—¿Qué dices? ¿Me he perdido algo?

—Haces aflorar en mí todas las emociones más intensas —admitió él, con una naturalidad calculada.

Quería borrar el dolor de su cara y sustituirlo por cualquier otra cosa. Y si tenía que hacerlo hablando de sus sentimientos, lo haría.

Ella se quedó mirando las bolas durante tanto tiempo que Nicolas se temió que no le fuera a contestar.

—No creo que debamos hablar de eso.

Por sorpresa, él echó la cabeza hacia atrás y soltó una carcajada.

—¿Tienes la menor idea de lo patético que parezco, Dahlia? Esto es el mundo al revés. Las mujeres suplican a los hombres que hablen sobre sus relaciones. Los hombres nunca quieren hablar de eso. Se supone que deberías querer tener esta conversación.

Ella arqueó una ceja pero no levantó la mirada.

—No.

Nicolas gruñó.

—Si los chicos se enteran de esto, me martirizarán de por vida.

Ella giró la mano y recogió las esferas en la palma, sujetándolas con fuerza entre los dedos, como si fueran un gran tesoro.

—¿Chicos? ¿Los otros Soldados Fantasma?

Nicolas asintió y dio gracias por haber encontrado algo que le interesara.

—Sí, siempre se están peleando, pero están muy unidos.

Ella se sentó en el suelo de la balsa frente a él, con las piernas estiradas como si le dolieran.

—Reconozco la distancia en tu voz, Nicolas. ¿Qué te pasa con esos chicos?

Por dentro, él frunció el ceño. Era muy típico de Dahlia captar la más mínima nota discordante en la forma en que había construido la frase. Aunque le daba igual, porque por fin había captado su atención y había conseguido que dejara de pensar en abandonarlo.

—Estás empezando a conocerme demasiado bien. No me pasa nada con ellos. Los considero mi familia. Lo que pasa es que no puedo estar demasiado unido a nadie.

—¿Por qué?

Él se encogió de hombros.

—No lo sé. Supongo que nunca aprendí a hacerlo. Supongo que es un arte. Me pasé gran parte de la infancia aislado, y supongo que estoy más cómodo solo. Siento mucho afecto por todos los Soldados Fantasma. Incluso por Lily.

—¿Por qué lo dices así? ¿Incluso por Lily? La Lily que yo recuerdo siempre era dulce y cuidadosa con los sentimientos de los demás. Siempre cedía a favor de los otros.

Había cierta beligerancia en su voz.

Claro que saltaba. Nicolas estuvo a punto de gruñir en voz alta. «Lily.» La única persona que Dahlia recordaba con cariño de su infancia.

—Quiero a Lily. Y mucho. Pero es que es una mujer.

—¿Es una mujer? —Dahlia le dio una patada en la bota—. ¿Qué significa eso? Resulta que yo también soy una mujer. ¿Qué problema tienes con las mujeres?

Él le sonrió, un destello de dientes blancos en la oscuridad.

—Ahora soy yo quien quiere cambiar de tema. Lily es una mujer muy valiente, Dahlia, y está casada con un hombre a quien considero mi mejor amigo. Sin ella, quizá no estaría vivo. Nos salvó a todos con su valor. Créeme, no sólo siento un gran respeto por Lily, sino también afecto. Pero es que es muy difícil hablar con ella.

—¿Por? —insistió Dahlia.

La sonrisa se amplió.

—Porque es una mujer, claro.

La respuesta de Dahlia fue una pequeña sonrisa. Se quitó más barro de la cara.

—Casi me da miedo conocerla —admitió—. Es la persona a la que más admiraba. Necesitaba que fuera real y, como yo era pequeña y tan joven, los recuerdos tendían a desaparecer, así que me inventé cosas sobre ella.

—Si te preocupa que la realidad no esté a la altura de tus imaginaciones, te equivocas. Lily es una mujer muy especial. Nos abrió las puertas de su casa y procuró atención médica para Jeff, que había sufrido un ataque. Ha trabajado incesantemente para ayudarnos a construir barreras para poder vivir en el mundo exterior sin un ancla durante un periodo breve de tiempo. La esperanza de todos es que, con el tiempo, todos seremos lo suficientemente fuertes como para tener familias y vivir como la gente normal.

—He pensado mucho en esa palabra durante años. «Normal.» Es una palabra muy sencilla pero significa mucho.

—No significa nada —la contradijo él—. La normalidad no existe. Defínemela. Todos somos normales y anormales.

Ahora que la acción había terminado y la noche había caído sobre ellos, Nicolas estaba plenamente concentrado en ella. Salió del río principal y entró en un canal que se adentraba en el corazón del pantano. Mientras tanto, su mirada no dejaba de desviarse hacia Dahlia. Estaba cansada y necesitaba descansar. Iba empapada y cubierta de barro. Pero no importaba. La disciplina de Nicolas estaba empezando a venirse abajo. El autocontrol estaba perdiendo la batalla con las exigencias de su cuerpo.

Lo miró; una mirada rápida y por debajo de las pestañas que lo dijo todo. Cuanto más trataba Nicolas de mantener sus pensamientos alejados del sexo, más fantaseaba. Sabía que no estaba controlando demasiado bien su energía sexual, pero el balanceo de la balsa en el río y la noche los envolvían.

Dahlia suspiró con fuerza y repiqueteó los dedos en el suelo de la balsa.

—Sólo piensas en tres cosas. Violencia, comida y sexo. Y no necesariamente en ese orden. Y únicamente un terapeuta podría explicar por qué tu energía sexual es millones de veces más potente que la energía violenta.

Había algo más que humor en su voz, y aquello relajó un poco la tensión de Nicolas.

—¿Y no te parece que eso es bueno?

—Creo que estás trastornado. ¿Nunca quieres acurrucarte en la cama y dormir?

—Creía que te iba la acción —bromeó él.

—Y yo creía que estabas cuerdo.

Pero lo estaba mirando. Notaba cómo su mirada se deslizaba por su cuerpo, un sedoso barrido que lo dejó duro como una piedra. La balsa avanzaba de forma fluida por los canales y los adentraba en la densa vegetación. Las ramas acariciaban la superficie del agua, eran como enormes brazos verdes que les rozaban los hombros. La luz de la luna se reflejaba en el agua, una esfera plateada que bajaba hasta las profundidades.

—Me encanta esto. ¿Me convierte eso en una persona cuerda?

—Sí. —Había una nota de placer en su voz. De calidez. Bostezó—. Ojalá tuviera más ropa. Estoy harta de estar empapada y llena de barro.

—Intentaba convencerte de llegar al punto donde la ropa no fuera estrictamente necesaria.

Ella se rió y pegó las rodillas a la barbilla.

—¿En serio? ¿Y desde cuándo llevas planeando desnudarme?

—Desde que te vi el culo. La imagen está grabada ahí, para siempre en mi memoria. Y como soy un hombre débil, no se irá. Aunque tampoco me ayudaste demasiado cuando te desabrochaste la camisa.

—Qué alentador. ¿Ya estás otra vez con la fijación con mis pechos?

Nicolas cerró los ojos y saboreó el recuerdo del sol acariciando la camisa mojada.

—Eres increíblemente preciosa, Dahlia.

Ella se quedó en silencio y lo observó. Buscó «sentir» sus emociones. Para saber si era sincero.

—Gracias. Es un comentario muy bonito. —Se frotó la barbilla con las rodillas—. Casi siempre me han dicho que parezco una bruja.

Ojos demasiado grandes, demasiado pelo. Demasiado menuda, demasiado todo. Nunca nadie había utilizado la palabra «preciosa».

—Increíblemente preciosa —puntualizó él—. Que te quede claro. —Consultó el mapa otra vez y, sin dudarlo, giró hacia otro canal—. Ya casi hemos llegado. Y me encantan tus ojos.

Estaba particularmente obsesionado con la pequeña porción de piel de su cintura y el intrigante ombligo.

Dahlia no pensaba decirle qué le parecía atractivo de él. Ya era demasiado arrogante y seguro de sí mismo. No necesitaba que le dijera que apenas podía contener la energía sexual. Le encantaba la sensación de tenerlo alrededor. Nunca nadie la había deseado como él. Sentía cómo la energía emanaba de él, la invadía y aumentaba la temperatura de su cuerpo en varios grados.

Volvió a frotarse la barbilla, porque notaba el cuerpo hinchado, pesado y la piel tirante. Le sorprendió lo sensibles que tenía los pechos, que rozaban el delicado material de la camisa y clamaban atención.

—Tú también lo sientes, ¿verdad? —preguntó él.

—Siento lo que estás fantaseando —admitió ella.

—Seguro que otros hombres han tenido fantasías sexuales contigo. ¿Qué me dices de Calhoun? Venga Dahlia, ¿realmente es la primera vez?

—Sí. Y no me gusta. Me pone de mal humor, me incomoda y me crispa. Y tengo ganas de arrancarte los ojos por hacerme sentir así. Y eso genera energía violenta, que genera calor y, al final, algo o alguien acaba ardiendo.

Sí que parecía crispada. Nicolas no debería haberse alegrado, pero se alegraba. Podía hacerla sentir todas esas cosas cuando nadie más podía.

—Bueno, al menos la vida conmigo no es aburrida.

Dahlia sonrió, como Nicolas sabía que haría. No quería, y escondió la sonrisa tras las rodillas, pero él vio el destello de los dientes y la curva de los labios.

—Debería haberte dicho que me encanta tu boca. Cada vez que miro tus labios, tengo ganas de besarte.

Dahlia no pensaba insistir. Observó cómo, ante sus ojos, aparecía la silueta de una isla.

—¿Es aquí?

—Si Gator no se ha equivocado con el mapa, sí. ¿Qué es ese ruido?

—Dos caimanes llamándose. Están enamorados.

Rodearon una curva y vieron un pequeño embarcadero. La cabaña estaba justo detrás del muelle. Estaba rodeada de césped. Para mayor consternación de Nicolas, había un caimán en el embarcadero de madera y otro en el jardín.

—¿Crees que se instalaron mientras Gator estaba fuera?

—En estas islas pequeñas, es habitual compartir el patio con los caimanes.

—Bueno, pues prepara el lanzallamas, porque quizá tengamos que utilizarlo.

Dahlia se rió a carcajadas.

—No desprendes suficiente energía para atizar el fuego, Nicolas.

Él volvió la cabeza y la miró fijamente a los ojos, con lo que el corazón de Dahlia dio un vuelco.

—Mentirosa.

El tono de Nicolas fue tan dulce y encerraba tal promesa de pasión y placer, que Dahlia se estremeció y se notó el cuerpo entumecido. ¿Cómo demonios había conseguido que fuera tan consciente de él, y no sólo como persona, sino también como hombre? Era una estupidez. Y demasiado peligroso. Alguien tenía que pensar con la cabeza y no con otras partes de su anatomía. Suspiró y bajó del bote, con cuidado de esquivar al caimán mientras ataba la barca al embarcadero.

—Sólo estamos de visita —le dijo al animal para tranquilizarlo.

—Ni se te ocurra acariciarlo, Dahlia —le advirtió Nicolas, con el corazón en la garganta. No se lo permitiría—. Con esa actitud tuya tan lanzada me multiplicas las canas por momentos. —Se echó el pelo hacia atrás, nervioso—. Creo que he pasado más miedo desde que estoy a tu lado que jamás en mi vida. Y es muy incómodo.

Dahlia observó cómo se colgaba la mochila a la espalda.

—Llevo mucho tiempo cuidándome sola, Nicolas.

Él no respondió. La adelantó y se dirigió hacia la cabaña. Un miembro de la familia de Gator iba una vez por semana para evitar que la invadieran las criaturas del pantano, así que estaba limpia, ordenada y el tanque de gas propano lleno, con lo cual tenían agua caliente. Nicolas encendió varias lámparas de gas para no entretenerse con el generador. Los dos estaban muy cansados y necesitaban una ducha caliente y dormir.

A pesar de la pequeña herida que tenía en el hombro, Nicolas insistió en que Dahlia se duchara primero. Ella agradeció poder disfrutar de agua caliente mientras se quitaba el barro y la mugre del cuerpo. Tenía bolas de barro en el pelo, algo que odiaba, así que tuvo que enjabonárselo varias veces para asegurarse de que quedaba limpio. Cuando levantó los brazos para aclararse la pesada mata de pelo, los brazos se quejaron. Estaba cansada hasta ese extremo. Pero, con el agua acariciándole la sensible piel, se imaginaba las manos y la boca de Nicolas siguiendo el rastro de las gotas de agua. Cerró los ojos y levantó la cabeza hacia la alcachofa de la ducha, con la esperanza de borrar la imagen de Nicolas de su cabeza. Necesitaba borrarlo.

La puerta se abrió y ella se volvió. La cortina estaba empañada por el vapor pero, aún así, transparentaba. Nicolas le sonrió y levantó las manos para enseñarle la camisa limpia que traía. La sonrisa pronto desapareció cuando se quedó mirándola. Se aclaró la garganta.

—Sólo he venido a recoger la ropa sucia. He pensado que lo lavaré todo y lo tenderé. Al menos, así tendrás ropa limpia. Te he traído otra camisa. —Mientras hablaba, no apartó la mirada apasionada de su cuerpo y la tocó en partes tan íntimas que Dahlia creyó que iba a derretirse.

—Vete, Nicolas. Ahora.

No intentó esconderse. No quería taparse. Quería que la mirara, que la devorara con la mirada. Estaba pisando terreno peligroso, los dos lo pisaban, pero cuando la miraba de aquella forma, no podía evitar desearlo. Su voz fue casi una invitación.

—Me voy, pero sólo porque estás tan cansada que puedo sentirlo. Lavaré la ropa esta noche. Métete en la cama, pero déjame sitio.

No quería darse la vuelta. Era horrible tener la habilidad de sentir sus emociones, de saber lo cansada que estaba y lo mucho que su cuerpo necesitaba dormir.

—¿Crees que dormir en la misma cama es una buena idea?

—Es la única idea. Si no puedo ni dormir a tu lado, voy a volverme loco.

—¿Te has planteado que si acabáramos haciendo el amor podríamos incendiar la cama?

Deslizó las manos por los pechos con la pastilla de jabón. El agua cayó en forma de cascada y aclaró las burbujas.

Nicolas contuvo la respiración.

—Me estás torturando a propósito.

—Seguramente —asintió ella.

Nicolas se quedó de pie y en silencio un instante, mirándola con demasiada pasión en los ojos, y luego recogió la ropa mojada y se marchó.

Dahlia se apoyó en la pared de la ducha, mirándolo, con el cuerpo ardiendo y excitado. Cuando se trataba de Nicolas Trevane, se volvía débil. No debería dormir en la misma cama que él, con nada más que una camisa, pero sabía que lo haría.

Capítulo 12

*D*ahlia se despertó por el calor. Por el fuego que la consumía. La tela ligera de la camisa casi le hacía daño en la piel ultrasensible. Unas manos le estaban acariciando los muslos y un pelo suave le rozaba la piel. Notó cómo el calor, como si fuera una lengua de fuego, le subía por la pierna. Si estaba soñando, su cuerpo creía que era real y estaba respondiendo con una presión que no podía ignorar. Volvió la cabeza y se encontró con la mirada oscura de Nicolas. Cuando reconoció el deseo concentrado en las profundidades de su mirada, el corazón le dio un vuelco.

—¿Cuánto tiempo llevas despierto?

Tenía la boca seca y el corazón acelerado. Nicolas estaba de lado, apoyado en un codo, mirándola fijamente.

—Horas. No lo sé. —Alargó la mano y le acarició el labio inferior con la yema del pulgar—. He soñado que nos duchábamos juntos. Y luego he soñado que nadabas desnuda conmigo. Y luego he soñado que me despertaba y estabas a mi lado, así.

Dahlia no pudo reprimir una sonrisa.

—Con todo detalle, porque he notado cómo me tocabas.

—¿Dónde te tocaba?

Había una nota de puro deseo en su voz.

—He notado tu mano en mi muslo.

Él cambió de posición; fue un movimiento pequeño, pero que lo pegó más a ella. Bajó la cabeza hacia su estómago mientras ascendía por el muslo con la mano, como si estuviera saboreando cada momento.

—¿Así? —dijo. Su voz era una tentación pecaminosa.

Ella cerró los ojos un momento y cambió de posición las piernas hasta que notó la dura erección de Nicolas pegada a su piel. Hasta que notó la gota de humedad que la hizo mucho más consciente de la necesidad urgente de él.

—Más. Era algo más, y tu pelo me acariciaba la piel y era muy erótico.

Le tocó el pelo. Lo llevaba largo y ahora le caía a ambos lados de la cara. Era un hombre muy guapo con un cuerpo profundamente sensual hecho para dar largas noches de pasión a las mujeres. Le acarició la cara intentando memorizar sus preciosas facciones.

Las manos de Nicolas le separaron los muslos y siguieron subiendo hasta que encontraron los botones de la camisa. Los empezó a desabrochar muy despacio.

—¿Necesitamos esto?

—Quizá sí. Quizá necesitemos uno o dos cubos de agua, Nicolas. —Cuando sus nudillos le rozaron los pechos, se le hizo un nudo en la garganta—. Esto es muy peligroso. ¿Estás seguro de que quieres arriesgarte? No tenemos ni idea de lo que puede pasar.

—¿No somos científicos? —Apartó los faldones de la camisa y bajó la cabeza para darle un delicado beso en la barriga—. Creía que éramos científicos. Llevamos los experimentos en la sangre. —Su pelo sedoso le acariciaba la piel y la hacía estremecerse. Deslizó los labios más abajo, descubrió el ombligo y su lengua se entretuvo en aquel punto.

Todas las células del cuerpo de Dahlia despertaron, cantaron, ardieron. El aire crepitó a su alrededor. Dahlia se tensó y le empujó la cabeza.

—¿Has oído eso?

Volvió la cabeza para mirar a su alrededor. El calor que los envolvía era intenso y la energía sexual había aumentado hasta engullirlos. Pequeñas chispas brillaban en el aire, como si fueran bengalas.

Nicolas le besó la barriga y dejó una hilera de pequeñas llamas bailarinas desde el ombligo hasta el triángulo de rizos que le daban la bienvenida en la entrepierna.

—Fuegos artificiales. Claro que hay fuegos artificiales. Quédate conmigo, Dahlia. No pienses en nada que no sea yo.

Ella se aferró a su pelo.

—No quiero que te pase nada.

Las manos de Nicolas le acariciaron los muslos y añadieron más calor al ambiente, al cuerpo de Dahlia. Ella oyó su propio gemido y se movió inquieta, porque necesitaba más. Ansiaba que la tocara en lugares que ni siquiera sabía que tenía.

Nicolas apoyó la frente en su estómago un momento, para recuperar el aliento. Las manos le temblaban mientras la acariciaba. Quería ir despacio, quería que fuera un momento perfecto para ella, pero la presión en su interior aumentaba al mismo ritmo que el calor que los rodeaba. Era como si en su interior viviera y respirara un volcán. Quería apoderarse de ella, abrazarla y devorarla con pasión, pero se obligó a ir despacio y recurrió a sus años de disciplina para saborear la suavidad de su piel. Para oír sus pequeños jadeos mientras dejaba un delicado rastro de besos por la cadera y por la curva de la cintura. Lamió cada costilla hasta que encontró el pliegue del pecho.

Dahlia estuvo a punto de saltar de la cama.

—Nicolas, es demasiado. —Tenía agarrados dos mechones de su pelo y movía la cadera con fuerza a modo de invitación, pero tenía los ojos abiertos y llenos de miedo—. No sé si podré controlarme.

Él mordisqueó el camino hasta su delicado pecho.

—La belleza del sexo es que se supone que no tienes que controlarte. Te sueltas. —Su aliento era cálido contra el pezón de Dahlia y lo hizo reaccionar hasta que endureció.

—¿Y si provoco un incendio?

—¿Y si no lo haces? ¿Y si tenemos nuestro propio incendio aquí mismo, ardiendo entre los dos, utilizando toda esa maravillosa energía? Estoy dispuesto a probarlo. —Cerró la boca alrededor de la sensual invitación de su pecho—. Más que dispuesto a probarlo.

Ella gritó y le rodeó la cabeza con los brazos mientras notaba cómo un relámpago le atravesaba el cuerpo. Si se iniciaba un fuego a su alrededor, no estaba segura de si se enteraría; estaba quemando por dentro, una conflagración que no esperaba poder extinguir. Sólo existía Nicolas con su pecaminosa boca, sus enérgicas manos y el placer que le recorría el cuerpo. La energía que se acumulaba a su alrededor le reforzaba los sentidos y la invadía de calor hasta que se sintió líquida y apasionada.

Las manos de Nicolas estaban por todas partes, pero nunca se movían deprisa, sino con placentera lentitud, como si tuvieran todo el tiempo del mundo. Dahlia no sabía si soportaría aquel asalto tan lento a su cuerpo. Nicolas deslizó la boca sobre su pecho, le acarició el pezón y lo lamió. Cada vez que se lo mordisqueaba, de su entrepierna goteaba el líquido cálido que le daba la bienvenida.

Nicolas deslizó la mano muslo arriba hasta acariciarle el sexo. Dahlia contuvo la respiración cuando la penetró con un dedo.

—Estás tan tensa y tan caliente que no sé si voy a poder esperar.

—No creo que debas esperar.

—Tienes que estar lista para mí. No quiero que estés incómoda. No tenemos ninguna prisa. Sólo necesitamos un poco de paciencia. —Apoyó la cabeza en su estómago mientras hundía el dedo todavía más en ella. Con la lengua le recorrió los límites del triángulo—. Puedo ser paciente.

Rezó para serlo.

—Yo no creo que pueda. —Dahlia levantó la mirada y vio luces en el techo. El pelo le crepitaba de la electricidad acumulada—. Tenemos que hacer algo ya.

Nicolas interpretó su súplica desesperada como una invitación. Colocó la cabeza entre sus muslos y la sujetó con un brazo de acero por encima del estómago para que no se moviera.

El sentido común de Dahlia se quebró, sollozó, levantó el cuerpo del colchón y se frotó contra las sábanas.

—No puedo respirar.

Iba a romperse en mil pedazos. La habitación entera iba a arder. Las chispas estallaban en el aire y se convertían en una lluvia de colores. Oyó su propio grito, un grito de pura pasión que no pudo contener cuando los temblores se apoderaron de ella y ahora el relámpago parecía recorrerle las venas, las células y todas las terminaciones nerviosas.

Nicolas se colocó encima de ella y bloqueó toda su visión con su enorme cuerpo mientras le separaba los muslos para colocarse entre ellos. Ella levantó la cadera, desesperada por tenerlo dentro. Todas y cada una de las partes de su cuerpo ansiaban que la penetrara.

—Iré con cuidado, Dahlia. Haré lo que pueda para mantener el control y asegurarme de que haya muy pocas probabilidades de que te quedes embaraza.

—No tienes que preocuparte por si me quedo embarazada —respondió Dahlia, con los dedos entrelazados en el pelo de Nicolas. Quería tenerlo dentro más de lo que jamás había querido algo. Y él estaba ahí quieto, a punto de penetrarla y volviéndola loca—. Tomo anticonceptivos.

Él echó la cabeza hacia atrás y la miró fijamente. Crispado. Casi furioso.

—Si no te acuestas con nadie, ¿por qué coño tomas anticonceptivos? ¿Quién es, Dahlia? ¿Calhoun?

Ella se lo quedó mirando un buen rato.

—¿Estás loco? ¿Vas a ponerte celoso porque tomo anticonceptivos cuando resulta obvio que jamás he estado con un hombre?

Nicolas gruñó. Tenía el cuerpo ardiendo, estaba duro como una piedra y ahí estaba, discutiendo con ella por una estupidez. Claro que no había estado con un hombre y, ¿qué importancia tendría si no hubiera sido así? Casi no reconocía sus reacciones tan primitivas. La energía sexual que los rodeaba debía de estar estimulando todas sus reacciones y reforzando los sentidos y emociones.

—Sí, estoy loco —admitió—. Te deseo tanto que ya ni siquiera sé lo que digo.

—Entonces, cállate y bésame. Y, por el amor de Dios, Nicolas, penétrame antes de que toda la isla arda en llamas.

Él se agachó y ella levantó la cabeza para besarlo. Nicolas la besó con toda su alma, una ardiente mezcla de pasión y posesión. Sus bocas permanecieron unidas hasta que ella apoyó la cabeza en el colchón y levantó las caderas para recibir la lenta embestida. Nicolas la estaba abriendo y se estaba adentrando en sus cálidos y húmedos pliegues, hundiéndose en ella para formar un solo ser. Se notaba grueso, duro y demasiado grande para ella. La sensación de fuego aumentó cuando él la penetró un poco más.

—Nicolas.

Dahlia no sabía si era una protesta o una súplica. Veía luces bailando y las llamas le lamían la piel como pequeñas lenguas. Decidir si eran reales o imaginarias estaba fuera de su mano. Quería levantar las caderas para unirse más a él, pero, al mismo tiempo, quería huir de las oleadas de sensaciones que no podía detener. Parecía que el mundo que siempre había conocido se venía abajo en pinceladas de color, chispas y oleadas de intenso placer que le sacudían el cuerpo entero.

Se agarró a él y le clavó los dedos en los brazos para aferrarse a algún tipo de realidad. La energía sexual crujía y revoloteaba a su alrededor, a través de ellos, elevando el placer a un punto casi doloroso. Él se movió. Y ella gritó. Nicolas le agarró las manos, se las colocó encima de la cabeza y la sujetó con fuerza mientras entraba y salía de ella.

Sabía que estaba perdiendo el control, que la energía que los invadía estaba empezando a consumirlos, pero estaban tan concentrados en hacer el amor, tan completamente perdidos en el cuerpo del otro, que daba igual. Se dejó llevar, se adentró en el refugio de su cuerpo y dejó que la cálida y tensa suavidad de Dahlia lo transportara.

Notó cómo el cuerpo de ella se tensaba a su alrededor, cómo los pequeños músculos se aferraban a él mientras aceleraba el ritmo, aumentando la fricción y, a su vez, el calor y el fuego. No quería terminar. No quería que aquello terminara nunca, pero el cuerpo de Dahlia estaba a punto de estallar, un intenso orgasmo que la recorrió de arriba abajo como una ola gigante y también lo arrastró a él.

Nicolas oyó su propia voz, un grito ronco y grave que salía de su interior. Se agarró con fuerza a sus manos mientras se vaciaba en ella, embistiéndola con fuerza, queriendo estar lo más adentro posible. Se quedó encima de ella, no quería moverse, quería sentir su cuerpo bajo el suyo. Agachó la cabeza para besarle un pecho, y notó la exquisita tensión de sus músculos a su alrededor en otra ola explosiva.

Por extraño que parezca, no se sentía completamente saciado. Su cuerpo sí que lo estaba, de momento, aunque todavía estaba medio erecto. Quería devorarla. Notaba que estaba a un paso de la violencia, de una oscuridad posesiva y primitiva que salía de la nada y lo invadía. Levantó la cabeza y miró a su alrededor, como si buscara algo o a alguien que pudiera intentar arrebatársela. Lo sorprendió la intensidad de sus sentimientos. Era como si se moviera por la necesidad de poseerla. De dejar su marca en su piel, en sus pechos, dentro de su cuerpo. La acarició con la lengua y recorrió el valle que separaba los pechos.

—No quiero parar.

Fue una pequeña admisión y no delataba la terrible necesidad que parecía que Nicolas no podía controlar, pero Dahlia lo notó. Notó cómo, en lugar de disiparse, la tensión aumentaba. La energía estaba inquieta, reclamando cada gramo de fuerza que pudiera conseguir a partir de su unión.

Dahlia soltó las manos para enmarcarle la cara. Obligó a su cuerpo a relajarse bajo Nicolas, aceptó cómo las manos de él empezaron a acariciarla y a reclamarla de inmediato. Estaba en todas partes, tocando, besando y dispersando los pensamientos de ella en todas las direcciones mientras exploraba su cuerpo con un apetito voraz. No dejó ni un centímetro sin tocar, despertó todas las terminaciones nerviosas, y saboreó y acarició. Era tan tierno que Dahlia estuvo a punto de llorar, y entonces Nicolas se volvió más rudo. Y para su mayor asombro, su cuerpo respondía al de él con cantidades renovadas de líquido caliente. Tenía la sensación de que nunca podría saciarse de su cuerpo, de sus caricias o de sus besos. Que siempre querría más.

Nicolas le hizo el amor una segunda vez, montándola con fuerza porque necesitaba todo lo que Dahlia pudiera darle para poder encontrar un remanso de paz en aquel caos energético. Cuando la presión se acumuló en su interior, parecía esquiva e imposible, incluso más fuerte que la primera explosión. El alféizar de la ventana empezó a arder con unas pequeñas llamas, y Nicolas no estaba seguro de quién de los dos estaba generando la energía esta vez, pero no parecía tener suficiente. Nunca podría tocarla lo suficiente, ni besarla lo suficiente. Quería dejar su marca en cada centímetro de su cuerpo. Era imperativo saber que estaba debajo de él, que aceptaba aquella posesión, y que la necesitaba tanto como él necesitaba hundirse en ella.

Conseguía caldear la situación muy deprisa, disfrutaba de los gemidos de urgencia de Dahlia, la mantuvo con ganas de más, para que lo deseara en mitad de la noche. Le hizo el amor una tercera vez con tanta ternura, cariño y delicadeza que Dahlia alcanzó el orgasmo casi de inmediato, gracias a lo cual Nicolas consiguió sentirse en paz, como si por fin hubieran utilizado toda la energía que los envolvía y se hubieran quedado exhaustos. Entonces pegó el cuerpo de Dahlia al suyo y la abrazó. El aire que los rodeaba estaba tranquilo y él se quedó con una pausada sensación de armonía. Le dio un beso en la cabeza y le acarició el pelo con la barbilla.

—¿Estás bien?

Dahlia miró a su alrededor para comprobar si habían provocado algún daño irreparable. El alféizar de la ventana estaba un poco chamuscado, pero no había ningún incendio. Cerró los ojos.

—No hemos quemado nada. Diría que es un gran punto a favor.

—¿Te he hecho daño? —Le olfateó el cuello—. Hiciera lo que hiciera, nunca parecía ser suficiente para mí.

Vio las marcas en sus pechos, en su garganta, incluso en la cadera. Fresas que proclamaban que era suya.

Ella se rió, pero no abrió los ojos, porque estaba surfeando una ola de placer.

—Ya me he dado cuenta. ¿Se supone que tiene que ser así?

Él la peinó con los dedos.

—Puede que me haya entusiasmado un poco.

—Siempre me habían dicho que un hombre no podía, ya sabes, hacerlo más de una vez.

—A mí también. Supongo que hemos demostrado que es un mito. O quizás ha sido la energía que se ha acumulado en la habitación.

El tono adormilado de la voz de Dahlia lo conmovió. Parecía completamente satisfecha y no cuestionaba su oscura reacción.

Nicolas le acarició la mejilla con un dedo. Parecía tan frágil y vulnerable, allí tendida a su lado, y sin embargo sabía que su cuerpo menudo escondía una fuerza tremenda.

—¿Sabes lo distinta que es mi vida? ¿Lo mucho que lo has cambiado todo en apenas unos días? Jamás soñé que estaría tendido junto a una mujer y tendría la certeza de que es el lugar donde se supone que tengo que estar.

Ella entrelazó los dedos con los de él.

—Es porque estoy muy tranquila.

La delicada nota de humor en su voz fue tan potente como la sensualidad de su tono.

—Seguro que es eso —asintió Nicolas—. Duérmete, Dahlia. Dudo que pueda esperar mucho más antes de volver a hacerte el amor.

—Pues aguántate. Estoy muy cansada. Demasiado para encontrar mi propio espacio. —Bostezó y se acurrucó contra su cuerpo—. Jamás pensé que podría dormir así, con alguien abrazándome. Lo había leído en los libros y ahora entiendo por qué lo hacen. Están tan agotados que no pueden moverse. No es una opción.

Dahlia se durmió con el sonido de la dulce risa de Nicolas en la cabeza. Soñó con él. Soñó con una vida con él. El sonido de risas de niños se mezclaba con las risas de los adultos. Notó sus brazos alrededor, la calidez de su cuerpo cerca, y supo que lo quería. Que siempre lo querría. Que, sin él, nunca más volvería a sentirse viva. Se despertó sin poder respirar, con el corazón acelerado y un grito atrapado en la garganta.

Nicolas se colocó encima de ella y apuntó a todos los rincones de la habitación con la pistola.

—¿Qué pasa, Dahlia? —Podía sentir su corazón, acelerado y asustado. Le tomó la mano y se la colocó encima del corazón, en un intento inútil por calmarla—. Aquí no hay nada. Estamos a salvo.

Ella intentó soltarse, apartar la mano, acurrucarse y salir de debajo de él. Nicolas pesaba demasiado y ocupaba demasiado espacio. Parecía rodearla. Sus brazos y sus piernas estaban por todas partes.

Nicolas volvió a dejar la pistola debajo de la almohada, se movió para cubrir el cuerpo de Dahlia con el suyo y le apartó varios mechones de seda negra de la cara.

—Ha sido una pesadilla, Dahlia. Sólo eso. Aquí estamos a salvo de todo.

Los ojos de Dahlia estaban aterrados y Nicolas reconoció las heridas abiertas que albergaban, heridas de una niña sin amor ni familia. De una niña que había sufrido demasiado. Vio unas luces y varias sombras reflejadas en la pared. Se volvió hacia la fuente de luz, una ventana que estaba a los pies de la cama. La madera estaba llena de pequeñas llamas.

Le enmarcó la cara con las manos.

—Tranquilízate. Mírame, Dahlia. Dime qué te pasa o no voy a poder ayudarte.

—¡Tú! ¡Nosotros! ¿En qué estaba pensando? Déjame. Tengo que levantarme —dijo, y empujó su pecho con cierto histerismo, aunque sin demasiada fuerza. Era más un gesto de desesperación.

—Dahlia. —Nicolas pronunció su nombre con dureza y esperó a que se concentrara en él—. Tienes que explicarme qué te pasa.

Agachó la cabeza para besarle los párpados y la punta de la nariz. Para llenarle de suaves besos las comisuras de los labios y la barbilla. Y, mientras lo hacía, ignoró el crujir de las llamas en la ventana. Dahlia tenía que tranquilizarse porque, si no, las llamas se extenderían.

—No hagas eso. No me hagas quererte. —Lo empujó con fuerza. Tenía los ojos muy negros y húmedos de pena—. No puedo quererte y sobrevivir.

—Respira conmigo. Tranquilízate y lo arreglaremos juntos.

Nicolas mantuvo el control sobre sus emociones, sobre el miedo a perderla. Sentía que se le volvía a escurrir entre los dedos.

Ella se calmó bajo su cuerpo y con el tono tranquilizador. Estaba tendida debajo de él con un gesto de terror en la cara.

—No puedo necesitar a nadie, Nicolas.

—Por supuesto que no —respondió él—. Somos iguales. No necesitamos a nadie. Pero hemos decidido pasar el tiempo juntos. Es distinto.

Dahlia se llenó de aire los pulmones, oyó el crepitar de las llamas y maldijo en voz baja.

—Tengo que apagar eso. Al final, voy a acabar prendiendo fuego a la cabaña.

—Relájate. Si estás tranquila, se apagará. Has tenido una pesadilla, nada más.

Ella meneó la cabeza.

—He tenido un sueño maravilloso. Y me ha asustado más que cualquier pesadilla del mundo.

Él le apartó el pelo de la cara y le acarició la piel.

—¿Acaso crees que esto es normal para mí? Jamás he pasado la noche entera en la cama de una mujer. Nunca me ha apetecido. No me gustaba compartir mi espacio con nadie hasta que te conocí. No te estoy utilizando, Dahlia. No voy a negar que me gusta tu cuerpo, porque me gusta. Podría pasarme la vida entera haciéndote el amor, y nunca me cansaría.

Antes de que ella pudiera responderle, se agachó y la besó en la boca. Aquella preciosa y perfecta boca. Él también había tenido algunos sueños, y todos giraban alrededor de aquellos carnosos labios. La estaba agarrando del pelo y la sujetó para poder explorar su sabor. Por un momento, la habitación empezó a girar como si fuera tan tentadora que lo mareara.

Levantó la cabeza.

—¿Mejor?

Dahlia se acarició los labios con las yemas de los dedos.

—Sinceramente, no lo sé. —Miró hacia la ventana. Las pequeñas llamas habían desaparecido y ahora sólo había marcas negras—. ¿Cómo apagas un fuego con otro fuego?

—¿Uno consume al otro?

—Puede, pero ¿por qué no lo había descubierto hasta ahora? Lo he probado todo, miles y miles de cosas, para neutralizar la energía, pero jamás se me ocurrió que podía mezclarla con otro tipo de energía. Quizá pensé que sería más fuerte.

Nicolas se dejó caer en la almohada, riéndose a carcajadas. Dahlia se incorporó y lo miró.

—¿De qué te ríes?

—De ti. Me río de ti. Acabamos de tener un sexo apasionado, un sexo increíble, ese sexo con el que un hombre sólo sueña, y tú lo estás analizando como una científica. Es demasiado para mi ego masculino. —La rodeó con un brazo y la colocó encima de él—. Creo que eres perfecta para mí.

Dahlia le llenó la cara de besos, le mordisqueó la comisura de los labios y le recorrió los límites de la boca con la lengua para descubrir llamas de pasión en sus ojos. Mientras le acariciaba el pecho y deslizaba las manos más abajo, provocando que Nicolas contuviera la respiración, decidió que una mujer tenía mucho poder. Enseguida notó la dura y larga erección de Nicolas contra su muslo, justo donde ella tenía su pierna tendida por encima de él. Estaba volviendo a suceder. Había empezado controlando la situación, pero acabó derritiéndose por dentro, con ganas de complacerlo y de ver cómo sus ojos pasaban del frío a la pasión.

Contuvo el aliento, se incorporó y se sentó, con la pierna todavía encima de Nicolas. Llevaba el pelo despeinado y lacio por encima de los hombros y la espalda.

—No quiero sentir esto por ti.

—¿El qué? —Alargó las manos y le rodeó los pechos con las palmas, acariciándole los pezones con los pulgares—. Quiero que me quieras.

—Si sólo fuera eso...

Dahlia dejó la frase en el aire y jadeó de placer cuando él deslizó una mano hasta el tentador triángulo de rizos y hundió el dedo entre pliegues y huecos. Ella se movió y se frotó contra él con las nalgas de forma deliberada, para que él respondiera con un gruñido.

—Estás haciendo eso tan femenino, Dahlia. Eso que no querías hacer. —Nicolas se sentía más relajado que nunca, tendido en la cama, con la cabeza apoyada en la almohada, el cuerpo que empezaba a despertar y Dahlia sentada tan cerca de su erección que notaba la calidez de su sexo. Estaba preciosa, sentada con el pelo suelto y la piel brillante, lo suficientemente delicada como para comérsela. Le acarició el pecho y bajó por las costillas hasta la curva de la cintura—. Ya que estás ahí sentada, quizá podrías moverte un poco a la izquierda.

—¿Qué es eso tan femenino? —preguntó ella, mientras se apartaba el pelo de la cara y, de paso, agitaba los pechos. Cerró la mano alrededor de su erección, apretó y aflojó, bailando y seduciendo. Un gesto que dejó a Nicolas sin la capacidad de pensar.

Él observó a través de los ojos medio cerrados cómo Dahlia elevaba las caderas y, con una lentitud dolorosa, descendía su cuerpo sobre el suyo. Nicolas no se movió y permitió que ella controlara la situación mientras lo montaba y lo introducía en su cuerpo. Él notaba cómo iba abriéndose camino entre sus pliegues, lo tenso, cálido y húmedo que estaba su cuerpo y cómo lo recibía. Se quedó quieto, preguntándose por qué la había encontrado después de todo ese tiempo, por qué conectaban tan bien, y cómo era capaz de enviarle aquellas sensaciones de placer por todo el cuerpo cuando empezó a montarlo de forma lenta y sexi.

Él le acarició la piel. La piel increíblemente suave. Recorrió la curva de los pechos, la curva de la cintura y la redondez de la cadera y el muslo. Cuando no bastó con mirarla, ver su cuerpo subiendo y bajando por el suyo, la agarró por las pequeñas caderas y aumentó el ritmo, acercándolos a los dos al precipicio, y luego lo redujo para poder respirar. Dahlia estaba sofocada, con los ojos brillantes y la cabeza echada hacia atrás. A Dahlia le encantaba el sexo con él. Verla de aquella manera provocó una explosión en su interior, una explosión muy fuerte y que estalló en su cuerpo como una bola de fuego. Ella gritó cuando sus músculos se tensaron y se aferraron a él, temblorosos de su propio orgasmo.

Dahlia se dejó caer en el pecho de Nicolas. Él la abrazó y le acarició la cabeza mientras los dos corazones latían desbocados y los dos pares de pulmones luchaban por llenarse de aire. Nicolas quería que se quedara allí, encima de él, con sus cuerpos unidos mientras la abrazaba. Tenerla tan cerca, piel con piel, lo reconfortaba. Era una conexión íntima.

—Quiero que te fijes en una cosa, Nicolas —dijo ella, sin molestarse en levantar la cabeza de su cuello—. Me he abstenido de continuar con esa discusión tan femenina de la que me acusabas. No puedes reprochármelo.

—Claro que puedo —replicó él, aferrándose a su mano mientras le acariciaba la piel. Entrelazó sus dedos—. Estabas a punto de iniciar una conversación sobre nuestra relación. ¿Lo ves? Como mujer, no has podido evitarlo.

—¿Está en el manual?

—Sí, en la página noventa y dos, creo. En negrita, advierte a los hombres acerca de las conversaciones sobre relaciones que todas las mujeres, incluida tú, deben mantener con su confiada pareja.

Reforzó el «tú» mordiéndole la punta del dedo.

—Entiendo. Ese manual sobre las relaciones tiene mucha información.

—Es grueso —afirmó él.

—Apuesto a que tardaste mucho en leerlo y aprendértelo de memoria.

Lo dijo en un tono afable, pero Nicolas sospechaba que había trampa. La miró con cuidado, pero ella cerró los ojos y prácticamente ronroneó mientras estaba encima de él, con el pelo envolviéndolos a ambos como una cascada de seda.

—Sabía que algún día me sería útil.

No pudo evitar sonreír, ni con la boca ni con la mente.

Fuera, debajo de la ventana de la habitación, un caimán empezó a bramar con amor, llamando a una hembra. El sonido resonó en la habitación y Nicolas estuvo a punto de saltar de la cama. Tanto que, mientras sacaba la pistola, arrinconó a Dahlia y la protegió con un brazo. Ella se acurrucó y se echó a reír.

—Me estás salvando de un caimán.

—Si no paras de reír, te tiraré por la ventana para que se te coma de cena. ¿Qué coño es ese follón? —dijo y miró hacia la ventana mientras, avergonzado, guardaba la pistola debajo de la almohada.

—Es el ritual de apareamiento de los caimanes. Acuéstate. Sólo es el principio de una dulce serenata. Por aquí, es algo habitual.

Él se volvió y apoyó el peso de su cuerpo en el codo. Levantó la barbilla para poder mirarla.

—Explícame algo sobre ti. Algo que nunca hayas compartido con nadie más.

Dahlia borró la sonrisa de sus labios.

—Nicolas, yo no comparto nada con nadie. Jesse era mi mejor amigo y sólo lo veía cuando me necesitaba para una misión. Cuando venía a darme las órdenes, jugábamos al ajedrez de vez en cuando y, en general, nuestro tiempo juntos se reducía a eso. Milly y Bernadette me cuidaban; de hecho, Milly ha estado conmigo desde que recuerdo, pero ni siquiera compartía mis pensamientos más profundos con ellas. No me atrevía.

—¿Por qué no?

—No me animaban a hacerlo y sabía que respondían ante un tercero. Eso no me gustaba, así que iba con mucho cuidado. Iba con cuidado incluso de pequeña. —Se incorporó y su larga melena la cubrió con una capa misteriosa. En la oscuridad, su mirada era de cervatillo perseguido—. Todavía voy con cuidado. No sé cómo ha podido pasar todo esto contigo. Intento no pensarlo demasiado porque, si no, me entran ganas de salir corriendo.

Nicolas se volvió hacia la puerta de la casa, donde la deseada hembra parecía que había respondido a la llamada.

—Ahora mismo, no te lo recomendaría. Creo que estamos rodeados.

Ella paseó por la habitación descalza hasta la camisa que le había quitado Nicolas hacía horas y se la puso.

—Cuando estabas en la selva, ¿te sentías solo o era como tu casa?

—Era como mi casa. Conocía las reglas y confiaba en mí. Me gustaban los sonidos y los olores, y todo me resultaba familiar.

—Es lo mismo que siento yo con el pantano. Aquí me siento segura. Entiendo las reglas y nunca me he sentido sola. —Volvió la cabeza para mirarlo por encima del hombro—. Ahora que te he conocido y he visto cómo vive la otra gente, puede que sí me sienta sola. —Dibujó una sonrisa triste—. Debería haberlo pensado antes de implicarme tanto contigo.

—¿Qué es tanto, Dahlia? —Estaba haciéndolo otra vez. Era tan esquiva que él se sentía desesperado. Nicolas respiró hondo, se centró y contuvo el pánico con el que tan poco familiarizado estaba—. Ven aquí, cariño. No te alejes tanto.

Los ojos de Dahlia escondían miles de secretos. Miles de heridas. Una vida llena de desconfianza y traición. De aislamiento. ¿Cómo podía superarse todo eso? Se acercó a ella sin hacer ruido y la abrazó.

Mientras que antes la potente combinación de Dahlia y la energía sexual lo habían sumergido en un torbellino de necesidad y deseo, ahora sentía ternura y ganas de tranquilizarla. Sus besos eran delicados, mimosos y absolutamente generosos.

—No tenemos que darle demasiadas vueltas, Dahlia. Los dos sabemos que estamos pisando terreno inexplorado. No sabemos lo que pasará entre nosotros en el futuro. Sé que quiero estar contigo y me conozco. Sé que encontraré la forma de conseguirlo.

Ella colocó sus manos encima de las de Nicolas. Estaba temblando. Nicolas sabía que tenía miedo de enfrentarse a lo que les deparara el futuro. Había empezado a caminar fuera del mundo seguro que le habían creado. No preocuparse ni involucrarse demasiado con alguien era seguro. Dahlia se había establecido unos límites muy estrictos y nunca los cruzaba. Y él la estaba sacando cada vez más al mundo exterior.

Entonces se acercó las dos manos de Dahlia a la boca y le besó los dedos. Le besó la palma de la mano. Quería que estuviera mejor, borrar la amargura de no haber conocido qué era el amor durante todos esos años. Quería que reconociera la realidad. Él no se atrevía a hablar de eso, porque sabía que ella huiría. Empezaba a conocerla, a ella y a los repentinos ataques de terror que la despertaban en mitad de la noche.

—¿Adónde ibas?

Se produjo un pequeño silencio.

—Al tejado. Siempre me siento mejor cuando subo al tejado.

¿Por qué Nicolas detestaba tanto la idea de que ella pasara tanto tiempo sentada en el tejado? La abrazó y le besó el pelo.

—Quédate conmigo, Dahlia. Tiéndete a mi lado y deja que te abrace. Te propondría que dejáramos la puerta abierta, pero nuestro querido caimán cada vez está más apasionado. No quiero que nos haga una visita.

La llevó hasta la cama. Notó cierta resistencia, aunque no demasiada. Dahlia fue con él, paso a paso, casi como si se estuviera poniendo a prueba.

Dahlia fue con Nicolas porque no podía resistirse a él. Por lo visto, ese hombre afectaba de forma muy negativa a su autocontrol. Quería pasar todo el tiempo posible con él porque algún día, no muy lejano, volvería a estar sola. Ya era demasiado tarde para protegerse. Nunca se hubiera imaginado que acabaría enamorándose de él. Sólo de pensarlo ya estaba un poco mareada. Había aprendido a disfrutar de su vida solitaria. Tenía cientos de beneficios. Aunque, abrazada a él, no los recordaba. Cuando él la tocaba con tanta ternura, le dolía todo por dentro.

Dahlia le permitió que la tendiera en la cama junto a él. Encajó su cuerpo al suyo y enseguida estuvo satisfecha. No debería ser así, debería de haber sentido todo lo contrario. Nunca permitía que nadie la tocara, y pasaba periodos de tiempo muy cortos con otras personas y, sin embargo, quería, incluso necesitaba, estar con Nicolas. Y aquello la aterraba.

Él la abrazó y entrelazó sus dedos con los suyos.

—Deja de temblar.

—¿Tienes tanto miedo como yo?

Quizás era admitir demasiado, pero tenía que preguntárselo. Tenía que saberlo.

—Claro que sí. Esto es nuevo para ambos, Dahlia. Soy igual de vulnerable que tú. Sinceramente, no sé cómo has entrado en mi corazón, pero te quiero siempre a mi lado.

—Sé que no soy adorable, Nicolas. Lo sé. Lo acepté hace ya mucho tiempo.

Cuando la única persona que tenía cerca era Whitney diciéndole que no estaba cooperando y que nunca tendría todo lo que tenían las demás. E incluso entonces, ya de niña, se rebeló contra aquella severa y absoluta autoridad.

Nicolas hundió la cabeza en su mata de pelo e inhaló sus aromas mezclados.

—Eso no es cierto, Dahlia. De pequeña no te pasaba nada malo, y ahora tampoco. ¿Por qué crees que tu enfermera se quedó contigo tantos años? ¿Por lealtad a Whitney? ¿Por dinero? Estaba igual de aislada que tú, en el pantano, quizás incluso más. Ella escogió quedarse contigo, aunque eso significara engañarte y vivir una vida limitada. No tenía hijos. He visto las cintas de tu infancia. Y ella aparecía, mucho más joven, pero se enfrentaba a Whitney por ti. Y le daba miedo lo que había hecho.

Ella se frotó la barbilla contra el brazo de Nicolas.

—Quieres decir el monstruo que creó.

—No eres un monstruo, Dahlia. Eres una Soldado Fantasma. Somos muchos más de los que crees, y somos una familia. No estás sola.

Ella cerró los ojos. En ese momento no estaba sola, y eso le bastaba. Nicolas quería creer en cuentos de hadas. Ella había leído unos cuantos, esperando un milagro, pero, al final, el bosque de cien acres donde poder jugar con pequeños peluches no existía. Sólo había dolor y una decepción y traición muy profundas. Las lágrimas le quemaban bajo los párpados, pero se negó a derramarlas, aferrándose a Nicolas y permitiendo que el suave balanceo de su cuerpo la calmara hasta quedarse dormida.

Capítulo 13

*H*ay alguien fuera —susurró Nicolas, mientras alargaba el brazo por encima de ella para sacar la pistola. No sabía cómo había terminado en el otro lado de la cama. Notó la culata de la Beretta en la mano justo cuando alguien abría la puerta principal. Nicolas se colocó entre Dahlia y la puerta abierta de la habitación. Se habían quedado dormidos y se les había hecho tarde. El sol inundaba la habitación y ya se notaba el calor de la mañana.

—Sé que me estás apuntando, Nico —dijo Gator desde la puerta principal—. Baja el arma. No es muy amable de tu parte, y más teniendo en cuenta lo hospitalario que he sido. —De repente, estaba en la puerta de la habitación, sonriéndole, con el pelo rizado y despeinado encima de la frente y con los intensos ojos azules burlones—. Vaya, veo que os habéis hecho muy amigos. Y eso que Lily estaba tan preocupada. —Volvió la cabeza—. Ian, Tucker, venid a ver esto. Nuestro hombre ha encontrado una gatita.

—Cállate Gator, o te dispararé.

Nicolas guardó la pistola y miró a Dahlia. Se había tapado con la sábana hasta la barbilla. Tenía los ojos como platos y, a medida que iban apareciendo más Soldados Fantasma para mirar boquiabiertos a Nicolas, el solitario, en la cama con Dahlia, los abría más.

—Y dijiste que no sabía qué hacer con una mujer —acusó Tucker Addison al más alto del grupo, Ian McGillicuddy.

—Acepto que me equivoqué.

Ian saludó a Nicolas con un pequeño gesto.

Dahlia emitió un pequeño grito de nervios. Nicolas volvió a levantar la pistola.

—Si no salís y cerráis la puerta, voy a empezar a disparar.

—Qué poco sentido del humor —se burló Gator—. Y es mi casa.

Agarró el pomo de la puerta y guiñó un ojo a Nicolas mientras cerraba.

Se produjo un pequeño silencio. Dahlia gruñó y se tapó la cabeza.

—No pienso levantarme jamás. Vete, Nicolas, y llévate a esa pandilla. Es imposible que me presente delante de esos hombres.

—No eran tantos —replicó él, mientras intentaba destaparla—. Al menos, no entraron durante una de nuestras tormentas de fuego.

—Nicolas, no tengo ropa. —Contuvo el aliento y volvió a abrir los ojos como platos—. ¿Lily estará con ellos?

—No, estoy seguro de que se ha quedado en casa con Ryland.

Apartó la sábana, se desperezó y luego se volvió hacia ella y la abrazó. Ella estaba tensa y se resistió. Nicolas le sopló aire caliente en la piel. Ella se estremeció. Él acercó la cabeza a su cuello y subió con pequeños besos hasta la oreja.

—Eso no es justo. —Lo empujó. Estaba tan enfadada que sonaba sin aliento. Estaba sin aliento—. No puedes hacerme esto.

—Te estás enfadando, y eso significa que la habitación va a llenarse de energía. Es mi obligación —dijo, y aprovechando que ella había abierto la boca para protestar, la besó apasionadamente.

Ella lo abrazó y se pegó a él, lamiéndole los dientes, mordisqueándole la lengua y despertando todos sus sentidos con su respuesta. Nicolas creía que era una persona que sabía controlarse, pero Dahlia conseguía sacudir su disciplina. La agarró por el pelo y la besó con pasión mientras la mantenía pegada a él. La necesidad fue instantánea y urgente; una oleada gigante de calor que los golpeó a ambos. Nicolas notaba los pechos de Dahlia contra su piel. Una pierna envuelta alrededor de su muslo. Podía notar que estaba caliente, húmeda y preparada. La necesidad de ella era superior a su capacidad para reprimirse. Sabía que una parte era culpa de la energía que se acumulaba en la habitación y de sus deseos sexuales, que se retroalimentaban y se desbocaban demasiado, pero daba igual. Sólo importaba Dahlia con su piel suave y su calor increíble.

La agarró de la pierna y se la colocó alrededor de la cintura para alinear sus cuerpos. Ella emitió un suave ronroneo, tan erótico que casi lo volvió loco. Oyó truenos. Y vio relámpagos detrás de los párpados; relámpagos que le recorrieron la sangre. La agarró de las caderas con las dos manos para sujetarla mientras la penetraba. Se quedó sin aire en los pulmones de golpe, y vio las ya conocidas chispas en el aire. La electricidad crujía a su alrededor, aunque él apenas era consciente. Dahlia estaba tensa y caliente, y se aferraba a él con una necesidad feroz y un apetito tan voraz como el suyo. Prácticamente se derritió a su alrededor, recibiendo las embestidas con la misma fuerza. Nicolas sólo podía pensar en llegar más adentro con cada empujón. Quería llegar a su interior, notar su refugio caliente y resbaladizo aferrado a él.

Dahlia quería perderse en él, en el fuego, el calor y la pasión de Nicolas Trevane. Evitaba que pensara demasiado y que se enfrentara a cosas y personas a las que no quería enfrentarse. Hacía cosas con su cuerpo que quemaban toda la energía, incluso la energía sexual que los rodeaba, con la misma eficacia que cuando ella corría por los tejados de la ciudad o los canales del pantano. Notó cómo la presión se acumulaba demasiado deprisa y demasiado temprano, una chispa que se encendió de inmediato y que se extinguió casi igual de deprisa. Se aferró a él y le clavó las uñas en el hombro, intentando recuperar algo de control para ir más despacio, porque quería frenar la fuerza. Ya era demasiado tarde. Él se estaba vaciando en su interior y la fricción convirtió su cuerpo en un infierno, provocando a ambos un intenso orgasmo. Ella se quedó en sus brazos mientras su cuerpo se sacudía y temblaba. Por un momento, estuvo segura de que la tierra se había movido.

Nicolas la abrazó y hundió la cara en la masa de pelo sedoso, llenándose los pulmones con su esencia.

—Ojalá tuviéramos más tiempo, Dahlia.

—Ojalá —respondió ella, mientras levantaba la cara hacia su

garganta. Le dio un beso en la barbilla—. Ojalá pudiéramos ir a algún lugar donde nadie pudiera encontrarnos y donde diera igual que no tuviera ropa que ponerme.

Suspiró. No tanto por la ausencia de ropa limpia como por tener que enfrentarse a los amigos de Nicolas.

—Te encontraré algo —dijo Nicolas—. Deja de preocuparte por nimiedades.

Le levantó la barbilla para darle un último beso antes de salir de la cama y cruzar la habitación descalzo hasta la mochila.

—No creo que la ropa sea una nimiedad cuando la otra habitación está llena de hombres —respondió—. A menos que quieras que salga y me pasee así delante de ellos.

—Eso no sería seguro para nadie —dijo, y se volvió para mirarla. El primer destello de posesión primitiva murió muy deprisa en cuanto la miró. Estaba sentada en la cama, completamente desnuda e increíblemente sexi con el pelo suelto que le caía por la espalda. Tragó saliva porque, de repente, se notó un nudo en la garganta—. Tienes unos pechos perfectos.

Ella se rió, como él esperaba, y la preocupación desapareció.

—Es definitivo, tienes una fijación con mis pechos.

Le encantaba el sonido de su risa. A pesar de todas las pesadillas de su infancia y la terrible realidad de su vida, siempre encontraba algún motivo para reírse y para disfrutar a fondo de su mundo. Tenía una risa contagiosa y, como era poco habitual, era algo precioso.

—Me encanta hacerte reír.

—Me alegro, porque siempre consigues decir algo extravagante. ¿Tengo los vaqueros secos?

Nicolas entró en el baño, donde había tendido la ropa.

—Todavía están húmedos, como todo lo demás. No tengo nada de tu talla. Creo que vamos a tener que ir de compras.

—Me los pondré mojados. Con tus amigos ahí fuera esperando, mejor vestida que desnuda.

Intentó, con todas sus fuerzas, frenar la aprensión que la estaba invadiendo. Era natural, pero para ella era peligroso. Debería haberse avergonzado de hacer el amor con Nicolas cuando sólo había una pared entre ellos y la otra habitación llena de gente, pero quería perderse para siempre en la seguridad y la pasión de su unión.

Suspiró. Se estaba convirtiendo en una de esas mujeres que no querían separarse de su amante ni un segundo. Siempre que Nicolas la abrazaba, ella se sentía muy protegida. Pero ahora, que tenía que vestirse para enfrentarse a una habitación llena de extraños, se sentía más vulnerable que nunca. Intentó analizar por qué. Hacía mucho que se había entrenado para ser impermeable a las opiniones ajenas. Los comentarios malintencionados le habían dejado huella y, cada vez, su carácter había provocado una oleada de represalias. Era peligroso preocuparse por lo que los demás decían o pensaban de ella. Y era terriblemente humillante que alguien fuera testigo de cómo perdía el control.

Aceptó la camisa que Nicolas le ofreció.

—¿Cómo tienes el hombro esta mañana?

—Bien. Sólo es un rasguño. Gracias a ti, la bala sólo me rozó. Tus fuegos artificiales lo distrajeron lo suficiente como para salvarme la vida. Debería haberme disparado en lugar de decir que me iba a disparar.

Ella se inclinó para darle un beso en el hombro.

—Bueno, yo me alegro mucho de que no lo hiciera. Dame unos minutos para arreglarme y salgo enseguida.

—No desaparezcas en el baño y me dejes sin mis vaqueros.

Ella lo miró de arriba abajo y dibujó una lenta sonrisa.

—No sé, creo que me gustas más así.

—Eso es porque soy impresionante.

—Ah, ¿es por eso?

¿Cómo había conseguido alcanzar aquel nivel de comodidad con él? ¿Cómo era posible que, cada vez que lo miraba, quisiera recorrerle las arrugas de exposición al sol de la piel bronceada y echarle el pelo hacia atrás? ¿Por qué se derretía por dentro cuando nada ni nadie lo había conseguido jamás? La intensidad de sus emociones la sorprendió y la asustó. Igual que antes, cuando se había despertado con el corazón desbocado en mitad de la noche, el pulso acelerado y pequeñas llamas en el alféizar de la ventana.

Nicolas miró las llamas y la miró a ella. Una sonrisa suavizó los ángulos duros y las facciones de su cara.

—Nunca te saciarás de mí, ¿verdad? Ya veo tu llamada para que vuelva a la cama.

Ella le lanzó una almohada y se rió porque no pudo evitarlo.

—Un hombre sabio huiría de una habitación donde una mujer prende fuego a las ventanas. —Las pequeñas llamas ya se habían extinguido—. No correría hacia ella.

—Pero el hombre sabio sabe que el auténtico fuego está dentro de la mujer, y corre a su lado para apagarlo —dijo con su mejor voz de «hombre sabio».

Ella le lanzó la segunda almohada.

—¿Qué destrozos he hecho en la casa de tu pobre amigo?

Nicolas miró las marcas de quemaduras de la madera. La mayoría eran de la noche anterior.

—Le añade encanto a este lugar. El precio de venta subirá como la espuma.

Dahlia meneó la cabeza ante aquel comentario y, a regañadientes, abandonó la seguridad de la cama.

—Saldré dentro de unos minutos. Dame un poco de tiempo para prepararme.

—Si no estás fuera dentro de unos minutos, entraré y te sacaré a la fuerza —le advirtió él.

Ella puso los ojos en blanco, demostrando que no le impresionaba aquella amenaza. Sabía que Nicolas podía resultar intimidante para muchas personas, pero ahora ya lo conocía bastante bien. Nunca haría nada para hacerle daño a propósito.

—He dicho unos minutos.

Se tomó su tiempo para arreglarse el pelo. No tenía maquillaje y, generalmente, sólo se ponía rímel y pintalabios, pero se habría sentido menos vulnerable con un poco de maquillaje. Los vaqueros eran incómodos y estaban un poco más húmedos de lo que le habría gustado, pero la camisa era azul oscuro y escondía el hecho de que hubiera preferido no ponerse la ropa interior mojada. Empezaba a tener la piel irritada de llevar siempre la ropa húmeda.

Respiró hondo y abrió la puerta. Sabía que todos eran Soldados Fantasma con las habilidades reforzadas, y sabía que serían conscientes de cuando entrara en la sala, pero no estaba preparada para el repentino silencio ni para que todas las miradas se posaran en ella. Se sintió como si la estuvieran iluminando con un foco gigante. Metió la mano en el bolsillo para acariciar las esferas de ametista que siempre parecían tranquilizarla. Nicolas y al menos otro miembro del grupo ayudaron a reducir el bombardeo de pensamientos y emociones naturales.

—Dahlia. —Nicolas cruzó la sala y la rodeó con el brazo, consciente de que el contacto proveería otra barrera—. Ven a conocer a los demás. —Al verla tan pequeña, frágil y aprensiva, todos sus instintos de protección despertaron—. Sé que puede resultar un poco abrumador conocerlos a todos a la vez, pero así terminaremos antes.

—Kaden Bishop.

Primero la saludó un hombre alto con unos ojos intensos y un gesto severo en la boca. Dahlia supo enseguida que era un ancla. Le producía el mismo efecto calmante que Nicolas y Jesse Calhoun.

—Sam Johnson.

Era un hombre atractivo con la piel oscura, robusto y corpulento, con mucho músculo. Parecía ocupar mucho espacio.

—Ian McGillicuddy —dijo el más alto del grupo. Tenía una mata de pelo castaño rojizo que sería la envidia de cualquier mujer y los ojos marrones brillantes se reían. Tenía la piel clara y a Dahlia le parecía un gigante.

Dahlia los saludó con la cabeza y volvió su atención hacia el otro lado de la sala. Sentía la boca inexplicablemente seca. Por lo visto, Nicolas percibió la creciente tensión, porque le apretó el brazo como si tuviera miedo de que saliera corriendo. Quería hacerlo, y las ganas empezaron a acumularse, aniquilando cualquier parecido a la tranquilidad.

—Yo soy Raoul Fontenot, pero todos me llaman Gator.

El propietario de la cabaña tenía un fuerte acento de Nueva Orleans y la mirada de chico malo que podía derretir veinte corazones a su paso. Dahlia tuvo la sensación de que, con cada presentación, la cabaña empequeñecía un poco. Todos eran altos, fuertes y corpulentos. Ella se sentía ridícula a su lado.

Nicolas le apretó el brazo y ella se dio cuenta de que había dado un paso hacia la puerta. Se obligó a detenerse y dibujó una sonrisa cuando se notaba los labios inmóviles.

—Tucker Addison —dijo el último hombre. Era imposible describir su piel con exactitud. Un tono bronceado oscuro cubría unos impresionantes músculos. Llevaba el pelo casi al cero, al estilo militar, pero Dahlia vio pequeños rizos que nacían descontrolados a pesar de los esfuerzos de Tucker por controlarlos.

—Nicolas ha hablado de todos vosotros.

Fue lo único que se le ocurrió.

Gator le sonrió.

—No te creas nada de lo que diga ese bárbaro.

Hablaba con su acento especial, comiéndose alguna letra, pero Dahlia reconoció la cadencia en su forma de hablar. Le resultaba familiar, una melaza caliente que llegaba a las entrañas del oyente. Era algo a lo que podía aferrarse en medio de aquella reunión tan numerosa.

Dahlia se acurrucó en la silla que estaba más cerca de la puerta que, por suerte, estaba abierta y le permitía oír los ruidos del pantano. Se calmó un poco.

—Has sido muy amable por dejarnos utilizar tu cabaña.

Él se encogió de hombros.

—Todo queda en la familia, *ma chère*. —Miró a Nicolas—. Jeff Hollister habría venido, pero todavía se está recuperando. Lily lo hace trabajar en la terapia cada día, el pobre. Dice que es una gruñona, pero ha conseguido que ande con un bastón en lugar de con el caminador, así que está mejorando.

—Lily no le deja hacer nada más —añadió Sam, con satisfacción.

Dahlia podía percibir el afecto que todos tenían por su compañero herido. Aunque parte del afecto estaba entretejido con ira. La energía se estaba moviendo por la sala, se acumulaba a su alrededor y afectaba a su terrible mezcla de emociones.

—¿Quién es Jeff Hollister y qué le pasó?

—Es un Soldado Fantasma, igual que nosotros, *chère* —explicó Gator—. Sufrió un ataque y varias complicaciones posteriores, pero se va a poner bien.

Dahlia percibió la rabia que sentían todos los hombres. Y a esta intensa emoción la siguió el recuerdo de la traición cometida por uno de los suyos. La rabia se multiplicó por diez y la sacudió con fuerza. Intentó luchar contra la subida de la temperatura y el fuego en el estómago. Miró a Nicolas con impotencia.

Antes de que él pudiera tocarla para reducir el impacto, Ian McGillicuddy maldijo y apretó los puños.

—Un maldito traidor que quería vendernos a cambio de dinero intentó matarlo. Y Jeff no fue el primero. Perdimos a dos buenos hombres, Dwayne Gibson y Ron Shaver. A los dos los mataron mientras ejercían su trabajo y los diseccionaron como a insectos.

La ola de energía combinada con las cada vez más intensas emociones de los hombres, en un espacio tan cerrado, la agitaron tanto que gritó, un grito agudo de negación cuando la presión superó su capacidad de controlarla. Estaba demasiado encerrada y ni siquiera se había acordado de acariciar las ametistas para aliviar la tensión. Se soltó de la mano de Nicolas y se dirigió hacia la puerta, lejos de todos, e intentó lanzar la explosión lo más lejos posible de la casa. La puerta y gran parte del marco desaparecieron cuando una bola de fuego la atravesó para explotar en el jardín. Las llamas enseguida subieron hasta el techo y avanzaron por el jardín hasta la misma línea del agua.

Nicolas la detuvo antes de que saliera por la puerta.

—Te quemarás, cariño. Quédate aquí hasta que apaguemos el fuego. —Habló en un tono muy calmado—. Necesito que apaguéis el fuego, y que, mientras lo hacéis, respiréis despacio y meditéis. Necesitamos tranquilidad.

Abrazó a Dahlia con fuerza y la meció hacia delante y hacia atrás.

—No pasa nada. No estábamos preparados para las emociones que nos despertaría hablar de Jeff. Es uno de esos tipos a los que no puedes evitar apreciar, y supongo que todos tenemos la misma rabia guardada en el interior. Alguien intentó matarlo y le está costando bastante recuperarse. Nuestra rabia ha emergido de forma inesperada.

—¿Necesitas otro ancla? —preguntó Kaden.

Nicolas dudó. No quería que Dahlia necesitara a otro ancla, pero si quería que la energía dejara de alimentar el fuego, Kaden podía ayudarlos a alejarla de Dahlia.

—Ponle las manos en los hombros.

Los demás enseguida apagaron las llamas de la casa y salieron a extinguir las de fuera. Dahlia estaba entre los dos hombres, con el cuerpo tembloroso y la cabeza muy dolorida. La rabia generaba un fuego más deprisa que cualquier otra emoción. Tenía que seguir esforzándose para no estar enfadada consigo misma. ¿Por qué no se había preparado para algo así? En cuanto estuvo lo suficientemente tranquila, se separó de los dos hombres.

—Tengo que salir ahora mismo.

Nicolas la vio alejarse.

—Va al tejado, pero después de esto creerá que nunca más va a poder estar con nadie. —Meneó la cabeza—. Sé lo que siente en estos momentos, y no es bueno. Debería haberos anticipado la gravedad de las repercusiones de sus talentos.

—Déjame ver si puedo hablar con ella, Nico —sugirió Kaden—. Soy un ancla y si logro convencerla de que puede mantener una conversación decente conmigo, quizá vuelva a intentarlo.

Nicolas reprimió los celos completamente humillantes y ridículos que no podía evitar. Le molestaba más que cualquier otra cosa. Le parecía algo mezquino e impropio de un hombre. Kaden era un buen amigo y estaba intentando ayudar de corazón. En cualquier caso, él se mantendría donde no lo vieran aunque lo suficientemente cerca por si Dahlia lo necesitaba.

—Háblale de Lily, Kaden —le aconsejó. Su voz sonó un poco más tensa de lo que le habría gustado, pero forzó una sonrisa de agradecimiento—. Estaré cerca por si decide bajar.

Kaden asintió y escaló por el lateral de la casa hasta llegar al tejado. Dahlia estaba sentada en lo más alto, haciendo rodar unas esferas de color lavanda entre los dedos mientras miraba el agua y el viento le agitaba el pelo. Parecía muy sola.

No levantó la mirada cuando él se acercó y se sentó a su lado.

—Por si te hemos abrumado con tanta presentación, soy Kaden. Sonrió, con la esperanza de ofrecer una sonrisa amable.

Ella se frotó la barbilla contra las rodillas y respiró hondo para evitar que la tensión que tenía dentro estallara y se tradujera en otra explosión. Enfadarse consigo misma por su falta de control no la había ayudado a deshacerse de toda la energía.

—Eres lo que Nicolas llama un ancla, ¿verdad? —dijo ella, apretando los labios.

Movía las esferas a gran velocidad y a Kaden le resultaba casi hipnótico.

—Sí, alejo las emociones de los demás para que puedan funcionar mejor en una misión, pero las emociones no amplifican las mías como te pasa a ti con la energía. Te hemos debido de parecer arrolladores. Cuando los hombres combaten juntos, desarrollan cierta camaradería y suelen bromear entre ellos para rebajar la tensión. —La observó atentamente, percibió sus emociones y supo que estaba a punto de huir—. Lily quería venir con nosotros, pero la convencimos de que tú preferirías que cuidara de tu amigo. Ryland está con ella y, si está de guardia, nadie pasará de la puerta.

Dahlia se obligó a responderle, a pesar de que el corazón le latía con fuerza y las emociones encontradas luchaban en su interior.

—Me alegro.

Estar con los hombres sólo la había hecho darse cuenta de que nunca podría tener la vida que había soñado. No habría ninguna casa en el barrio de Lily, ni barbacoas en el jardín con los amigos. Sus emociones siempre estaban demasiado a flor de piel. No era como

Nicolas; por mucho que lo intentara, no tenía su disciplina ni su autocontrol.

No tenía ni idea de por qué se sentía tan amenazada y tan asustada. Quizás en realidad no quería que Lily fuera una persona de carne y hueso. No podría soportar llevarse una decepción; descubrir que Lily era distinta a la ilusión que se había creado. O quizás era más que eso. Se frotó la barbilla contra las rodillas con más fuerza. Quizá la idea de que Lily estuviera viva y fuera feliz en el mundo exterior mientras ella tenía que estar sola era insoportable. Se dijo que ojalá no fuera tan mezquina, pero sospechaba que lo era.

—¿Sabes si Jesse vivirá? —preguntó, decidida a aparentar normalidad.

Kaden meneó la cabeza.

—Está en cuidados intensivos. Le operaron las piernas y tuvieron que hacerle muchas transfusiones de sangre. Los médicos no acababan de creerse que todavía estuviera vivo, pero de momento aguanta. Creo que tiene muchas posibilidades de sobrevivir.

—Y Ryland está avisado de que no puede confiar en ningún agente del NCIS, ¿verdad?

—Sí, ya lo sabe. ¿Cómo demonios consiguió reclutarte el Servicio de Investigación Criminal de la Marina? No tenías veintiún años cuando empezaste a trabajar para ellos, ni un título universitario, y creo que ambas cosas son requisitos imprescindibles para presentar la solicitud.

—Cierto, pero me había estado entrenando desde pequeña y tuve maestros en casa, así que, sí, a pesar de no haber ido a la universidad, pasé todas las pruebas que me hicieron. Y lo principal era que podía ofrecer un servicio que nadie más ofrecía.

Deslizó los dedos por encima y alrededor de las esferas, moviéndolas continuamente, sin darse cuenta de cuándo se separaron de su piel y flotaron en el aire.

Kaden intentó no mirar fijamente las esferas que daban vueltas en el aire encima de su mano. Dahlia estaba muy confusa y Kaden tenía la sensación de que, en cualquier momento, echaría a correr.

—¿Qué haces para el NCIS?

Ella lo miró fijamente con su mirada oscura.

—Todos tenéis acceso a los documentos secretos. ¿Lily no lo descubrió mientras me investigaba?

—No exactamente. Sabíamos que Calhoun trabajaba como agente para ellos, de modo que la conclusión natural era que tú hacías lo mismo. Tu identidad está mucho más protegida que la suya.

—Me alegro de saberlo. —Pero eso significaba que ella tenía razón. Nadie había descubierto su identidad, sino que la habían encontrado porque alguien del NCIS la había traicionado, y a Jesse también. Y él había sufrido por aquella traición y podía morir. Suspiró y mantuvo las esferas flotando encima de sus dedos, concentrándose en ellas de modo que la energía que generaban sus emociones confusas podía usarse tan deprisa como aparecía—. Básicamente, hago trabajos de recuperación. Recupero cosas que pertenecen al gobierno. Si no pueden recuperarlas de cualquier otra manera, o el secreto es imperativo, yo soy la persona a la que acuden.

El corazón le dolía. Le dolía de verdad. Tuvo que reprimirse para no presionarse el pecho con las manos. Apenas podía respirar. Necesitó toda su concentración para aparentar cierta normalidad ante el Soldado Fantasma cuando la energía que se acumulaba en su interior y a su alrededor alcanzó niveles explosivos por segunda vez. Recordaba haberse pasado horas sentada en el tejado de su casa y preguntándose por qué no era como los demás. Recordaba recorrer las calles de noche y detenerse a escuchar a las madres cantando a sus bebés. Una mujer en concreto le llamó la atención. Mecía a su bebé en el porche delantero y le cantaba con dulzura. Dahlia había vuelto a casa, se había envuelto en su vieja manta y había cantado para ella misma, meciéndose con la esperanza de sentirse llena por una vez en su vida. Odiaba dar lástima y ahora sabía que era una de esas situaciones y que era incapaz de frenarla.

—Lily tiene muchas ganas de verte. Te ha enviado una carta.

Dahlia levantó la mirada de golpe.

—¿Una carta de Lily?

—Sí —dijo y metió la mano en el bolsillo de la camisa y sacó un pequeño sobre aromatizado.

Dahlia miró el papel y contuvo el aliento. La letra era pequeña, clara y muy femenina. El corazón le dio un vuelco y empezó a sentir un intenso dolor por la zona del estómago. Ya tenía las emociones alteradas y la mera idea de leer una carta de Lily la aterró. Meneó la cabeza, se levantó y empezó a alejarse de Kaden, sin preocuparse por la inclinación del tejado.

—Dahlia. —Kaden también se levantó—. No quería molestarte.

Deslizó la mirada hasta un punto indefinido tras ella, y ese gesto fue el único aviso que tuvo Dahlia.

El enorme cuerpo de Nicolas apareció tras ella y la agarró con un brazo mientras, con la otra mano, cogía la carta.

—Ya la cojo yo. No la has molestado, Kaden. Es la acumulación de energía. Necesita un descanso.

—Dahlia, deberías habérmelo dicho —dijo Kaden de inmediato—. Os dejaré para que hagáis lo que sea que hacéis para que Dahlia esté más cómoda.

Nicolas la abrazó y la protegió entre sus brazos, como haría con un pájaro salvaje.

—No hagas esto, Dahlia —le susurró contra el cuello mientras Kaden bajaba del tejado—. Quédate conmigo. Sé que no es fácil, pero encontraremos la manera.

—¿Cómo? —Quería enfadarse, pero lo único que sentía era desesperación—. Mierda, Nicolas, odio lloriquear y compadecerme de mi suerte. Es inútil. Pero es que no puedo hacerlo. No puedo estar con toda ese gente y no sufrir una sobrecarga. ¿Cómo demonios crees que vamos a conseguir nuestro final feliz? Tú tendrás que seguir con tu vida y yo no puedo acompañarte. Y luego está Lily. —Se le rompió la voz y apoyó la cabeza en su pecho—. No quiero leer la carta ni verla. No quiero. No puedo. Será todo lo que siempre he querido tener: una hermana. Todo lo que siempre he recordado y no podré estar con ella. Nunca debería haber empezado nada contigo. Nunca.

Nicolas descendió la boca hasta su cuello y dejó un rastro de besos hasta el hombro.

—Tienes miedo, Dahlia. Es natural, pero no es propio de ti huir cuando aparecen los problemas.

—No puedo hacerlo, Nicolas. Sabes lo que podría pasar. Estoy tan cerca de perder la cabeza que es increíble. No puedo controlar mis pensamientos ni mis emociones. Es peligroso estar en este estado, especialmente rodeada de tanta gente. No pueden vivir cada día sin sentir nada. Es imposible.

—Sé que es imposible, Dahlia, no estoy minimizando los riesgos, pero creo que vale la pena intentarlo. No pienso marcharme y fingir que no nos hemos conocido. Eres una Soldado Fantasma; eres una de nosotros. Y eso significa que encontraremos la manera de que esto funcione. Ya no estás sola. Tenemos cerebro y ya sabes que Lily es brillante. Encontraremos la manera de rebajar la tensión. Nadie ha resultado herido ni nadie está enfadado. Los accidentes son continuos. Quizá no siempre son incendios, pero pueden ser igual de peligrosos. Todos hemos tenido que encontrar soluciones para gestionar las sobrecargas. ¿Alguno de ellos te ha mirado como si fueras diferente? Eres igual que nosotros. A todos nos han pasado estas cosas.

Lo repitió para recalcarlo, porque quería que lo creyera. Deseaba que lo creyera.

Su boca la estaba derritiendo con el calor. La energía que la atacaba, la rodeaba y la invadía empezó a cambiar de forma sutil. Dahlia notó el cambio. Era su energía sexual reforzada. Cómo podía ser que su cuerpo despertara y todas las terminaciones nerviosas ya estuvieran impacientes. Cerró los ojos ante la oleada de pasión.

—¿Crees que podemos pasarnos el resto de nuestras vidas haciendo el amor cuando tengamos compañía?

—No me importaría, aunque dudo que sea demasiado práctico. Aunque estar sentados en el tejado tampoco es que lo sea demasiado.

—Funciona.

—Por lo visto, el sexo también —replicó él, con satisfacción.

De repente, ella se rió y se relajó en sus brazos.

—Suenas como un macho engreído. Sinceramente, Nicolas, creo que lo tuyo con el sexo no tiene remedio.

—Sólo contigo. No pienso rendirme, Dahlia. Tú no eres de las que abandonan. Desde pequeña has luchado para fabricarte una vida y descubriste una forma de manejar la energía tú sola, porque no tenías ayuda. Si abandonas ahora, no podrás vivir con la conciencia tranquila.

Ella se volvió en sus brazos y echó la cabeza hacia atrás para mirarlo.

—Si no hubiera podido encontrar la manera, sé que habría dejado de existir. Sabía que la energía acabaría ganando. Esto es distinto. Tenía sueños, Nicolas. Todo el mundo debería poder soñar. Si no puedo tener una realidad, al menos debo poder soñar, y si no puedo ni siquiera estar en la misma habitación que toda esa gente, entonces no me queda nada, ni siquiera los sueños.

—Te quedo yo, Dahlia. Hemos pasado días y noches juntos, y hemos sobrevivido. No voy a irme a ningún sitio. —La agarró de los brazos—. Te he buscado toda mi vida. Jamás pensé que tendría mi propia mujer, pero te he encontrado. Me has dado más de lo que jamás entenderás. Si, al principio, las visitas a Lily tendrán que ser cortas mientras aprendemos a gestionar la energía, lo entenderá. Y trabajaremos hasta que lo consigamos.

Ella cerró los ojos y apoyó la cabeza en su pecho. Todo lo que Nicolas decía tenía tanto sentido. La aterradora certeza empezó a crecer en su interior. Se estaba enamorando de Nicolas Trevane. No podía soportar la idea de perderlo, ni a él ni a Lily. Quizás él creyera que podrían dominar las grandes cantidades de energía, pero nunca había visto una casa en llamas.

—No tengo tu control emocional y antes de que cites a todos los maestros zen, he estudiado sus enseñanzas. He meditado en tantas posturas que parecía un ocho. Y no me ha servido de nada. Mis sentimientos se amplifican con la energía que produzco con mis emociones. Ahora estoy asustada, y furiosa. ¿No notas cómo la energía se acumula a nuestro alrededor?

Nicolas deslizó las manos desde los brazos hasta la nuca.

—Sí. ¿Y tú notas que cuando me tocas reducimos la intensidad de la energía? Puedo enseñarte lo que me enseñaron mis abuelos. Maneras de estar por encima de la emoción y dejar que se disipe de forma natural.

—Eso lo haces tú. Eres un ancla. No lo has aprendido entrenando.

—¿Cómo crees que consigo emitir niveles de energía tan bajos, incluso cuando estoy en una situación de vida o muerte? Es el entrenamiento. Tienes la disciplina, Dahlia. Ya la utilizas cuando haces rotar las esferas y permites que la energía se disperse a través de la actividad física. Venga. No tenemos tejados para saltar, ni cables por donde correr, pero podemos luchar contra unos cuantos caimanes.

Ella se permitió una segunda pequeña muestra de diversión.

—Tú puedes luchar con los caimanes. A mí me parece demasiado sucio. No me gusta ensuciarme el pelo de barro.

—Eres muy femenina.

Entonces Dahlia sí que se rió. Una risa auténtica. El sonido llegó a todo el pantano, llevándose consigo parte de la terrible presión de su cuerpo.

—¿Intentas desafiarme? ¿Provocarme para que participe en algún tipo de competición de hombres? Es algo muy infantil. Las mujeres, las mujeres de verdad, no necesitamos demostrar nada a los hombres. Ya sabemos que somos el sexo superior.

Se alejó de él y avanzó por el tejado con pasos firmes y seguros.

Como siempre, Nicolas se maravilló ante su equilibrio. Ella volvió la cabeza y le sonrió, una sonrisa particularmente pícara que lo puso duro como una piedra y lo derritió por dentro. Nunca se acostumbraría al efecto que Dahlia tenía sobre él, pero cada vez era mayor. Podía vivir con eso. De hecho, mientras no tuviera que admitirlo, le encantaba.

Ella saltó del borde del tejado y aterrizó sobre los pies, como un gato, y echó a correr entre la densa vegetación. Era pequeña y ligera, y apenas levantaba tierra a su paso. Se metió por un estrecho camino que sería de difícil acceso para el cuerpo más voluminoso de Nicolas.

—¡Eso es hacer trampa! —gritó él, mientras saltaba hasta el suelo.

La persiguió por el pantano, sin correr demasiado, con cuidado de no atraparla, aunque sin perderla de vista. Le encantaba ver sus movimientos ágiles mientras corría. La delicada fluidez y la ligereza de sus pies. A los pocos minutos, se fijó en el balanceo de sus nalgas, en cómo la tela de los vaqueros se ajustaba a cada curva, apretaba y definía la carne. Nunca olvidaría aquella primera vez que le vio el culo desnudo, aunque fue breve, pero bastó para dar pie a cientos de fantasías.

Nicolas corrió tras ella mientras pensaba en la curva de su cadera. En su piel suave y perfecta debajo de los vaqueros. Apretó los puños y se imaginó hundiéndo los dedos en ella, agarrándole las nalgas y colocándola a su alrededor. Cada vez le costaba más correr, porque su cuerpo empezaba a reaccionar, pero su mente se negó a renunciar a las imágenes eróticas. Cada tronco caído que veía le servía para imaginársela encima y él penetrándola una y otra vez. La luz del sol le calentaría la piel y él observaría lo bien que encajaban sus cuerpos.

Gruñó en voz alta cuando su erección fue casi completa, presionando contra los vaqueros, incómoda. Notó una pequeña caricia en la piel, como si una mariposa se le hubiera metido por dentro de los vaqueros y se hubiera posado en su pene. Parecía que las alas le acariciaban la sensible cabeza, bajaban por el tronco y entonces... un cálido aliento lo envolvió, un calor húmedo, y una lengua en movimiento.

Se tambaleó, se detuvo de golpe y se agarró al árbol más cercano. Oyó una risa. Dahlia se volvió bajo los rayos del sol que iluminaban su cara, su sonrisa y su boca mientras se humedecía los labios y echaba la cabeza hacia atrás en una tentadora invitación. Sus ojos negros se rieron. Lo desafiaron.

—Ven aquí.

Nicolas no podía llegar hasta ella. No podía caminar.

—No —respondió ella, y echó a correr, dejándolo maldiciendo, dolorido y más excitado que nunca.

Nicolas dio un paso adelante. La lengua lamió y acarició. Lo notó. Era imposible caminar con su cuerpo a punto de reventar los pantalones. La cremallera se abrió y el alivio fue instantáneo. Se agarró la erección con la mano y se quedó esperando el siguiente movimiento de Dahlia. Notó cómo lo mordisqueaba. La erección reaccionó bajo su mano. A las fantasías podían jugar dos. Y estaba bastante seguro de que era un experto en fantasías.

Se la imaginó tendida frente a él, con el cuerpo abierto esperándolo y gimiendo. Le empezó a lamer los pechos con la boca caliente, intensa y húmeda, a succionarle el pezón y a mordisquearla hasta que empezó a revolverse y a aumentar el volumen de los gemidos.

—¡Eso no es justo!

Dahlia estaba a escasos metros, con el pelo suelto como una cascada de seda negra. Tenía la respiración acelerada y se agarró los sensibles pechos.

—Ábrete la camisa.

—No pienso abrirme la camisa. Sólo alimentaría tu obsesión por mis pechos.

Nicolas le estaba mirando las manos. Ella deslizó las palmas sobre los pezones para intentar aliviar el dolor. Él la miró a la cara. Estaba concentrada en seguir el ritmo de su mano, envuelta alrededor de la erección. Dahlia asomó la punta de la lengua y se humedeció el labio inferior. El cuerpo de Nicolas cobró vida propia y casi dio un brinco en su mano.

—Ven aquí, Dahlia —repitió—. Te necesito.

Capítulo 14

Nicolas era pura tentación, un diablo de pie con su pecaminosa sonrisa y sus ojos oscuros y tentadores. ¿Cómo iba a resistirse a él? La reacción que había tenido con su pequeño juego era enorme. Y seductora. Avanzó hacia él, casi en contra de su voluntad.

—Desabróchate la camisa. Quiero mirarte.

La voz de Nicolas fue tan ronca, tan hambrienta, que Dahlia se estremeció. Ya no estaba jugando, y se veía en las arrugas de pasión que se le marcaban en la cara.

Dahlia desabrochó cada botón y la abrió para que el sol le acariciara los pechos. Se los agarró con las manos porque se los notaba doloridos, henchidos y tensos. Sin embargo, tenía la mirada fija en su enorme erección y en la gota húmeda que brillaba anticipándose a su sumisión. Dio otro paso hacia él.

—Quítate los vaqueros.

Dahlia tragó un repentino miedo creciente y, muy despacio, obedeció. Se bajó los pantalones, los dejó en el suelo y siguió avanzando. No llevaba nada debajo. Vio cómo la respiración de Nicolas se aceleraba. Vio cómo apretaba la mano y subía y bajaba una vez, y luego otra, ansiando el alivio. Alargó una mano y recogió los pantalones mientras avanzaba hacia él.

—¿Qué quieres, exactamente?

Se acercó lo suficiente para que su pelo le acariciara la sensible punta del prepucio y dejó los vaqueros en el suelo.

—Quítate la camisa. Quiero mirarte.

Sin decir ni una palabra, ella dejó que la camisa resbalara hasta el suelo. Le cubrió la mano con la suya y la siguió deslizando hasta que cubrió y apretó ligeramente los testículos. Mientras se arrodillaba encima de los vaqueros, delante de él, le acarició las caderas y los muslos.

Nicolas se quedó sin aire en los pulmones y su cuerpo luchaba por respirar. La boca de Dahlia se deslizó por él, caliente y húmeda, y tensa como un puño. Su lengua bailó por encima de la punta extra sensible, haciendo que Nicolas se estremeciera de emoción y le ardiera la sangre. Dahlia estaba materializando su fantasía, todo lo que había estado pensando mientras la perseguía, y ahora lo estaba poniendo en práctica. Su boca era un milagro de calor. Nicolas alargó una mano para buscar un soporte, pero tan sólo pudo aferrarse todavía con más fuerza al pelo de Dahlia y acompañarla mientras sus caderas empezaban a seguir el ritmo que marcaba ella.

Apretó los dientes y tensó todos los músculos de su cuerpo. La sangre estaba desbocada y el corazón latía con fuerza. A su alrededor, el pantano tomó vida: chispas que bailaban, pequeñas estrellas de colores y la electricidad zigzagueando en arco mientras la energía sexual se acumulaba a su alrededor y amplificaba todas sus sensaciones. Le acarició los laterales de los pechos y regresó al pelo mientras ella realizaba un maravilloso baile con la lengua y luego lo succionaba como si fuera un dulce adictivo.

Nicolas jamás había sentido aquella mezcla de ferocidad y amor al mismo tiempo. Una parte de él era consciente de la influencia de la energía, pero casi todo su cerebro parecía paralizado. Sólo podía sentir, y necesitar. Sabía que estaba siendo rudo cuando la acercó más con la mano, porque quería que Dahlia tomara más de él, pero por lo visto no podía evitarlo. Ella lo sedujo y lo atormentó y, cuanto más lo hacía, mayor era la presión que Nicolas sentía dentro, hasta que estuvo seguro de que una parte de él estallaría.

Oía sonidos de animales y un gruñido en la garganta. Quería que el calor de Dahlia lo abrazara. Lo estaba volviendo loco y ni siquiera se estaba planteando terminar. Hasta los mechones de seda que tenía entre los dedos parecían eróticos. Dahlia lo miró, se humedeció los labios y él la levantó. Le recorrió el cuerpo con las manos. Le encantaba ser mucho más corpulento que ella, porque así sus manos abarcaban mucha más piel en cada caricia. Le masajeó los pechos, inclinó la cabeza para localizar su boca, la besó y ni siquiera le dio la oportunidad de igualar su deseo. Le mordisqueó la boca porque las ganas de saborearla casi lo volvían loco. La presión que sentía en su cuerpo, desde los dedos de los pies hasta la cabeza, era enorme. Le separó los muslos y se sirvió de sus piernas para poder deslizar la mano por el estómago y acariciar la entrada de rizos. La tocó y descubrió que estaba húmeda y caliente.

Estaba ardiendo por él. Esperándolo. Sabía cómo se sentiría cuando la penetrara. Se moría de ganas de acariciar su cálida y resbaladiza humedad. La penetró con los dedos. Ella gritó su nombre y empezó a respirar de forma entrecortada. Él la penetró todavía más y la obligó a mover las caderas, porque quería llevarla hasta el punto de no retorno donde se encontraba él.

Cuando empezó a jadear, a sacudir y tensar el cuerpo, ola tras ola, Nicolas miró a su alrededor para localizar en tronco caído más cercano. Por suerte, lo tenía al lado. La aguantó con una mano, colocó la camisa sobre el tronco con la otra y la tendió encima, de modo que la curva de las nalgas quedara elevada para él. El sol le acariciaba la piel. La miró, le masajeó la piel y le acarició las perfectas nalgas con su erección. La entrada de Dahlia estaba caliente y húmeda, y Nicolas la acarició con delicadeza. Ella levantó las caderas, intentando conseguir que la penetrara, pero él retrocedió, prolongó el momento y disfrutó de la fricción y de la vista de aquella piel húmeda. Notó una primitiva lujuria cada vez mayor y tan salvaje que tenía que saber que Dahlia era suya. No tenía ni idea si era consecuencia de la energía o de sus antepasados, o de su raza, pero sus ganas de ella no eran dulces ni delicadas, como tampoco la adicción a su cuerpo o la necesidad de saber que era suya en cuerpo y alma.

Cuando la penetró con fuerza, la agarró por las caderas, ella llevaba el pelo suelto y los pechos casi rozaban el suelo; quería que aquel momento fuera eterno. Su cuerpo lo aceptó con tanta fuerza que Nicolas tuvo que apretar los dientes. Podía penetrarla con más profundidad, con más fuerza, con embistes cada vez más prolongados y rápidos, mientras ella resbalaba, gritaba, y tensaba los músculos aferrándose a él. La energía se apoderó de ellos hasta que cada terminación nerviosa y cada célula tomaron vida y se retorcieron de pasión erótica.

Nicolas levantó la mirada y creyó ver un relámpago encima de las nubes, pero nada importaba más allá de la piel sedosa de Dahlia tensándose a su alrededor con una aterciopelada fricción tan fuerte que supo que nunca duraría lo suficiente para saciarse. La atraía hacia él con cada embiste, penetrándola con fuerza y fiereza, con ganas de adentrarse en su cuerpo y unirlos para siempre. Si existía el éxtasis en este mundo, Nicolas sabía que lo había encontrado. La penetró y ella le replicó con la misma fuerza, gritando de placer y absolutamente desinhibida. Lo deseaba con la misma intensidad y nunca intentaba esconderlo.

Atrapados en el torbellino de energía sexual, fueron apasionados y salvajes. Para Nicolas, tomarla era tan vital como respirar. No podía pensar ni funcionar hasta que saciara la terrible hambre de ella que tenía, el vacío que sentía. Respiró hondo, la calma previa a la tormenta, y notó cómo el cuerpo de Dahlia se aferraba a él. Notó cómo los músculos de su cuerpo lo apretaban y ansiaban exprimir su pasión hasta la última gota. Ansiaban experimentar cualquier sensación que él pudiera provocarle. Nicolas estaba fuera de control y todo su ser concentrado en su verga. Oía truenos en la cabeza que le resonaban en las orejas. Y luego se derramó en su interior, caliente, fuerte y profundo. La empujó con las caderas una y otra vez, con fuerza, porque quería formar parte de ella para siempre.

Casi sin aliento, Nicolas se agachó encima de ella y apoyó la cabeza en su espalda mientras los dos corazones latían con la misma ferocidad con que habían hecho el amor. Ahora no quería abandonar el santuario, el paraíso de su cuerpo. Por muchas veces que le hiciera el amor, y ya iban unas cuantas, la última siempre parecía superar la perfección de la anterior. Le besó la base de la columna y separó sus cuerpos.

—Me encantan tus juegos mentales, Dahlia. Puedes repetirlos siempre que quieras.

Nicolas era lo único que la sujetaba. Dahlia se sentía casi eufórica, a pesar de que su cuerpo estaba saciado y deliciosamente agotado. Notaba las marcas de Nicolas en la piel y en el interior de su cuerpo. Se preguntó si alguna vez volvería a sentirse plena sin él. Se apoyó en el tronco caído mientras él le masajeaba las nalgas y le provocaba escalofríos por todo el cuerpo. Después de aquella tormenta de pasión desbocada, tenía la sensación de que necesitaba aquellas pequeñas contracciones para regresar de donde quiera que estuviera flotando.

Muy despacio, se dio la vuelta y se apoyó en el tronco.

—¿Por qué parece que siempre que estoy cerca de ti nunca llevo ropa?

Nicolas acercó la cabeza a la de Dahlia.

—Porque me encanta mirarte. —Le enmarcó la cara con las manos y la sujetó para darle un beso. Fue un beso cariñoso y tierno, todo lo contrario a la ferocidad del acto sexual—. Y no sólo me encanta mirarte, Dahlia, también me encanta oír el sonido de tu voz. Y me encantan tus expresiones. Tengo la sensación de que ya me he enamorado de ti, de que ya estoy perdido.

Dahlia lo miró, parpadeó muy deprisa y sintió como si el corazón se hubiera detenido en mitad de un latido. Estaba desnuda y era vulnerable, y él le estaba declarando su amor.

—No me quieras, Nicolas. No lo hagas.

—Creo que ya es demasiado tarde, cariño. Creo que he caído rendido, como el árbol proverbial.

Ella meneó la cabeza. El movimiento provocó un ligero balanceo de los pechos, que enseguida llamaron la atención de Nicolas. Levantó las manos y los sopesó en cada una de ellas. Le acarició los pezones con los pulgares, generando relámpagos por todo el cuerpo de Dahlia. Otra contracción. Iba a provocarle otro orgasmo con tan sólo acariciarla. Se estremeció bajo sus delicadas manos mientras su cuerpo se sacudía de placer.

—Podría acostumbrarme a ti. —Casi no le salían las palabras.

—Es lo que he estado intentando decirte. No me rompas el corazón, Dahlia. Nunca se lo había entregado a nadie.

Ella colocó las manos encima de las de él.

—Nunca he tenido el corazón de nadie. No sé nada de conservar corazones. Te estás arriesgando mucho.

—Es lo que mejor se me da. —Nicolas recogió la camisa del tronco, la sacudió y se la ofreció para que pusiera los brazos en las mangas—. ¿Ya estás relajada?

Juntó los dos faldones y empezó a abotonarla.

—Lo estaba hasta que has empezado a hablar de amor. Eso es suficiente para asustar a cualquiera. —Notar sus nudillos rozándole los pechos era suficiente para que su cuerpo volviera a reaccionar. Y quizá sí que estaba más relajada de lo que creía, porque le temblaban las piernas y amenazaban con doblarse en cualquier momento.

Nicolas se subió la cremallera de los vaqueros, recogió los de ella y los sacudió para quitarles la tierra y las hojas.

—Este cambio de tornas tiene que terminar. Yo soy el hombre y tú, la mujer. A vosotras os encanta que os hablen de amor. Ha sido así durante siglos. No fastidies el orden lógico de las cosas.

—¿Hay algún tipo de guía sobre relaciones? —preguntó ella con curiosidad—. Nunca he presenciado una relación de verdad. Jesse nunca habló de ninguna novia y Milly y Bernadette jamás hablaban de hombres. Creo que pensaban que, si lo hacían, me molestaría.

—¿Por qué? —Nicolas la observó mientras se ponía los vaqueros. Había algo muy femenino en su forma de vestirse. Podría pasarse el resto de su vida contemplando cómo se vestía y se desnudaba.

—Porque nunca tendría novio, claro.

—Siempre me ha parecido una palabra estúpida. Novio. ¿Acaso no somos adultos? Suena tan insípida. Soy mucho más que tu novio.

—¿Ah sí?

Nicolas la agarró de la mano y la atrajo hacia él.

—Sabes perfectamente que sí. —Vio la nota de humor en sus ojos y se rió con ella. Era fantástico. Los últimos restos de energía se dispersaron y Dahlia ya no llevaba ningún peso en los hombros.

—Sólo para saberlo, ¿hasta dónde piensas llegar con todo esto de las relaciones, Nicolas? Porque, si estás pensando en ir mucho más lejos, creo que sí que voy a necesitar algún tipo de manual.

—Pienso llegar hasta el final. Y no necesitarás ningún manual, porque voy a tener respuesta a todas tus preguntas.

Le sonrió mientras empezaba a caminar hacia la cabaña.

Dahlia le devolvió la sonrisa y se concentró en las sensaciones de lo que acababan de compartir. Sabía lo agotador que era vivir cada día con toda aquella energía. Podía aparecer en el momento más inesperado e inoportuno, como consecuencia de una pequeña chispa de rabia o de melancolía, como estaba sintiendo ella ahora. Cuando estaba con Nicolas, la realidad parecía desaparecer y, por un instante, podía permitirse creer que estarían juntos y que sería capaz de llevar una vida casi normal. En cuanto volvían al mundo real, se daba de bruces con la realidad. De hecho, ya volvía a tener miedo por tener que enfrentarse a los hombres de la cabaña. Sabía que Nicolas creía que no tenía disciplina, pero controlar los pensamientos y las emociones propios a cada minuto era prácticamente imposible.

—¿Cómo consigues controlar tan bien tus emociones, Nicolas? Incluso cuando haces cosas que seguro que te incomodan.

Lo miró para asegurarse que su pregunta no lo había molestado.

—No hago nada a menos que crea que es necesario. Si es necesario, entonces no hay ningún motivo por el que tenga que incomodarme hacerlo. Hago lo que puedo para actuar de acuerdo con mis principios y no intento controlar cosas que están fuera de mi alcance. Lo cierto es que el control es un mito. No puedes controlar a otra persona ni siquiera un acontecimiento. Sólo puedes controlarte a ti mismo. Y eso es lo que hago. Si es necesario salir a cumplir una misión y realizar un trabajo, lo hago. No hay ningún motivo para complicarlo con emociones innecesarias.

—¿Y puedes hacerlo? —Parte de lo que decía tenía sentido, pero tenía que admitir que otra parte le molestaba—. Si te hubieran enviado aquí a matarme, ¿lo habrías hecho?

—No habría venido a menos que alguien me hubiera dado una muy buena razón, Dahlia. Nunca has hecho nada para merecer la muerte.

Ella se frotó la frente donde todavía le quedaban restos del dolor de cabeza.

—Me alegro de no tener que tomar esas decisiones. Imagino que tener estas habilidades psíquicas supone cierta seguridad. No puedo hacer daño a alguien sin unas consecuencias severas e inmediatas. Sé que querían entrenarme para ser un arma, pero no podía hacer lo que me pedían. Supongo que todos los problemas que mis particularidades habrían podido causar me salvaron de tener que tomar decisiones que quizá no habría querido tomar.

—¿Te gustó aprender artes marciales?

—Sí.

Dahlia oyó el ruido de martillos y sierras mientras se acercaban a la cabaña. Se le encogió el estómago. Respiró hondo y siguió caminando a su lado como si no oyera nada.

—Me alegro. Tengo un dojo precioso en casa. Te encantará.

—No sé por qué, pensaba que todos vivíais en casa de Lily.

—Sí, a temporadas. Fue muy generosa al ofrecernos su casa. Whitney añadió paredes adicionales para insonorizarla y proteger mejor a Lily. Nos entrenamos allí y realizamos ejercicios para reforzar las barreras que nos permitan salir al mundo exterior sin anclas durante periodos cada vez más largos. Pero todos tenemos nuestra casa. La mía está en California, en las montañas. Poseo varios acres y los jardines son preciosos. Tengo un equipo de personas que la mantienen mientras yo no estoy.

Dahlia reconoció el orgullo en su voz. Quería su casa.

—Háblame de la casa.

—Es una mezcla de Oriente y Occidente. El diseño japonés es muy abierto y transmite sensación de tranquilidad. Cuando estoy allí, siento paz. Disfruto cuidando de las plantas y, por suerte, el clima es cálido, de forma que los jardines se mantienen verdes casi todo el año. Se oye el agua del río y construimos una cascada artificial y una piscina en el jardín. Y también tengo parterres de hierbas y plantas para curar. —Le sonrió—. Jamás perdí la esperanza de poder hacerlo.

Estaban lo suficientemente cerca de la cabaña para que Dahlia pudiera oír las voces de los hombres y cómo se burlaban los unos de los otros. Se detuvo en el camino de tierra y miró a Nicolas. El sol que atravesaba las hojas de los árboles dibujaba placas de sol en el pelo negro y le besaba la piel bronceada, de manera que casi parecía que brillaba.

—Te imagino trabajando en el jardín. Es curioso que no se me hubiera ocurrido hasta ahora. Me has hablado de tus dos abuelos, pero creo que sólo veía algunas partes de ti, no lo había unido para mirar el conjunto. —Lo abrazó por la cintura y levantó la cara hacia él—. Quiero que me beses otra vez para que, cuando vuelva a ver a los chicos, piense en eso y no en la humillación de haber quemado la casa de Gator.

Nicolas no lo dudó ni un segundo. La agarró por la nuca y descendió la boca hasta ella. Cada vez que la besaba, la saboreaba y comprobaba cómo sus cuerpos se derretían, la emoción era muy inesperada. Dudaba si alguna vez llegaría a acostumbrarse a la sensación de tenerla y a su sabor. Se le había metido en el corazón y ahora ya era imposible arrancarla. El beso empezó con suavidad, con ternura, pero acabó con pasión y besándola por todas partes.

—¡Eh! —la voz de Gator los separó—. Nico, aparta las manos de mi *cha d'bebe* y compórtate.

Dahlia retrocedió y se sonrojó, a pesar de estar decidida a no permitir que la avergonzaran más. No era la «pequeña» de Gator. Ese hombre seguro que podía conseguir que una mujer se derritiera sólo con su voz suave. Y él lo sabía.

—Creo que tu *bebe* ha dado el primer paso —dijo Sam desde otro lado de la casa. Tenía una sierra en las manos y estaba sonriendo.

Gator se colocó la mano en el corazón.

—Dime que no es verdad, *ma cherie*. No has permitido que este corruptor de chicas te tiente, ¿verdad?

Dahlia arqueó una ceja y miró a Nicolas. Por lo visto, no le afectaba nada, ni que lo hubieran pillado besándole ni todas las burlas. Parecía tan inescrutable y controlado como siempre.

—¿Corrompes mujeres?

—Esa es la especialidad de Gator. Las mujeres siempre se fijan en él. Tiene esa mirada de chico malo y el acento de Nueva Orleans. Además, cuando habla francés se vuelven locas.

Dahlia se apoyó en Nicolas, aceptando la protección que su cuerpo le ofrecía, y no porque la necesitara, sino porque sentía que quien la necesitaba era él. Nicolas tenía la misma experiencia en relaciones que ella, y estaba incómodo con la camaradería que los demás Soldados Fantasma estaban intentando establecer con ella. Se dio cuenta de que no estaba tan seguro de sí mismo ni de ella como transmitía.

—Lo entiendo. Sabe tirar los trastos, ¿me entiendes?

Le guiñó el ojo a Nicolas.

Nicolas notó cómo el corazón le daba un vuelco curioso. Dahlia había creado una intimidad con él, un vínculo, y sabía que lo había hecho por él, no por ella. Le pareció que los pequeños detalles inesperados eran preciosos cuando alguien los hacía para él. Era muy joven cuando su abuelo lakota murió, y su abuelo japonés era muy poco cariñoso, pero él recordaba las reacciones cuando hacía algún pequeño gesto para demostrar afecto.

Se aclaró la garganta.

—Te entiendo perfectamente.

Gator echó la cabeza hacia atrás y se rió.

—Esa mujer es de las buenas, Nico. No la dejes escapar.

—Eso intento —respondió Nicolas.

—Gator —dijo Dahlia, señalando hacia la cabaña—. Siento mucho haber quemado tu casa. Esas cosas pasan con frecuencia cerca de mí.

—No tienes que preocuparte por un fuego de nada, *'tite soeur*. Ya lo hemos solucionado. —Su sonrisa se volvió pícara—. He visto chispas en el aire cerca del antiguo estanque. Estaba preocupado por si os estabais peleando, pero ahora creo que estabais haciendo otra cosa.

Dahlia no pudo evitar reírse. No era sólo el desparpajo, sino la actitud desenfadada y el acento encantador. Y la había llamado «hermana pequeña». Una parte de ella quería disfrutar de eso.

Nicolas le estaba leyendo la mente. *En una pelea, Gator es cualquier cosa menos desenfadado, Dahlia. Es uno de nuestros mejores hombres. Todos son buenos. Nunca los infravalores.*

No estaba preocupada. Es que me parece que es... dudó un segundo y añadió, *mono.*

¿Mono? ¿Te parece mono? ¿Qué tiene de mono?

Le encantaba la nota de broma de su voz. Ahora Nicolas estaba mucho más relajado con ella. En realidad, estaban llegando a un punto donde parecía que encajaban. Él podía hacerle bromas sobre otro hombre y los celos de antes no aparecían. *Pues sí. Tiene esa sonrisa, esa sonrisa de chico malo, y un buen culo.*

La página ochenta del manual de relaciones especifica que no puedes fijarte en el culo de otro hombre, y menos si crees que está bien.

La carcajada de Dahlia se oyó en todo el pantano. Varias garzas reales sacudieron las alas y siguieron caminando con sus piernas infinitas entre los juncos. Varias ranas croaron y Kaden e Ian se asomaron desde detrás de las casa.

Kaden la saludó.

—Me alegro de ver que ya te encuentras mucho mejor.

—Sí, gracias, aunque me da un poco de vergüenza haber quemado la casa de Gator.

—Ya te he dicho que no tienes por qué preocuparte, *ma chère* —dijo Gator—. No quería que nadie se aburriera. Así han estado ocupados.

—Aún así, odio perder el control —respondió Dahlia, decidida a intentar encajar con los Soldados Fantasma. Si era como ellos, y podían entender las complicaciones a las que tenía que enfrentarse a diario y quizá podían encontrar una forma de mejorar su vida, iba a hacer todo lo que estuviera en su mano—. He trabajado mucho desde siempre y, sin embargo, sigo cometiendo errores infantiles. En parte, por culpa de mi carácter.

Nicolas la despeinó y deseó encontrar las palabras adecuadas para que se sintiera mejor.

—Eres demasiado dura contigo misma. Todos estamos aprendiendo. ¿Alguna vez pensaste que otra de las chicas desaparecidas podía estar ahí fuera, sola, sin saber qué le había pasado? Cuánto más sepamos de lo que podemos hacer y lo que no, mejor para todos. Los experimentos son arriesgados y se pueden cometer errores, pero son necesarios. Tienes que pensar que tu convivencia con los Soldados Fantasma es un experimento. Nunca ninguno de nosotros condenará un error.

Los hombres se lo quedaron mirando boquiabiertos.

—En tres años, nunca lo había oído hablar tanto —dijo Sam. Se volvió hacia los demás—. ¿Vosotros lo habíais oído hablar tanto alguna vez?

—Yo no estaba seguro de que supiera hablar —respondió Tucker Addison, muy serio.

—Pues habla —dijo Dahlia, a la defensiva.

—Perdona, pero es que es un tipo sencillamente antisocial —añadió Sam—. Siempre lo ha sido y siempre lo será.

Dahlia levantó la cara hacia la brisa y respiró hondo.

—¿Por qué me resulta mucho más fácil ahora? ¿Es porque estamos al aire libre? ¿Qué estáis haciendo?

—Somos capaces de controlar nuestras emociones, Dahlia —dijo Kaden—. Hemos hablado y hemos decidido que es lo mejor cuando estés con nosotros.

Por sorpresa, Dahlia se notó los ojos llenos de lágrimas y metió la mano en el bolsillo para sentir el tacto familiar de las ametistas.

—Gracias. Es increíble que todos podáis levantar una barrera alrededor de vuestras emociones. Ninguno sufrirá las consecuencias, ¿verdad? Sé perfectamente que el uso de los talentos a veces puede resultar doloroso.

—No, sólo necesitamos un poco de disciplina —respondió Gator—. Algunos podemos hacerlo de forma natural, pero Tucker tiene que esforzarse un poco.

Los hombres sonrieron y se volvieron hacia Tucker. *Tucker es uno de los más pacientes y tranquilos del equipo. No se irrita por nada. Antes de unirse a nosotros, trabajaba para la unidad antiterrorista y es firme como una roca*, le explicó Nicolas via conexión mental.

—¿Puedes enseñarme?

—Claro —respondió Kaden—. Lily nos obliga a hacer ejercicios mentales cada día, igual que los que levantan pesas. Eso ha detenido la mayor parte de los efectos secundarios, aunque las primeras semanas fueron complicadas. Ahora ya los hacemos de forma automática. Nos mantienen alerta para el trabajo que hacemos.

Dahlia rodeó la cabaña con Nicolas hasta la entrada principal, donde ya habían colocado una puerta y un marco nuevos.

—¿Todos tenéis habilidades psíquicas diferentes?

Era mucho más fácil estar con ellos ahora que estaban controlando sus emociones y le evitaban el bombardeo de energía.

—Algunas son comunes, aunque todos tenemos las que sólo son propias de cada caso —explicó Sam—. Gator, por ejemplo, es muy útil cuando nos persiguen perros de vigilancia. Tiene la habilidad de convertirlos en mascotas.

Dahlia se volvió para mirar a Gator, que estaba apoyado contra la pared, muy sexi con la camisa abierta, los dientes blancos y un mechón de pelo que le caía en la frente.

Él le sonrió.

—Te estoy leyendo los pensamientos, *ma chère cherie*.

Nicolas sacó una navaja de la bota y observó el largo filo.

—No es tu nada, chico del pantano.

Habló con una voz fría como el hielo, pero Dahlia estaba acostumbrada a tratar con la energía y, para su tranquilidad, Nicolas lo decía en broma.

—Están hablando los celos —replicó Gator, absolutamente despreocupado—. No puedo evitar que las mujeres me adoren. Nací con este don.

Los hombres lo abuchearon y emitieron sonidos malsonantes.

—Naciste con el don de la fanfarronería —dijo Sam. Miró a Dahlia—. Disculpa, pero es la verdad.

—Estoy de acuerdo —afirmó ella.

Otra carcajada. Gator se colocó las dos manos encima del corazón.

—*Tu m'as cassé le coeur, j'va jamais.*

Dahlia sonrió.

—No te he roto el corazón, Gator y, si lo he hecho, estoy segura de que no tardarás en recuperarte del disgusto.

Él sonrió.

—Pero el francés tiene una musicalidad propia. *D'accord?*

Seguro que podría derretir corazones con esa sonrisa.

—*D'accord* —respondió ella.

—Deja de flirtear, Gator —dijo Tucker—. Estás irritando a Nico. Estás jugando con el extremo peligroso del cocodrilo, y te va a acabar mordiendo.

—A mí no me parece demasiado irritado —respondió Gator—. Parece que ha caído en un pozo muy profundo y que no ve el fondo.

Todos se rieron. Dahlia descubrió que se lo estaba pasando muy bien. Fue un momento memorable que recordaría para siempre. Estaba con un grupo de gente por primera vez en su vida, riendo y charlando, y la energía no la había sacudido. Aunque no volviera a repetirse, estaría eternamente agradecida a los Soldados Fantasma por haberle regalado ese momento.

—Me habéis hecho un regalo maravilloso —dijo—. Nunca había hecho esto. Nunca había mantenido una conversación con un grupo de personas.

—Has tenido suerte de escogernos —bromeó Gator—. Todos somos muy guapos, excepto el aburrido de Nico. ¿Por qué ibas a elegir a nadie más?

—¿Cocinas? —preguntó Tucker, esperanzado.

—¿Has pensado que porque puede provocar incendios será una experta con la parrilla? —preguntó Gator.

Dahlia intentó no sonrojarse, porque quería disfrutar de la camaradería que le ofrecían. Se burlaban los unos de los otros, y ahora también le había tocado a ella. No podía protestar, por sensible que fuera con aquel asunto. Tendría que aprender a aceptarlo.

—Pues sí, se me ha pasado por la cabeza —admitió Tucker—. Estoy muerto de hambre, Gator. ¿No has traído un poco de comida de verdad?

—No era mi trabajo. No soy el chico de los suministros —negó Gator—. Os he buscado una casa, ¿no es suficiente?

Dahlia miró a Nicolas. Él alargó el brazo y la tomó de la mano.

—No les hagas caso, encontrarán algo para comer. Además, Gator nunca va a ninguna parte sin comida.

—Y si esta vez no ha traído, va a salir a cazar algún caimán —dijo Sam—. Tengo entendido que son muy sabrosos.

Dahlia meneó la cabeza.

—Yo no pienso comer caimán. Crecí con ellos. Sería como comerse al perro de la familia.

—Son los perros de la familia —dijo Gator, mirando a Sam—. No te acerques a mis caimanes. Llevan años en la familia. Si tanta hambre tienes, cómete un arbusto. La isla está llena de plantas comestibles, pero eres demasiado perezoso para encontrarlas.

—¿Puedes hablar con los caimanes? —preguntó Dahlia. De repente, se le ocurrió que sería maravilloso.

—No hablo con ellos exactamente —le explicó Gator—. Es más bien dirigirlos. Con perros y gatos es más fácil, pero lo he intentado con reptiles. Los caimanes son complicados, pero he conseguido que se alejaran de una zona en la que querían quedarse. No creo que sea útil, porque tardaría demasiado en conseguir que me obedecieran. Si estuviéramos en un enfrentamiento, nos moveríamos demasiado deprisa.

—Casi todo lo que hacemos es más fácil y rápido si estamos juntos —le explicó Kaden—. Todos tenemos talentos, pero parece que somos más fuertes cuando estamos juntos. Por eso, cuando vamos a una misión, normalmente lo hacemos en unidades pequeñas.

—Yo siempre he trabajado sola. Si tuviera un compañero o compañera y se asustara, se emocionara o resultara herido, yo no podría funcionar —dijo Dahlia, y miró a Nicolas para asegurarse de que entendía lo que estaba diciendo.

Él la miró y frunció el ceño.

—Ahora estás funcionando perfectamente —señaló.

—Cierto —dijo ella—. Pero a alguno de vosotros le está costando controlar las emociones y los pensamientos. No es natural tener que hacerlo durante largos periodos de tiempo.

—Juntos lo soportamos —respondió Nicolas.

Dahlia puso los ojos en blanco. *Este es el motivo por el cual no tengo compañero. Cuando la gente se pone estúpida, soy yo la que tiene que esconder sus emociones. No puedo soportarlo, Nicolas. Es una estupidez que todos sufran por mi culpa.*

Sólo estaba exponiendo un hecho.

No, no es verdad. Me estabas dando uno de tus mini sermones.

—Yo no doy sermones —respondió él, en voz alta.

—¿Y qué me dices de Jesse Calhoun? —interrumpió Kaden—. ¿Trabajabas mucho con él? ¿Te acompañó alguna vez a una misión?

Parecía una pregunta sin más, pero Dahlia percibió el cambio enseguida. La tensión aumentó y, de repente, todos estaban prestando mucha atención y esperando su respuesta.

—Trabajábamos juntos. Era el que me preparaba. Sólo tenía contacto con él cuando me informaba sobre una nueva misión, pero nunca me acompañaba, no funcionaba así.

Eligió sus palabras con cautela y analizó la energía para ver dónde se dirigía ese repentino cambio de conversación.

—Nicolas mencionó que Jesse Calhoun es un Soldado Fantasma. ¿Es cierto?

Dahlia asintió muy despacio.

—Estoy segura de que es un ancla y un potente telépata. Es un ex SEAL y un muy buen agente. Puede rastrearlo casi todo.

—¿Cómo funciona tu trabajo con NCIS? ¿Investigas para ellos? —continuó Kaden.

Dahlia se aferró con fuerza a las ametistas que llevaba en el bolsillo.

—No, sólo recupero. De la investigación se encarga Jesse.

—¿Y quién más?

Ella se encogió de hombros.

—Todd Aikens. También es SEAL. Jesse y él son muy amigos. Martin Howard, que a veces trabaja con Todd y con Jesse, y luego está Neil Campbell. Todos son amigos. No los conozco, sólo sé lo que Jesse me ha dicho. Y también le he oído mencionar un par de nombres más.

—¿Cuántos? ¿Son como Jesse?

—Ya te lo he dicho, no lo sé. Nunca los he visto ni he trabajado con ellos.

Empezaba a sentirse como si la estuvieran interrogando.

—¿Y alguno de ellos sabía que tú te dedicabas a recuperar datos? —preguntó Kaden.

—Por lo que sé, sólo Jesse. Bueno, imagino que su jefe también, y quizá Louise, la secretaria. Supongo que lo adivinaría. Si llaman a Jesse y le piden que haga una investigación y luego me llaman a mí, lo lógico es atar cabos y llegar a la conclusión de que tengo algo que ver con la investigación. Y que yo sólo hago el trabajo de recuperación.

—Cuando hablas de su jefe, ¿te refieres a Frank Henderson?

Había mucho respeto en la voz de Kaden. Henderson era una leyenda en el ejército.

—Sí, dirige el NCIS. Nadie hace nada sin que él lo sepa. Se implica mucho en las investigaciones y exige informes de situación actualizados al minuto. Dirige el barco con mano firme.

—¿Cómo le pasas los datos a Calhoun? —continuó Kaden.

—Los recupero, los dejo en una zona de seguridad y le digo en persona dónde están. Él va, los recoge y los lleva al NCIS.

—¿Has ido alguna vez a la oficina?

Ella meneó la cabeza.

—Imagino que alguien debe de estar vendiendo información. Me tendieron una trampa. Sabían dónde vivía. Y sabían cuál era la casa segura en el Barrio Francés. Eso sólo podía haber salido de las oficinas del NCIS. Los técnicos suelen revisar los ordenadores para el mantenimiento, así que no sé si alguien se habrá podido saltar así la seguridad y encontrarme.

—Y le dispararon —añadió Nicolas.

—Llámales —le aconsejó Kaden—. Habla sólo con Henderson. Dile que crees que hay un topo y que por eso Calhoun ha sido trasladado a un lugar seguro y está vigilado. Dile que quieres llevarle los datos, pero que no confías en nadie. Te ofrecerá un punto de encuentro y nosotros estaremos allí para protegerte.

Ella meneó la cabeza.

—Es demasiado arriesgado. Podrían matarlo.

—¿No crees que sea él el traidor?

—Para nada. No tengo ni la menor duda acerca de él. ¿Lo conoces? —La voz de Dahlia era feroz—. Ama a su país. Ha servido a su país toda su vida. Nunca, bajo ninguna circunstancia, traicionaría a su nación ni a sus hombres. Su vida se rige por un código de honor y es muy sólido.

—Te cae bien.

—He aprendido a respetarlo. —Miró a Nicolas como disculpándose—. Me convenció para trabajar para el NCIS cuando sólo era una niña. No voy a usarlo de cebo para descubrir al traidor. Además, esperará que le lleve los datos, y todavía no los tengo.

—¿Qué acabas de decir?

Nicolas habló muy despacio y su tono de voz hizo que Dahlia se estremeciera.

Capítulo *15*

*D*ahlia se encogió de hombros e intentó aparentar normalidad.

—Todavía tengo que recuperar los datos.

Se produjo un pequeño silencio. Los Soldados Fantasma se miraron.

—Creía que ya habías recuperado el encargo —dijo Nicolas—. ¿Por qué te persigue esa gente si todavía está en su poder?

—Bueno, no está en su poder. A mitad de la misión, descubrí que era una trampa. Sabía que estaban jugando con cebos falsos. Había leído los datos originales de los profesores antes de que los asesinaran. Unos días antes, mientras vigilaba el edificio, me pareció reconocer a uno de los hombres en la misma planta donde me habían dicho que estaban los datos. Estaba segura de que lo había visto con anterioridad, aunque no sabía dónde. Ya había entrado en el edificio, accedido al ordenador, ojeado el informe y me había dado cuenta de que era falso. Y entonces lo reconocí. Era un estudiante de la universidad que pasó por delante de uno de los despachos de los profesores. Se asomó y ese gesto me llamó la atención. No fue demasiado obvio cuando lo hizo, pero yo supe que estaba mirando dentro. La gente no suele hacerlo, así que se me quedó grabado.

Gator se frotó la cabeza.

—Estoy confundido, Dahlia. ¿Viste al mismo hombre en el edificio que estabas vigilando?

Ella asintió.

—Pero no lo ubiqué. Ya ha pasado un año desde que estuve en la universidad echando una ojeada a los documentos.

Sam se rió.

—No te disculpes. La mayoría ni se habría fijado en él, y mucho menos lo habría reconocido unos años después.

—Bueno, habría sido mucho más seguro si lo hubiera reconocido de inmediato. Tuve que revisar la documentación y darme cuenta de que era falsa. Por un momento, creí que a la empresa le habían vendido datos falsos, pero entonces recordé dónde lo había visto y descubrí que los datos estaban marcados y que tendría compañía en cualquier momento.

Miró a Nicolas. Percibió oleadas de energía oscura.

—Te estás enfadando. Estoy viva y a salvo, y no fue tan difícil salir de allí. El mayor problema fueron los datos. No quería que pudieran moverlos. Estaba convencida de que no se habían dado cuenta de mi presencia y que no los habrían protegido demasiado. La mayoría de la gente piensa en términos de proteger el ordenador, pero un buen *hacker* puede introducirse en cualquier ordenador si dispone del tiempo suficiente. Entonces, supuse que por ese motivo no los habrían guardado en el ordenador. Y, si tenía razón, eso significaba que sólo había una copia. Y si sólo había una copia, tenía que estar bien guardada.

—Muchas asunciones en un periodo de tiempo muy corto, sobre todo cuando sabes que van a ir a por ti —comentó Kaden—. Deberías haberte largado en ese mismo momento.

—Estaba bastante segura de que podía esconderme. Y también sabía que podía distraerlos con varias cosas. Estaba más preocupada por el sistema de seguridad que protegía los datos. Supuse que lo habrían reforzado y que quizás incluso habrían añadido uno o dos vigilantes humanos. Ojalá tuviera vuestra habilidad para convencer a alguien de que mirara hacia el otro lado.

Nicolas se cruzó de brazos y sus bronceadas facciones crearon una máscara impenetrable.

—Te quedaste aún sabiendo que era una trampa y que no tenías refuerzos. Si te hubieran encontrado, Calhoun no te habría podido ayudar. Ya viste lo que le hicieron. Te habrían matado. Tenías que saberlo, Dahlia. Seguro que emitían algún tipo de energía maligna.

Ella percibió que su nivel de ira estaba aumentando, algo muy poco habitual en Nicolas. Si hubieran estado solos, lo habría tocado para calmarlo, pero la presencia de los demás la cohibía. Por dentro, suspiró. No sabía cómo comportarse delante de la gente. ¿Qué tipo de relación tenían Nicolas y ella en realidad? Se habían acostado. Muchas parejas se acostaban y no significaba nada.

—Sí que significa algo.

Nicolas lo dijo en voz alta a propósito, con los dientes apretados. Lo dijo en voz alta para demostrarle que estaba reivindicando lo suyo. Le daba igual si le parecía primitivo. No iba a acostarse con él y luego dejarlo tirado, joder. Estaban destinados a estar juntos. La ley y el orden imperaban en el universo. No iba a sacudirlo emocionalmente y luego tirarlo a la basura.

—¡Basta! —Dahlia se alejó de él y se dirigió hacia la puerta—. Te estás portando como un idiota.

Los demás Soldados Fantasma se miraron con las cejas arqueadas porque, obviamente, no percibían la energía hostil de Nicolas igual que ella. Dahlia no entendía cómo podían estar tan protegidos emocionalmente.

—Vaya, vaya —dijo Sam, rascándose la cabeza—. Es la primera vez que oigo que alguien llama idiota a Nico. —Cuando ella se volvió hacia él para decirle cuatro cosas, levantó la mano en señal de paz—. Te agradecería que nos explicaras qué está pasando. Para ser sincero, nadie se atreve a insultar a Nico.

—¿Por qué no?

Dahlia miró a Nicolas, que tenía una cadera apoyada en la pared y conseguía aparentar ser letal sin hacer nada.

—Es un tipo peligroso —dijo Sam—. Y es muy habilidoso con armas de las que una chica como tú no querría ni oír hablar.

Dahlia supo de inmediato que Sam estaba tranquilizando la situación y agradeció la reducción instantánea de los niveles de energía. Dibujó una sonrisa en su mente, pero las facciones inexpresivas de Nicolas no se la devolvieron.

—Continúa Dahlia, por favor —dijo Kaden mientras miraba a Nicolas advirtiéndole de que no la volviera a interrumpir—. ¿Qué hiciste?

La mirada negra de Nicolas se congeló, pero se reprimió y no dijo nada.

—Adopté mi modo invisible y me hice muy pequeña. No puedo desdibujar la ropa, así que siempre visito los lugares donde voy a entrar, me fijo en el color de las paredes y llevo ropa de tonos parecidos. Puedo manipular la superficie de mi piel, y eso ayuda a desdibujar mi imagen. Me permite pasar junto a los guardias sin que me vean. Me escondí en un conducto de la ventilación mientras buscaban por todo el edificio. Elegí el más pequeño a propósito, para que supusieran que allí no cabía nadie. Fueron un par de horas muy incómodas.

Kaden asintió.

—Tu «modo invisible» sería lo más parecido a un «modo camaleón», ¿verdad?

—Exacto. He practicado hasta conseguir desdibujarme en casi todos los fondos.

Tucker contuvo la respiración.

—Lo vi en las cintas de tu entrenamiento. Debe de ser genial. Ojalá pudiera hacerlo.

—¿Por qué no te largaste? —preguntó Sam, con curiosidad.

—Imaginé que trasladarían los datos reales. Estaba casi segura de que querrían cerciorarse de que no los había encontrado y lo que hicieron fue llevarme hasta ellos. Así no tendría que abrir todas las cajas de la cámara acorazada y podría cogerlos y marcharme deprisa.

Nicolas se alejó del pequeño grupo. El relato de las aventuras de Dahlia mantenía a los Soldados Fantasma hechizados, pero a él lo ponía malo. Nada ni nadie le había afectado tanto como ella. La notaba dentro de él. Dentro de su cabeza, de su cuerpo, incluso de su corazón. Era abrumador para un hombre como él. Debía mantener la cabeza clara y no podía sentir siempre un nudo en el estómago, especialmente cerca de Dahlia. Sólo pensar que había estado en una situación tan peligrosa lo ponía de los nervios.

Respiró hondo e hizo un gran esfuerzo para no pensar en nada.

—Nico. —Kaden lo llamó para que volviera a unirse al grupo—. Si vamos a ayudar a Dahlia a planear su regreso para recuperar los datos, te necesitamos con nosotros. Tú llevas la mayor parte de la carga y alejas de energía de todos nosotros.

Nico miró a su amigo y luego volvió a mirar las aguas turbias del pantano. Kaden también llevaba una gran carga. Era un ancla tan fuerte como él y también cuidaba de los demás. Suspiró. Por muy bien que le cayera, no quería que su amigo fuera quien alejara la energía de Dahlia o, peor, la difundiera con cualquier emoción que fuera inflamable.

Asintió.

—Tranquilo, estoy con vosotros.

Dahlia se le acercó y lo agarró del brazo. Fue un gesto pequeño, pero Nicolas sabía lo mucho que le había costado. No era una mujer que soliera tocar a la gente, y mucho menos en público. Le acarició la muñeca con el pulgar.

—¿Qué hiciste?

—Esperé en el conducto hasta que oí que cesaban en la búsqueda y luego seguí al principal sospechoso, un hombre llamado Trevor Billings. Dirige uno de los muchos departamentos de Lombard Inc.

—Nombró una de las principales compañías que solía usar el departamento de defensa para construir prototipos y armas. Todo el mundo sabía que era una empresa muy bien protegida y con un sistema de seguridad impenetrable—. Hace tiempo que Billings se convirtió en un sospechoso. El NCIS cree que está vendiendo armas a terroristas y otros gobiernos, básicamente a cualquiera que se las pague, pero no puede demostrarlo. Corre el rumor de que tiene un pequeño ejército propio y a un par de senadores en el bolsillo para asegurarse la asignación de los contratos que quiere. Jesse creía que alguien de dentro del NCIS lo avisaba cuando alguien inventaba un arma nueva y Billings robaba los datos antes de la asignación de los contratos. Así no tenía que sobornar a los senadores ni tenía que compartir el premio con nadie. Crea un par de accidentes para el profesor, o quien sea que haya inventado el arma, y luego reclama que la patente pertenece a su empresa y se la vende al gobierno, o al mayor postor. Es la situación perfecta para él.

—No es una mala idea. Si recurre a los accidentes, cubre todo el país y no ataca siempre en la misma zona, realmente podría conseguirlo y nadie sospecharía. El gobierno concede becas continuamente para que la gente invente cosas. De un extremo a otro del país, profesores, estudiantes y empresas privadas quieren esas becas —dijo Kaden, pensando en voz alta—. Entiendo por qué le saldría mucho más a cuenta robar los datos y, de repente, erigirse como el inventor y comercializar la idea.

—Jesse quería detenerlo —dijo Dahlia—. Quería pruebas de que Billings ordenó los asesinatos de esos profesores y quería recuperar los datos.

—Bueno, no querríamos decepcionar a Jesse, y menos cuando tu vida está en juego —dijo Nicolas. Un tono casi imperceptible en su voz provocó que Dahlia se estremeciera. Tenía la mirada y las venas congeladas, y un gesto despiadado en la boca.

—Estoy orgullosa de lo que hago. Nunca había fallado, y no tenía previsto hacerlo esta vez. —Quería parecer calmada, pero, para su mayor horror, parecía como si lo estuviera calmando a él y eso colmó el vaso. Retiró la mano, lo miró y se alejó de ese repentinamente asfixiante grupo—. No tengo que darte explicaciones, ni a ti ni a nadie. Me quedé para terminar mi trabajo, y ya está.

¿Por qué tenía la sensación de que le debía una explicación? No le extrañaba que se necesitara un manual para las relaciones. Los hombres eran imbéciles. Unos imbéciles absolutos, y las mujeres eran igual de malas intentando apaciguar los egos masculinos.

Nicolas la siguió, sintiéndose un tonto. Sabía que parte del problema era la proximidad con tantos hombres. Todavía estaba combatiendo la sensación de ver cómo se le escapaba de las manos. Añadido al miedo por su seguridad, era evidente que estaba reaccionando ante la amplificación de sus propias emociones provocada por la energía que estaba acumulando de sus hombres y de ella misma. Suspiró. Demasiado para su disciplina y control.

Lo siento, Dahlia. Lo siento mucho.

Ella quería seguir enfadada con él. Estar enfadada también era una forma de protección, pero la dolorosa sinceridad de su voz pudo con su determinación. Tomó la mano que él le ofrecía. Él la atrajo y la acercó tanto que Dahlia pudo notar la calidez de su cuerpo a través de la fina tela de la ropa.

—Soy buena en lo que hago, Nicolas. Si hay un peligro, voy con cuidado e intento minimizarlo. Y mi tamaño es una ventaja. Trabajo de noche cuando casi todos se han marchado. Casi siempre entro y salgo y nadie se entera.

—Dahlia, debes viajar mucho —dijo Kaden—. ¿Vuelas? ¿Cómo te las arreglas con los desplazamientos que te exige tu trabajo?

—Viajo en avión privado. Siempre voy con el mismo piloto. También es un antiguo militar y trabaja para el NCIS. Es un Boina Verde. Casi todos los hombres que he conocido del NCIS han tenido algún tipo de entrenamiento en las Fuerzas Especiales. —Miró a Kaden—. No es normal, ¿verdad?

—¿Son Soldados Fantasma? —preguntó él.

—No tengo ni idea. —Se encogió ligeramente de hombros y luego se echó el pelo hacia atrás—. Quizá sí. Quizás sea esa la conexión entre todos. Parece que se conocen y que son amigos. Max es el piloto y, cuando estoy con él, nunca tengo problemas. No hablamos demasiado, así que nunca lo había pensado. Es muy callado.

—¿Max qué más? —Kaden indicó a Tucker que sacara el teléfono por vía satélite para llamar a Lily. Cuanta más información tuvieran, mejor.

—Logan Maxwell. Todos le llaman Max.

Vio que Tucker hablaba por teléfono y transmitía la información. Le parecía increíble que Lily estuviera al otro lado de la línea. Durante mucho tiempo, no estuvo segura de si era real o sólo un producto de su imaginación. Y ahora casi le daba miedo creer en ella.

Tucker los miró con el gesto muy serio.

—Alguien ha estado intentando localizarnos. Y utilizan unos equipos muy sofisticados. Puede que este lugar ya no sea tan seguro.

Dahlia notó que el corazón le daba un vuelco. Los hombres no parecían particularmente preocupados, pero ellos estaban acostumbrados a la violencia en su mundo. Respiró hondo y fingió no tener miedo. No temía tanto los disparos como la energía violenta que acudía a ella después. Parecía una enorme debilidad frente a la fuerza de los demás Soldados Fantasma.

Nicolas la rodeó con el brazo.

—¿Cómo te pones en contacto con Maxwell cuando tienes que acudir a una misión?

—Jesse suele encargarse del transporte, pero a veces llamo a la secretaria de Henderson y se encarga ella. Me da las coordenadas de una pequeña pista y una hora. Max siempre está esperándome y listo para despegar.

—Pues hagámoslo. Llama a la secretaria. ¿Cómo se llama? —preguntó Kaden.

—Louise Charter. Nunca la he conocido en persona, pero hemos hablado por teléfono muchas veces. Es una mujer muy amable.

Los chicos se miraron. Dahlia arqueó las cejas.

—¿Qué? ¿No iréis a decirme que Louise está detrás de todo esto? Pero si tiene casi sesenta años. Es la viuda de un agente del FBI.

—Ya veremos —dijo Kaden—. Dile que te facilite trasporte para la zona de Washington DC y Maryland, así podremos hacer una pequeña visita a los agentes. Creo que será útil conocerlos.

—Y peligroso —apuntó Tucker—. Si son Soldados Fantasma.

—Y si lo son, ¿de dónde han salido? ¿Y por qué no hemos oído hablar de ellos?

—Calhoun nos conocía —dijo Nicolas, muy despacio—. Reconoció mi nombre y no le extrañó que me comunicara telepáticamente con él. Lo sabía.

Dahlia notó inmediatamente el peso de todas las miradas en ella.

—A mí no me miréis. Yo nunca había oído hablar de vosotros. Si Jesse lo sabía, no me dijo nada.

—Dahlia, ¿dónde están los datos? —preguntó Nicolas, directamente.

—En la cámara acorazada. Los cambié de caja. Es una cámara muy segura. Todos los investigadores tienen acceso a ella mediante códigos, huellas dactilares y materiales sensibles. No tuve tiempo de sacarlos del edificio. Tenía miedo de que me descubrieran y quería protegerlos. Me pareció mejor que creyeran que me los había llevado y volver a buscarlos otro día. Así que los cambié de caja.

—¿Cómo evitaste la seguridad? —preguntó Kaden.

Ella se encogió de hombros.

—Los seguí hasta dentro. No fue tan difícil. No estaban pendientes de mí y creé interferencias en las cámaras. Llevaba días haciéndolo de forma intermitente, para que creyeran que tenían un fallo técnico. A nadie se le ocurrió mirar entre las sombras por si los estaba siguiendo. Fue más complicado salir que entrar.

—Entonces, ahora tienes que volver a entrar en el edificio y sacar los datos antes de que descubran que todavía los tienen —concluyó Kaden.

—Exacto —asintió ella.

—Llama a la secretaria y pídele ese transporte —dijo Nicolas—. Te acompañaremos y nos aseguraremos de que todo salga bien. Y, con un poco de suerte, desenmascararemos al traidor.

Dahlia meneó la cabeza.

—Trabajo sola. No puedo trabajar con nadie. Ya lo sabes, Nicolas. Es demasiado peligroso.

Kaden se rió.

—Está claro que no has trabajado con los Soldados Fantasma. Tu trabajo es recuperar los datos. Nosotros sólo te acompañaremos para allanarte el camino. No te preocupes, trabajamos muy bien como una unidad.

Dahlia dudó y se preguntó si la estaban obligando. Necesitaba un poco de tiempo para poder pensar antes de comprometerse más con tanta gente. Sin embargo, a pesar de sus recelos, ya tenía el teléfono en la mano.

—Voy a tener que dar muchas explicaciones —dijo.

—Exacto —replicó Nicolas.

Los hombres miraron a Tucker mientras Dahlia hablaba con Louise Charter. Tucker estaba observando con atención la pantalla del ordenador.

—Sí. Nos siguen. He colocado un par de cortinas de humo, lo suficiente para que sigan pensando que no sabemos que nos siguen, pero nos encontrarán. Ya sabemos que tienen un equipo en la zona.

—O en lo que queda de ella —dijo Nicolas.

—Sigue hablando, Dahlia, que puedan localizarnos —le aconsejó Kaden.

Ella frunció el ceño. No estaba acostumbrada a recibir órdenes ni, por supuesto, a permitir que sus enemigos la localizaran. Era una mujer de las sombras y ser el centro de atención le resultaba muy incómodo. Miró a Nicolas. Su amplia espalda le bloqueaba el sol, por lo que, durante unos segundos, sólo lo vio a él. Parecía invencible, un hombre que nunca se rendía, que nunca se detenía. Ella siguió hablando con Louise, charlando de cosas sin importancia, aunque contando los segundos hasta que Tucker le hizo una señal.

—Henderson no estaba disponible, lo que significa que no se encontraba en la oficina porque, de haber estado, habría insistido en hablar conmigo. Louise quería pasarle la llamada, pero le he pedido que no lo hiciera —explicó ella—. Y ahora, ¿qué?

—Ahora sabemos que alguien de esa oficina te persigue —respondió Kaden.

—Eso ya lo sabía. ¿Cómo reducimos el número de sospechosos?

—No creo que sea tan fácil interceptar el teléfono de la secretaria del director del NCIS y rastrear una llamada —respondió Kaden—. Diría que tenemos que vigilar de cerca a la secretaria.

Por algún motivo, la idea de que Louise pudiera ser la traidora hizo que a Dahlia se le revolviera el estómago. Louise le caía bien.

Quizá no la conocía demasiado, pero le caía bien y tenía contacto con muy pocas personas. Empezaba a creer que el mundo estaba lleno de impostores. Una parte de ella quería permanecer para siempre entre las sombras. Parecía mucho más seguro. A plena luz era mucho más vulnerable. Se obligó a dibujar una sonrisa.

—Necesito un poco de espacio. Mientras coméis, creo que me tomaré un tiempo para mí.

No miró a Nicolas, porque también necesitaba alejarse de él.

Subió al tejado, que era el lugar más seguro que se le ocurría para pensar. Tenían poco tiempo. O bien el NCIS había rastreado la llamada para determinar su posición o bien lo había hecho otra persona, alguien que quería matarla. En cualquier caso, lo más probable era que tuvieran compañía dentro de poco. Se tapó la cara con las manos y soltó el aire de los pulmones. Su vida había dado un giro de ciento ochenta grados en pocos días. No había tenido tiempo para pensar ni planear. Sólo se había movido para mantenerse con vida. Ni siquiera había podido llorar a Milly y a Bernadette.

Buscó el familiar alivio de las esferas de ametista del bolsillo. Tenía que concentrarse en la misión. Antes que nada, necesitaba ropa. Todo lo que tenía había desaparecido en la explosión de su casa. Tendría que utilizar el dinero que Jesse le había dejado en la casa franca para comprar ropa. Sabía de la importancia de confundirse con las paredes.

Levantó la cara hacia la delicada brisa que llegaba del agua y escuchó los relajantes sonidos del pantano. Mientras tanto, sabía que una parte de su ser estaba esperando que Nicolas acudiera a ella, y eso la asustaba más que los inminentes problemas. Oyó unas alegres notas de *reggae*. Gator empezó a cantar. Lo observó mientras sacaba una parrilla y empezaba a preparar una barbacoa. Le resultaba extraño estar sentada en el tejado y pensar que podía llegar a participar de algo como una barbacoa en el jardín.

Dahlia vio cómo los hombres se reunían alrededor de Gator mientras él dibujaba el perfil de la isla en el suelo, junto a là barbacoa, con una rama. Dibujó la costa y los árboles. Nicolas se acercó para estudiarlo. Ella intentó escucharlos por encima de la música. A ninguno parecía importarle que los oyera mientras planeaban lo que parecía una defensa contra una invasión.

—Queremos saber por dónde entrarán. Gator, eres el que mejor conoce la isla, y el terreno. Escojamos nuestra posición y dirijámoslos hacia una zona de entrada que nos convenga —ordenó Nicolas. Levantó la mirada hacia Dahlia y le guiñó el ojo.

No sabía por qué, pero, en aquellas circunstancias, el gesto no le pareció demasiado tranquilizador.

—Lejos de la cabaña —dijo Gator—. Vamos a tener que bloquear un par de zonas de entrada con barreras naturales, como barricadas, para que no sospechen. Tengo un par de señales que los asustarán y los alejarán de cualquier sitio que queramos proteger.

—Queremos meterlos en una zona de emboscada natural. Colocad varias minas Claymore con cable —dijo Nicolas.

—Yo cocinaré —se ofreció Sam—. Ian es mucho más bueno con las minas Claymore. Además, le gustan todos esos bichos del pantano.

Nicolas lo ignoró.

—Quiero bengalas en cualquier punto de entrada desde donde puedan acercarse sigilosamente. Tucker, ¿te encargas de eso? Necesitaré que el resto ayudéis con las barreras cuando Gator nos proporcione una localización para la emboscada. Quiero que salga perfecto, sin errores. Vamos a limitar lo mejor que podamos los puntos de acceso a la isla. Queremos que estén todos juntos antes de poner en marcha la trampa.

Gator seguía dibujando líneas con la rama.

—Esto es el canal. Creo que podríamos instalarnos aquí, Nico. No es demasiado pantanoso y pienso que es más posible que escojan entrar por aquí a pie que acceder por otro lugar. Creerán que los arbustos juegan a su favor, pero es un callejón sin salida. A medio kilómetro, el camino termina en una pared de roca y podemos encerrarlos por los lados y por detrás.

Nicolas estudió el mapa del suelo desde todos los ángulos.

—Adelante. Vamos a tener que arrancar el muelle, Gator. Si no, pueden optar por un ataque frontal con mortero sobre la cabaña.

Gator encogió los hombros sin darle demasiada importancia.

—Todos tenemos que hacer sacrificios. Vamos a trabajar. Sam, no destroces esas costillas. Las he marinado con mi salsa secreta.

—Están a salvo conmigo —respondió éste—. Arrancaré el muelle mientras se asan. Cuidado con las sanguijuelas, chicos —añadió, muy sonriente, mientras los despedía con la mano.

Los hombres se separaron y cada uno fue corriendo hacia la zona asignada. Había tres zonas de muelle, y otra que podían utilizarse como tal en caso de necesidad. Tucker instaló los cables de las minas mientras Gator clavaba señales de advertencia de agujeros en el suelo cerca de la costa. Las había utilizado hacía años para evitar que la policía entrara en la isla y buscara a su hermano rebelde. Para hacer más atractiva la zona donde querían que atracaran la lancha, clavaron un par de postes viejos en el barro y chafaron la vegetación contra el suelo para que el camino pareciera utilizado.

Dahlia se puso de pie en el tejado y los vio trabajar. Se habían quitado las camisas, llevaban maleza de un sitio a otro, y colocaban varios objetos en distintas posiciones. Vio una nube de polvo en el aire, pero no podría decir exactamente lo que estaban haciendo. Mientras tanto, la música marcaba un ritmo animado y el olor de las costillas flotaba en el aire.

Entonces bajó del tejado y se acercó a la orilla mientras Sam arrancaba el muelle. Con cuidado, escondió cada plancha de madera.

—¿Qué estáis planeando? —preguntó, con las manos en las caderas. Si estaban planeando un ataque violento, no percibía ni un ápice de miedo ni nervios. Parecía que todos trabajaban alegres y contentos. Como mucho, captaba alguna sensación de hambre a medida que el olor de las costillas se extendía por la isla.

—Estamos abriendo el apetito —le aseguró Sam—. Dale la vuelta a las costillas, por favor. Si las quemo, me echarán a los caimanes.

—Hablando de caimanes, parece que uno o dos han decidido unirse a nosotros —señaló ella.

Sam miró al que tenía más cerca, que estaba tendido al sol a escasos metros de donde se encontraba él, con el agua hasta la cintura.

—Son feos, ¿no te parece? Ese parece que esté esperando a que le dé la espalda.

Dahlia se paseó hasta la parrilla y frunció el ceño ante las costillas.

—Me ofrecería a vigilar a los caimanes por ti, pero creo que me estás ocultando algo. Eso de que tus amiguitos y tú estáis abriendo el apetito no cuela, ¿vale? —Miró detrás de Sam a propósito—. Un amiguito para el caimán.

Sam se dio la vuelta de inmediato y miró a su alrededor.

—¿Dónde? —Volvió a girarse para intentar vigilar también al que estaba tumbado al sol en la orilla—. ¿Dónde está?

Arrancó una plancha y la levantó a modo de arma.

Dahlia dio la vuelta a las costillas con cuidado, pasándoselo en grande con aquella nueva experiencia.

—Quizá me he equivocado.

—No tiene gracia. No tiene ninguna gracia —replicó Sam, mirándola fijamente.

—Bueno, podría haber sido un caimán, aunque seguramente sólo han sido unas burbujas, una rama flotando o algo así. No estás nervioso, ¿no? Leí un libro sobre caimanes y creo que les gusta atacar desde las profundidades. ¿O eran los tiburones?

Sam maldijo y salió del agua, con la precaución de mantener la plancha entre él y el caimán de la orilla. La criatura no se movió ni retrocedió, pero sí que gruñó a modo de advertencia.

Dahlia se rió.

—¿Tienes miedo de ese pequeño caimán? Si ni siquiera es adulto.

—Eso está mal, jovencita —dijo Sam—. Espero que Nicolas sepa cómo eres en realidad. Apuesto a que nunca ha visto tu lado oscuro.

—Claro que no —admitió ella, satisfecha—. ¿Vas a explicarme qué estáis planeando tus alegres compañeros y tú?

—¿Alegres compañeros?

—He leído Robin Hood. ¿Tú no?

Sam se secó el sudor de la cara mientras los otros empezaron a regresar al campamento.

—Gracias a Dios que habéis vuelto. No volváis a dejarme solo con ella. Es peor que el caimán.

—Tengo la sensación de que deberíamos ponernos en marcha —dijo Ian—. Tengo ese picor tan particular en la espalda. —Tiró los huesos de las costillas al suelo, visiblemente satisfecho—. Gator, estaban buenísimas.

—¡Eh! Que las he preparado yo. —Sam miró a Dahlia—. Y no ha sido fácil.

—Si alguien hace estallar mi cabina me voy a cabrear mucho —dijo Gator. Le guiñó el ojo a Dahlia—. Si ponen un pie en mi propiedad, les tengo guardadas algunas sorpresitas.

—De poco van a servir si nos disparan con mortero —replicó Nicolas—. Larguémonos de aquí antes de que nos tiendan una trampa.

Dahlia observó cómo todos se ponían las mochilas en silencio. No tenía ni idea de por qué habían esperado al enemigo tan tranquilos, incluso habían comido y saboreado la comida, sin ninguna preocupación aparente. Ella notaba cómo la tensión crecía en su interior, pero aun asi, ninguno de ellos mostraba el menor nerviosismo.

Se subió a los botes con ellos. Nicolas y ella iban en uno, Kaden, Tucker y Sam iban en el segundo, mientras que Ian y Gator iban en el tercero. Avanzaron sin ninguna prisa por el canal hasta otra entrada a escasos metros de la cabaña de Gator.

Dahlia se aclaró la garganta cuando empezaron a esconder los botes entre los juncos.

—Exactamente, ¿por qué no estamos ya camino de la pista de despegue?

—No te preocupes, Dahlia —respondió Sam, alegre.

A ella le pareció que demasiado alegre. Miró a Nicolas con recelo.

—¿Qué estáis haciendo?

—Voy a dejarte en algún lugar seguro y luego haremos un reconocimiento del terreno.

—¿Y no te pareció necesario explicármelo?

—Debería haberlo hecho —admitió él—. Pero, para ser sincero, imaginé que ya sabrías que les habíamos tendido una trampa y que vamos a llevarlos hasta ella. No nos gustan los trabajos a medias. Esta gente ha venido con un único propósito, encontrarte. Y no pienso marcharme hasta eliminar cualquier amenaza sobre ti.

El tono despiadado de su voz la hizo estremecer. Apartó la mirada y se volvió hacia el río. El código que regía la vida de Nicolas, su trabajo y sus creencias iban inexorablemente unidos al hombre que era. El hombre del que Dahlia se temía que se estaba enamorando. Debería haber sabido que querría eliminar a todo aquel que la amenazara. Nicolas era así. Era inútil responderle que era peligroso o que podían huir. Huir no iba con su carácter a menos que sirviera a su propósito; a menos que sirviera a su caza.

Lo miró y vio el guerrero que llevaba dentro, el reflejo de un pueblo íntegro y honrado. Un pueblo valiente y valeroso. Llevaría la lucha donde quiera que tuviera que ir y sería despiadado en su caza. Dahlia suspiró muy despacio.

—Ya imagino en qué consistirá el reconocimiento del terreno.

Nicolas se volvió para señalar a los demás que se deshicieran de los botes. La tomó del brazo.

—Vamos a sacarte de la línea de fuego. ¿A cuánta distancia tienes que estar para que la energía no te encuentre?

—Nunca lo he calculado.

No sabía si estar furiosa o agradecida. Aquel era el problema de las relaciones, que una mujer siempre estaba indecisa entre sentirse protegida por un hombre como Nicolas y preguntarse si debería darle una patada por su sobreprotección.

Nicolas le tomó la mano, se la acercó a la boca y le besó los dedos, sin quitarle la vista de encima, ni siquiera cuando empezaron a avanzar entre los arbustos.

—No estás preocupada, ¿verdad?

—¿Por qué iba a estarlo? Es más de lo mismo. Ya sabes, bombas, incendios, gente que te dispara. ¿Por qué iba a preocuparme? Y más cuando podríamos estar de compras o subiendo a un avión. No estoy preocupada.

—Hmm —dijo él, pensativo—. He leído acerca de esto en el manual. Se llama «sarcasmo femenino» y, en general, significa que el hombre está en un buen lío. —Encontró un buen escondite cerca del centro de la isla—. Quédate aquí hasta que vuelva a buscarte.

—¿Qué crees que vas a conseguir con esto?

—Voy a deshacerme del enemigo mientras perseguimos al traidor y recuperamos los datos —respondió Nicolas. Se agachó para darle un beso—. Quiero que estés aquí cuando vuelva.

Se obligó a alejarse de ella, convenciéndose de que estaría allí cuando volviera, aunque sabía que podía ser que no. Cuando se acercó a los demás, hizo una señal, y todos se prepararon para el combate. Sacaron las armas, se cargaron las mochilas a la espalda y se quedaron entre los juncos esperando a que llegara el enemigo.

El sonido de los remos en el agua bastó para que varias aves levantaran el vuelo y el zumbido de los insectos se interrumpiera unos instantes. Y bastó para avisar a los Soldados Fantasma. Gator les indicó que había localizado el bote mientras rodeaba cuidadosamente la isla. Se sirvió de los sonidos del pantano e, imitando a un caimán en celo, transmitió una cifra a sus compañeros. Cinco ocupantes. Nicolas abrió los dedos de la mano y se lo comunicó a los demás.

En cuanto supieron que el bote atracaba exactamente donde habían planeado y que los ocupantes lo ataban a los dos palos que estaban allí perfectamente situados para tal propósito, los Soldados Fantasma se zambulleron en el agua y utilizaron juncos como tubos de buceo mientras se deslizaban por debajo del agua para tender una emboscada al enemigo. Cuando estuvieron en posición, esperaron la señal de su hombre para continuar bajo las turbias aguas.

Nicolas notó el golpecito en el brazo y lo transmitió a sus hombres. Lentamente, salieron a la superficie como oscuras criaturas marinas armadas con M4 y cuchillos, sus armas preferidas para el combate. Inmóviles como estatuas, permanecieron en el agua, camuflados tras los juncos y las plantas, con la cabeza y los hombros fuera del agua y con las armas apuntando al enemigo.

Los cinco asesinos se separaron y accedieron a la isla en silencio. Dos utilizaron el camino que les habían trazado, mientras que los otros tres los seguían a cierta distancia. Nicolas y los Soldados Fantasma salieron de las profundidades del agua sin hacer ruido, llegaron a la orilla, tendidos bocabajo y con los rifles preparados. Formaban una unidad sólida, habían compartido muchas misiones y conocían la posición exacta de los demás sin tener que mirar. Avanzaron a través de la densa vegetación tras los cinco asesinos, pegados al suelo, sin ser oídos ni vistos.

Un sapo empezó a croar. Un caimán bramó. Un ave muy grande levantó el vuelo con sus enormes alas y el viento agitó los árboles. Gator estaba tendido en el suelo, concentrado en la colmena que colgaba de la rama de un árbol, justo delante de los cinco hombres. De repente, las abejas se pusieron nerviosas, empezaron a zumbar furiosas y abandonaron su cobijo como un oscuro enjambre. Las serpientes se tiraron al agua y el ruido viajó por el pantano. Las lagartijas y los insectos salieron del agua y avanzaron en masa por la tierra.

Los cinco hombres empezaron a espantar a los bichos y las abejas que se habían acumulado a su alrededor. Corrieron en un esfuerzo por huir de las enfurecidas abejas. El primero tropezó con el cable de una de las minas Claymore. La explosión fue muy fuerte y los demás se tiraron al suelo de inmediato mientras disparaban al aire.

Nicolas se colocó en un terreno un poco más elevado y maniobró para ponerse en una posición propicia para eliminarlos a todos a la vez. Kaden iba tras él y también eligió un objetivo. Dispararon de forma casi simultánea. Los dos que quedaban apuntaron hacia los disparos. Sam indicó que tenía uno a tiro y disparó, y Tucker hizo lo mismo casi inmediatamente después.

Casi al unísono, oyeron una explosión tras ellos que venía de la otra isla. Una bola de fuego cruzó el cielo y aterrizó en el agua, crepitando mientras desaparecía entre el humo negro. Nicolas maldijo.

—Limpiad esto —ordenó, y corrió hacia el agua para cruzar el canal.

Dahlia estaba en pleno ataque cuando la encontró. La energía violenta le quemaba las venas y le provocaba continuas convulsiones. Se arrodilló a su lado y la tomó de la mano con la esperanza de atraer la energía de su cuerpo.

—¿Es grave?

Kaden apareció tras él.

Nicolas sabía que no podía evitarlo, pero también que Dahlia odiaría que alguien la viera tan vulnerable, así que indicó a Kaden que la tomara de la otra mano. Entre los dos anclas pudieron alejar la última energía violenta que quedaba en su cuerpo hasta que se quedó inmóvil.

Ella apartó la cabeza y vomitó varias veces. Nicolas le dio una toallita húmeda que había sacado de la mochila. Ella la aceptó con las manos temblorosas. Le dolía la cabeza, un dolor que se negaba a desaparecer.

—Creo que no hemos calculado la distancia demasiado bien.

No tuvo demasiada gracia, pero era lo mejor que se le ocurrió teniendo en cuenta las circunstancias.

A Nicolas se le encogió el estómago con aquellas palabras. La cogió en brazos, ignoró sus protestas y la llevó hasta las lanchas.

—Encontraremos un lugar para ducharnos y cambiarnos de ropa. Puedes descansar mientras voy a comprarte algo que ponerte.

Era lo único que se le ocurría. Aún llevándola en brazos, Dahlia se apartaba de él y evitaba su mirada y la de Kaden.

—El transporte estará esperando —le recordó Kaden.

—Pues que espere —respondió Nicolas, muy serio.

Capítulo 16

*L*ogan Maxwell era un tipo robusto con los hombros anchos y los brazos musculosos. Sus ojos azules y fríos como el hielo observaron al grupo de hombres mientras se acercaban al avión en formación, con las armas en la mano y mirando hacia fuera, comprobando la zona que los rodeaba.

—¿Esperáis problemas? —los saludó.

—Sí —respondió Nicolas, mientras señalaba la pistola que el piloto llevaba en la mano—. ¿Y tú?

—Yo esperaba a Dahlia, no a un ejército.

—La acompañamos. Somos sus guardaespaldas.

Nicolas mantuvo el contacto visual. Eran dos machos observándose fijamente.

Max también mantuvo el contacto visual pero levantó la voz.

—¿Dahlia? ¿Estás bien?

A pesar de haberse lavado y haberse puesto la ropa que Nicolas le había comprado, todavía estaba pálida e indispuesta después del ataque. El dolor de cabeza era terrible. Sólo quería tenderse y dormir, como siempre que se encontraba en aquella situación. Los hombres la estaban protegiendo del piloto, interponiendo armas y cuerpos entre ellos. Ella se encogió de hombros de forma casual.

—Estoy bien, Max. Después de lo de Jesse, son un poco sobreprotectores —respondió Dahlia—. Han insistido en acompañarme.

Max se negó a romper el contacto visual con Nicolas.

—Si tú no quieres, no van a venir. Tú decides.

—¿Crees que vas a poder con todos? —preguntó Sam, divertido.

—Nunca se sabe —respondió Max.

Dahlia suspiró.

—Cuando os ponéis así, no lo soporto. Es penoso. Estoy cansada, me duele la cabeza y estoy harta de todo esto. Voy a subir al avión.

—Todavía no —dijo Nicolas, e hizo un gesto a Tucker y a Sam para que entraran primero—. Quédate a mi lado, Dahlia.

No la miró cuando le dio la orden porque no apartó la mirada del piloto, pero la tenía perfectamente controlada. Era consciente de lo frágil que parecía. Y lo lejos que estaba de él, a pesar de estar lo suficientemente cerca como para sentir el roce de su piel.

—El avión está vacío —dijo Max—. Dahlia siempre vuela sola conmigo.

—Pues ya no —respondió Nicolas, con la mirada negra firme y severa—. Desde que alguien del NCIS la vendió, ya no va sola.

Max se quedó inmóvil y luego, muy despacio, guardó la pistola en la funda.

—Dahlia, ¿has hablado con el director? ¿Se lo has explicado?

—No, pero estoy segura de que piensa lo mismo. No ha sido tan difícil llegar a esa conclusión. Alguien ha matado a mi familia y ha quemado mi casa, Max. Y nadie sabía de mi existencia excepto unas cuantas personas del NCIS.

—Incluido yo —dijo Max, muy despacio.

Dahlia se encogió de hombros y odió haber expresado la sospecha en voz alta. Tenía muy pocos amigos, si podía llamarlos amigos. En realidad, eran conocidos, pero no tenía tantos como para enfrentarse a ellos. Y Max siempre le había caído muy bien.

—Su última misión fue una trampa —informó Nicolas, sin desviar la mirada.

Max tensó un músculo de la mandíbula. Y maldijo en voz baja.

—Jesse Calhoun es amigo mío, Dahlia. Siempre me he sentido responsable de ti. Deberías haber llamado pidiendo refuerzos. Cuando te llevo a algún sitio, mis órdenes son permanecer junto a ti para devolverte a casa, y es exactamente lo que hice. No me dijiste nada.

—Llegaba tarde —dijo ella, con un hilo de voz—. Dos horas tarde.

Max volvió a maldecir.

—Sube al avión, Dahlia. Aquí estás muy expuesta y no me gusta —ordenó Nicolas—. Podemos seguir hablando después.

Aunque dio gracias de que lo obedeciera enseguida, no era propio de Dahlia hacerlo sin apostillar algo sobre su arrogancia, y aquello lo perturbó. Una Dahlia abatida era demasiado insoportable para él. Se quedó muy cerca de ella, de hecho casi la empujó con el cuerpo para ver si reaccionaba y le respondía, pero ella mantuvo la cabeza agachada.

Los hombres avanzaron en formación, con Dahlia en el centro mientras la acompañaban hasta el avión. Max entró tras ella.

—Deberías haberme dicho algo, Dahlia. Al menos, haber informado al director. Él me habría hecho llevarte a algún sitio seguro.

—Se suponía que nadie sabía de mi existencia, Max —replicó Dahlia. Parecía cauta y triste. Ya se estaba encerrando y alejándose de todos—. ¿No te hace sospechar? ¿Y cómo sabían dónde vivía?

—¿No creerás que alguien del NCIS está implicado?

—Cuando enviaron a un equipo a buscarme a la casa franca del Barrio Francés, alguien me disparó. Sabían exactamente dónde estaba la casa del pantano. Y no es tan fácil de encontrar, Max.

No lo miró. Mantuvo la cara apartada.

Nicolas la rodeó con el brazo y la abrazó, porque el dolor que reflejaba su cara lo atormentaba.

—Ahora entenderás por qué no queremos arriesgarnos.

Había hecho lo que había podido para leer la mente de Logan Maxwell, pero el tipo la tenía muy bien protegida con barreras. Las mismas barreras que Lily Whitney les había enseñado a crear en sus ejercicios. Reconoció el sello de las Fuerzas Especiales, un guerrero entrenado y curtido para la batalla. Maxwell no era de los que daban marcha atrás con facilidad, y Nicolas dudaba que se vendiera a cambio de dinero.

Subieron al avión con Max a los mandos.

—¿Jesse sabe lo de estos hombres, Dahlia?

—Nicolas fue quien lo sacó del incendio, Max —respondió ella, muy despacio—. Y si Jesse vive, Nicolas le habrá salvado la vida.

Max miró a Nicolas, se fijó en el gesto de propiedad con que agarraba a Dahlia, el lenguaje verbal posesivo.

—En tal caso, estoy en deuda contigo. Jesse es un buen amigo mío. Será mejor que os abrochéis los cinturones para el despegue. No pienso quedarme aquí más tiempo, por si acaso. He oído que Jesse no está demasiado bien. El almirante fue a verlo, pero no dijo dónde estaba, ni siquiera a nosotros. Y tampoco quiso decirnos qué le había pasado ni cómo se encontraba.

—Pues eso ya debería decirte algo —dijo Nicolas.

Dahlia los miró. Cuando quería, Nicolas podía ser muy intimidador y, ahora mismo, tenía una expresión dura como una roca. Sus ojos eran dos obsidianas frías y el gesto de su boca despiadado. Clavó la mirada en Maxwell y se negó a apartarla.

—Supongo —respondió Max, suspirando—. No quiero creerlo, pero imagino que las pruebas apuntan a lo peor.

El motor ya estaba en marcha y el avión empezó a temblar mientras Max repasaba los indicadores de forma automática antes de empezar a rodar por la pista.

Nicolas esperó a estar en el aire para decir:

—Jesse Calhoun es un Soldado Fantasma; lo han reforzado psíquicamente. E imagino que tú también. ¿Cómo se puso en contacto con vosotros el doctor Whitney? ¿Y alguno de vosotros sufre las repercusiones físicas y mentales asociadas al experimento?

Max miró a Dahlia y a Nicolas.

—Sabes que no puedo hablar de eso.

—Pero sabes que Dahlia es una Soldado Fantasma —afirmó Nicolas—. Por eso os escogieron a Calhoun y a ti. Porque sois anclas. Podía viajar contigo sin demasiadas repercusiones.

El hecho de que Maxwell conociera la expresión Soldado Fantasma ya decía mucho.

—No tengo permiso para comentar eso —entonó Max, con la mirada fija al frente.

—No tienes que hacerlo. Calhoun sabía mi nombre y qué era. Es un potente telépata y es imposible que naciera con esa habilidad. También sabemos que el doctor Peter Whitney reforzó a varios hombres en su propio laboratorio privado cuando su experimento militar empezó a provocar complicaciones. No quería meter todos los huevos en la misma cesta, digamos, de modo que si nos mataban a nosotros, todavía tendría unos cuantos por si acaso.

Dahlia emitió un pequeño sonido de angustia y volvió la cara para que nadie viera su expresión. Whitney había sido el monstruo de su infancia, pero, al ser una niña, creía que era la única que había sufrido los experimentos. Incluso le habían dicho que las demás niñas eran producto de su imaginación y, a veces, se lo llegó a creer.

—¿Qué le pasaba a ese hombre? —murmuró en voz alta—. ¿Cómo podía experimentar con seres humanos? Sabía lo que nos había pasado a nosotras de pequeñas y, aún así, repitió el experimento, y no una vez, sino dos. Es horrible. —No se había dado cuenta de que había apretado los puños hasta que Nicolas le cubrió la mano con la suya con suavidad. Dahlia miró a Max—. Confiaba en ti. En ti y en Jesse. Sabías que me sentía aislada y sola y, a pesar de eso, ninguno de los dos dijo nada ni mencionasteis que conocíais a Whitney. Malditos.

—Dahlia, yo acato órdenes, igual que tú —respondió Max—. Seguro que sabías lo de Jesse. Era un telépata demasiado potente para no haberlo descubierto.

Ella se volvió hacia él, con la mirada sombría e inexpresiva.

—¿Se supone que tenía que adivinar que Whitney había destruido más vidas? ¿Que Jesse y tú me lo ibais a ocultar? —Apartó la mano de debajo de la de Nicolas porque, de repente, se sintió incapaz de soportar su contacto. Ningún contacto. Le dolía el pecho y la garganta le ardía—. No me creo esa excusa, Max. Tengo acceso a documentación clasificada y estoy segura de que habría podido descubrir que había otros como yo.

Dahlia pegó las rodillas al pecho, se abrazó las piernas y se balanceó hacia delante y hacia atrás para tranquilizarse. Se hizo más pequeña porque quería desaparecer, y deseó poder estar en su santuario en el pantano. ¿Por qué estaba haciendo todo eso? Jamás había hecho nada que no quisiera hacer, y estaba claro que no quería estar en un avión con Maxwell y rodeada por los Soldados Fantasma. Sabía que, si los miraba, vería lástima en sus ojos y en sus rostros. Jamás había aceptado la lástima. Después de esto, ya no le debería nada al contraalmirante Henderson. Siempre había hecho bien su trabajo, siempre había recuperado lo que fuera, independientemente de las circunstancias. Malditos fueran todos, empezando por Jesse y Maxwell.

Nicolas quería golpear algo, o a alguien, preferiblemente a Logan Maxwell. ¿Cómo podía culpar a Dahlia por querer encerrarse en ella misma cuando parecía que todo aquel que conocía la traicionaba a un nivel u otro? ¿Cómo iba a creer que algo era real si la gente con la que trabajaba, para la que trabajaba, había contribuido a mantenerla aislada? Tenían que saber que su vida era un infierno y, sin embargo, nadie se había acercado a ella ni había hecho ningún esfuerzo para explicarle que no estaba sola. Volvía a notar cómo se le escapaba entre los dedos, y esta vez no podía culparla. ¿Cómo podía infundirle confianza si todo lo que había conocido era traición?

Observó su perfil. Tenía los ojos líquidos, pero no lloró. Casi deseó que lo hiciera. Pero ella se estaba refugiando en el dolor por haber perdido a Milly, a Bernadette, su casa y sus posesiones, y por la traición de Jesse y Maxwell, y lo estaba enterrando todo en su interior. Estaba levantando las barreras necesarias para protegerse, a ella y a los demás. Notó cómo la energía se acumulaba a su alrededor y la atacaba a medida que sus emociones se intensificaban. Se preguntó si Max sabía lo cerca que estaba de perder el control y lo peligroso que sería si lo hiciera.

—Dahlia —dijo y pronunció su nombre con delicadeza para que le prestara toda su atención.

Ella se tragó el nudo que le quemaba en la garganta y miró a Nicolas. Él le estaba ofreciendo la mano; la miró.

—¿Tienes miedo de que haga estallar el avión con todos tus hombres dentro?

Nicolas sintió, porque no lo vio, cómo Max se tensaba a los mandos del avión. Dahlia lo había dicho en voz baja, pero Max pudo oírla incluso por encima del ruido del motor. ¿Era la intención de Dahlia? ¿Era una amenaza? Lo dudaba. Dahlia estaba dolida y tenía su temperamento, pero jamás arriesgaría la vida de los demás Soldados Fantasma porque se sintiera traicionada. No era su naturaleza.

—Tenía la esperanza de que, si me agarrabas de la mano, quizás esto sería más llevadero —respondió Nicolas, con sinceridad—. He alcanzado un punto donde siento cómo la energía acude a ti. Y se está acumulando bastante deprisa en un espacio cerrado.

—Os agradezco mucho que Kaden y tú estéis esforzándoos tanto para que pueda estar cerca de otras personas.

Dahlia le dio la mano.

Nicolas le apretó los dedos y se quedó así. Parecía una niña pequeña dándole las gracias por un regalo de Navidad de forma muy educada. Una actitud muy poco propia de Dahlia. Nicolas estaba casi desesperado por estar a solas con ella. Había dormido media hora mientras le compraba ropa, pero, incluso después de una ducha y de ponerse ropa limpia, notaba que no era la misma. Cada vez se estaba encerrando más en un lugar secreto hasta donde él no podía seguirla.

—¿Jesse está a salvo? —preguntó Max.

—Sí —respondió Nicolas—. Está en un buen hospital, con los mejores cirujanos y bien protegido.

—¿Cómo puedo ayudaros a encontrar a ese traidor? Si vais a Washington DC, imagino que iréis tras él. Puedo ayudar.

—Me alegro de oírte decir eso, Maxwell —respondió Nicolas, satisfecho—. Esperábamos que cooperaras.

Max lo miró con suspicacia.

—Conozco a los agentes de la oficina de DC. Y no me imagino que ninguno de ellos haya podido traicionar a su país. O a Jesse. ¿Quiénes son los sospechosos?

—Hasta que no descubramos algo más, todos son sospechosos —dijo Nicolas. Observó a Dahlia de cerca mientras mantenía la conversación con el piloto. No dejó de acariciarle la parte interior de la muñeca con el pulgar ni un segundo y sólo deseaba que saliera de aquella depresión. Si hubieran estado solos, estaba seguro de que habría encontrado la manera de volverla a hacer reír, de que se olvidara de la melancolía, o quizás fuera por el ataque. Él no estaba muy puesto en eso. Era la especialidad de Lily. Sabía que eran peligrosos y que Dahlia se había sentido muy humillada de que la hubieran encontrado con convulsiones. No le había dirigido la palabra en todo el camino hasta el Barrio Francés, ni después, en el hotel tras de la ducha, cuando él la tapó con una sábana y le prometió que volvería con ropa nueva. No era ella, no había dado ninguna respuesta aguda ni había hecho comentarios descarados.

Dahlia, no te alejes tanto de mí. Nicolas habló con un tono lo más íntimo posible. *Sé que estás cansada y enfadada, y tienes motivos. Si quieres dejar tu trabajo en el NCIS, te apoyaré hasta el final. Pero no me pongas en el mismo saco que a los demás.*

Dahlia reclinó la cabeza en el asiento. Aquellas palabras penetraron en su mente casi de forma seductora. La voz de Nicolas era tierna, amable, le acarició la piel y le llegó al corazón. Estaba a punto de llorar, y le parecía inaceptable. No delante de toda esa gente. No delante de Max. *No seas tan amable conmigo ahora mismo, Nicolas. Necesito que esperes a que estemos solos.*

El corazón de Nicolas casi se paró. Le acababa de decir algo sin siquiera sopesar sus palabras, pero él lo sabía. En el fondo, donde importaba, lo sabía. Dahlia no se estaba alejando de él. No quería amabilidad porque estaba demasiado vulnerable. Estaba esperando a que estuvieran solos. Le apretó los dedos y sujetó su mano el resto del vuelo. No volvió a dirigirse al piloto hasta que estuvieron encima de la pequeña pista de aterrizaje privada.

—No aterrices todavía. Sobrevuela la zona un poco para ver qué tenemos. —Nicolas se echó hacia adelante y miró por la ventana. Kaden y Gator hicieron lo mismo, utilizando gafas sensibles al calor para comprobar el terreno.

Max obedeció y aterrizó en el momento en que Nicolas le dio la orden. Casi había detenido el aparato al final de la pista cuando Nicolas alargó el brazo y le quitó la pistola.

—No querríamos que tuvieras ninguna idea brillante. Nos gustaría que fueras nuestro invitado durante unos días.

—No es necesario. Jamás le haría daño a Dahlia, y Jesse es amigo mío.

—En tal caso, no te importará acompañarnos un rato. No tardaremos. La investigación sólo durará un día y luego necesitaremos que nos saques de aquí.

—Dahlia. —Max detuvo por completo el avión y apagó el motor—. No creerás que voy a hacerte daño, ¿no?

Ella lo miró fijamente.

—Ya me has hecho daño.

Aceptó la mano que Nicolas le ofrecía y pasó por delante del piloto, dejándolo a merced del resto de los Soldados Fantasma.

Nicolas la llevó hasta uno de los coches que Lily les había enviado. Dahlia dudó cuando Nicolas abrió la puerta del copiloto.

—¿Dónde vamos?

—A un piso. Lily tiene un par de pisos preparados para nosotros. Le pedí que nos dejara uno a nosotros. Los demás estarán muy cerca.

Dahlia entró en el coche y esperó a que Nicolas se sentara tras el volante.

—¿Y Max? Me ha decepcionado, pero no quiero que le pase nada.

—Lo retendremos hasta que hayamos registrado las residencias de los agentes por si encontramos alguna pista sobre quién puede estar detrás de todo esto. De momento, Lily ha hablado con el almirante y estará enterado de todo lo que hacemos.

Dahlia volvió la cara y se quedó mirando la oscuridad de la noche. No quería hablar de Henderson. Seguro que conocía la existencia del programa de los Soldados Fantasma. También a Whitney y lo de sus habilidades. Si Jesse y Max habían pasado por un proceso de reforzamiento de las suyas, Henderson tenía que saberlo. Y había permitido que ella creyera que estaba al borde de la cordura y no había confirmado ni desmentido la existencia de Lily y de las demás chicas. ¿Cuál era el objetivo de todo eso? ¿Qué les habría costado decirle la verdad?

—¿Por qué no me lo dijo, Nicolas?

¿Quería saberlo? Notaba cómo se le hacía un nudo en el estómago, se le tensaba y quemaba con un tipo de miedo que no quería identificar. ¿Estaba llegando al punto de sobrecarga?

Él alargó el brazo y la tomó de la mano.

—Dahlia, todo lo que hacen esta gente creen que lo hacen por su país. Nunca es algo personal. Henderson se ha pasado la vida entera en el ejército. Quizá creía que estaba protegiendo a todo el mundo. Eres una desconocida para ellos. Si han visto tu infancia en las cintas, si han seguido tu entrenamiento, sólo conocen una parte de ti. Todas las veces que no podías controlar la energía y se producían accidentes están grabadas. Es lo que han visto. No han visto a la Dahlia que practica con esferas de ametista hasta que puede utilizar la energía que generan. Ni a la Dahlia que se esfuerza por convertirse en un superconductor humano y corre por las paredes.

—Flota —corrigió ella.

—¿Qué?

—Técnicamente, floto. No corro —explicó ella.

Nicolas sonrió.

—Y tampoco han visto a la científica que llevas dentro. Se lo han perdido porque sólo han visto una cara de ti. Cuando la gente no entiende algo, tiene miedo. Whitney nunca llegó a descubrir qué fallaba. No contempló la posibilidad de que pudieras atraer energía de forma completamente opuesta a las leyes del universo. Y como Whitney no era un experto en energía y no podía explicar lo que pasaba, Henderson y su gente tampoco lo sabían.

—Parece que siempre sabes qué decir para hacerme sentir mejor.

Nicolas no estaba de acuerdo. Ella no se sentía mejor, pero estaba intentando que él se sintiera mejor. Permaneció callado hasta que encontró el piso y la metió dentro. Lily había prometido que habría ropa para Dahlia y, por supuesto, en el armario había varios pares de vaqueros, camisas y un vestido o dos, y también había ropa interior en el cajón. Dahlia le contempló, y luego miró a Nicolas con la interrogación reflejada en los ojos.

—Ha sido Lily. No me preguntes cómo. Le damos una lista, le decimos dónde queremos que nos la lleve y ella nos lo hace llegar. Lo que sea, desde armas a ropa interior de mujer.

—Está muy implicada con lo que hacéis, ¿no?

Se esforzó por ocultar la nota esperanzada de su voz.

—Sí. Es un elemento fundamental del equipo. Whitney dejó fondos para todos nosotros, pero, cuando estamos en una misión o trabajamos para la Fundación Whitney, Lily recurre al poder y al dinero de su apellido.

—¿Te molesta?

—No. —Se encogió de hombros—. Lo que sea para facilitarnos el trabajo. —Sacó un pijama de seda del cajón—. Me gusta, pero me gustas más con mi camisa.

Dahlia le quitó el pijama de las manos.

—No me has visto con otra cosa. Quizá cambies de opinión. —El pijama era de color azul claro. La parte de arriba era un poco más sexi de lo que ella solía ponerse, pero Nicolas ya la había visto desnuda, así que no le importó probárselo—. Voy a ducharme. ¿Te importaría buscar algo para el dolor de cabeza? No desaparece.

—Llevo algo aquí.

Recogió la mochila, que estaba en el suelo de la entrada, donde la había dejado para poder verificar todas las salidas y rutas de escape. Oyó correr el agua y, cuando volvió a entrar, el baño estaba lleno de vapor. Dahlia estaba en una enorme bañera de hidromasaje, con el cuerpo cubierto de burbujas y la cabeza apoyada en una toalla enrollada. Vio los pechos que asomaban por debajo del agua, entre la cortina de burbujas. El vapor la envolvía y le confería un aire misterioso. Llevaba el pelo hacia atrás y su perfecta piel resplandecía. Nicolas notó el deseo sexual de inmediato. ¿Cómo podía mirar su cuerpo, aquella piel tan increíble, y no sentir la urgencia que despertaba en todas las células de su cuerpo? Dahlia abrió los ojos y lo vio mirándola.

—¿Vienes?

Nicolas contuvo el aliento.

—¿Crees que es una buena idea? —Su rostro reflejaba lo cansada que estaba y Nicolas no sabía si las gotas de agua que le cubrían las mejillas eran del vapor o eran lágrimas—. Cariño, estás agotada y no sé si voy a tener la fuerza de voluntad necesaria para no tocarte.

—Quiero que te metas aquí conmigo. El agua está caliente y es relajante. Ambos lo necesitamos, y ha sido una sorpresa muy agradable encontrarme con esta bañera.

Nicolas no esperó una segunda invitación. Se desnudó muy deprisa y le encantó que ella no dejara de mirarlo ni un segundo. No hizo ninguna mueca ni apartó la mirada de las obvias necesidades de su cuerpo. Vio cómo respiraba hondo, soltaba el aire y se concentraba en él como hacía ella.

Se acercó a la bañera.

—Una sorpresa muy agradable.

Se metió dentro. Enseguida notó cómo las burbujas le hacían cosquillas en los muslos. Antes de que pudiera sentarse, Dahlia le agarró los testículos con la mano caliente y húmeda. La temperatura de la habitación subió, igual que el ritmo del pulso de Nicolas.

—¿Alguien te ha dicho alguna vez la persona tan realmente extraordinaria que eres, Nicolas?

Nicolas notó su aliento pegado a su cuerpo y la caricia de su lengua. Cerró los ojos un instante y saboreó la caricia.

—Dahlia. —La agarró por los hombros y la separó de él—. No se trata de mí. Te deseo cariño, no sabes cuánto, pero cuando terminemos, todo esto se interpondrá entre nosotros y no es lo que quiero.

Dahlia volvió a reclinarse con una expresión imposible de interpretar.

—¿Y qué quieres, Nicolas? Todo el mundo quiere algo.

—Por supuesto que quiero algo. ¿Tú no? ¿No quieres nada para ti? ¿Acaso no te importa tener una relación? Claro que quiero algo de ti, y no es sólo tu cuerpo.

—¿Es lo que crees que te estaba ofreciendo?

—¿No lo es?

Dahlia siempre era lo más honesta posible consigo misma y no le había gustado la respuesta.

—Vale, quizá sí. Quizá quería que quisieras eso de mí.

—Te quiero, Dahlia. —Se sentó en la bañera y la abrazó—. Lo quiero todo de ti.

Ella volvió la cara, la pegó a su garganta y deseó poder llorar como una persona normal. Notaba que, por dentro, estaba gritando, desgarrando su propio corazón, pero no podía decírselo. No podía compartirlo con él. Con esa persona que había sido tan buena con ella. Que proclamaba que la quería por lo que era, monstruo o no. Le dio un beso en la garganta y se separó de él.

—¿Has traído la aspirina?

—He dejado las pastillas en el lavabo. —Nicolas se reclinó en la bañera cuando ella salió—. Este es uno de esos momentos en que el manual de relaciones nos vendría bien, ¿no crees?

Dahlia dibujó una pequeña sonrisa, pero enseguida desapareció.

—No creo que el manual hable de esto, Nicolas. No creo que nada hable de esto.

Cogió las pastillas y se secó, y dejó a Nicolas en la bañera mientras ella paseaba por la casa con su pijama de seda. Dahlia entró descalza en todas las habitaciones preguntándose cómo sería ser una mujer normal con familia, tener una casa como esa y llenarla de risas y felicidad. Todavía llevaba el pelo húmedo y le caía por la espalda como una columna mojada. Ni siquiera el agua burbujeante, que estaba tan caliente como podía soportar, había podido apaciguarle el terrible dolor de cabeza que la estaba atormentando. Se detuvo delante de la ventana y se quedó mirando la noche, sintiéndose inquieta y malhumorada. Quería salir y desaparecer. Si hubiera estado en el pantano, quizá lo habría hecho.

Nicolas se colocó detrás de ella y apoyó las manos en el alféizar de la ventana, encajonándola.

—Ven a la cama. Necesitas dormir.

Ella no se volvió, pero se echó hacia atrás y se pegó a él.

—Es extraño saber que hay alguien que quiere matarme —dijo, pensando en voz alta—. Toda mi vida he sabido que era diferente y, quizás en algún sentido, un monstruo y peligrosa para los demás.

Incluso sabía que nadie podría quererme, pero nunca se me pasó por la cabeza que alguien pudiera querer matarme.

Él frotó la cara contra su nuca.

—Nadie va a matarte, si yo puedo evitarlo. Y claro que se te puede querer. Yo no quiero a nadie más. No he querido a nadie desde niño.

Dahlia ignoró la confesión porque tenía que hacerlo. No podía pensar en Nicolas y lo que significaría si fuera como los demás.

—Creía que eran mis amigos, Nicolas. Max y Jesse. Pensaba que se preocupaban por mí como lo hacen los amigos.

¿Cómo podía confesarle que dudaba de él? ¿Que tenía miedo de que, si la estaba engañando a cualquier nivel, nunca se recuperaría? ¿Cómo podía admitir que era una cobarde por querer huir de él más que de los demás?

—A Calhoun lo torturaron, Dahlia —le recordó Nicolas—. Y no pudieron sacarle ninguna información relativa a ti.

Irguió la espalda, le dio la vuelta y la agarró por la barbilla para obligarla a mirarlo.

—Cierto —asintió ella—. Pero, si tenía órdenes de no decir ni una palabra sobre mí, ¿no las habría acatado, igual que Max?

Era la primera vez que percibía una nota de amargura en su voz.

—No hagas eso, Dahlia. No dejes que te cambien. No dejes que nada cambie quien eres. Te has construido tu propio mundo con tu propio código, y lo has hecho tú sola. Define quién eres.

Dahlia levantó los ojos y miró su cara esculpida y la oscura intensidad de su mirada.

—Lo crees de verdad, ¿a que sí? Crees que valgo todo eso.

—Para mí, lo eres todo —admitió Nicolas.

—¿Por qué? ¿Por qué soy tan importante para ti y, sin embargo, hay alguien que quiere matarme? ¿Por qué mi madre prefirió entregarme a un orfanato que quedarse conmigo? Me abandonó y los del orfanato siguieron su ejemplo. No sé nada sobre mi cultura ni mi gente. Ni siquiera sé quién es mi gente.

—Tu gente son los Soldados Fantasma. ¿Tanto importa de dónde venimos? Lo que cuenta es quién somos ahora. —Nicolas se la llevó a la cama—. Necesitas dormir. Nada es tan importante como para que retrases el momento de descanso. Te irá bien para el dolor de cabeza.

Ella se quedó de pie, impotente, muy distinta a la Dahlia de siempre. Nicolas la levantó en brazos y la pegó a su pecho. La besó desde la sien hasta la comisura de los labios.

—Sólo necesitas dormir, cariño. Olvídate de todo.

Dahlia dejó que la llevara hasta la cama y, cuando se tendió a su lado, se volvió hacia él porque ya estaba familiarizada con el calor y la comodidad de su cuerpo. No quería necesitarlo, pero lo necesitaba. Ya no le quedaban fuerzas y necesitaba las de Nicolas.

Él miró el reloj. Su equipo se pondría en marcha a las tres para ver qué encontraba en una exploración no invasiva de la casa de los agentes del NCIS. Tenía tiempo de sobras, apenas acababa de anochecer. Abrazó a Dahlia y la meció.

—Todos los dones que posees son increíbles. Sí, usarlos tiene consecuencias, pero juntos le salvamos la vida a Calhoun. No habría sobrevivido si no le hubiéramos curado.

—La curación es tu don, Nicolas, no el mío.

Arrastró las palabras y empezó a cerrar los párpados.

Él le dio un beso en la cabeza.

—Creo que te equivocas. Puede que tenga el poder en mi interior, pero está encerrado. Sin ti, no tengo la llave. Eso es lo que eres; puedes concentrar el poder y dirigirlo donde sea necesario. Yo sólo lo emito. Trabajamos bien juntos.

—Estoy cansada, Nicolas. Muy, muy cansada.

El agotamiento de su voz le rompió el corazón. Nicolas la abrazó con fuerza, porque quería encontrar la manera de calmarla. Siguió meciéndola, con toda la suavidad que pudo, y dándole besos en la cabeza hasta que se durmió en sus brazos.

Así que se quedó despierto, observándola. A lo largo de su vida, se había visto en situaciones complicadas, pero ninguna como esta. Le miraba la cara y se preguntaba cómo se había convertido en alguien tan importante para él, tan necesario para él. Con aquella piel tan suave y los ojos exóticos parecía una muñeca de porcelana. Cuando Dahlia se acurrucó contra su cuerpo y se colocó en posición fetal, él le apartó el pelo de la cara.

Ella emitió un pequeño sonido de agitación, y luego una especie de lamento. Cuando empezó a sollozar en sueños, el corazón de Nicolas se partió en mil pedazos. Dahlia apretó los puños y tembló, y los sonidos salían de su boca como si no pudiera soportar el dolor ni un segundo más.

—Cariño, no hagas eso —susurró él. ¿Por qué había creído que, si lloraba, se sentiría mejor? Era demasiado, demasiado dolor para ella. La colocó debajo de él y, de alguna forma, intentó protegerla del dolor con su cuerpo.

Ella se despertó, con los ojos muy abiertos y negros, y la cara llena de lágrimas.

—¿Nicolas? ¿Qué pasa?

Le acarició la cara y las arrugas de preocupación.

—Estás llorando, cariño. Creí que te iría bien, pero así no. En sueños donde no puedo compartirlo contigo, no.

—Es imposible. —Dahlia se secó las lágrimas con cierto horror—. Nunca lloro.

—Estás llorando.

—No puedo parar. —Parecía desesperada—. Hazme parar, Nicolas. Hazme parar.

Nicolas la besó en la boca, con pasión, apoderándose de sus gritos y tragándoselos. Aspiró su aliento, le lamió las lágrimas y las saboreó. Las conservó. Profundizó el beso con una mezcla de urgencia y ternura, la alejó de donde él no podía seguirla y la devolvió a su mundo. Al mundo de los dos.

La seda del pijama les frotaba la piel y alimentaba la cálida pasión que había empezado a nacer lentamente entre los dos. Él le recorrió el cuerpo entero con las manos, le masajeó los pechos, notó la curva de la cintura debajo de la seda y recorrió cada curva mientras sus bocas seguían unidas.

—No pasa nada *kiciciyapi mitawa* —susurró él—. Todo irá bien. —Le besó los ojos y le lamió más lágrimas antes incluso de que pudiera derramarlas, aunque siempre acababa regresando a su boca—. Estás conmigo. Siempre me tendrás.

La llenó de largos besos, dejándola casi insensible, incapaz de pensar, y tomó todo el dolor y lo sustituyó por placer erótico. Mientras tanto, no dejó de acariciarla y explorarla. Apartó el pijama de seda muy despacio hasta que sólo hubo piel. Hasta que estuvo debajo de él completamente desnuda, mirándolo con pasión, con ganas de él y elevando las caderas para salir a su encuentro.

Nicolas meneó la cabeza con una expresión muy tierna.

—Esta vez, no. Quiero que sepas que te quiero, Dahlia. Quiero que lo sientas. Voy a hacerte el amor y será un largo y pausado asalto a tus sentidos. Quiero que sepas que eres mía, que tu sitio está conmigo. —Agachó la cabeza hasta su garganta y luego la lamió hasta el valle entre los pechos—. Eres tan preciosa.

Murmuró las palabras contra su pecho, tomó un pezón entre los labios, oyó cómo gemía y se tomó su tiempo, dedicándose a ambos pechos y a la estrecha caja torácica antes de deslizarse por la barriga hasta el ombligo.

—Nicolas. —Dahlia lo agarró del pelo—. No puedo soportarlo. Te deseo.

—Sí que puedes. Puedes soportar que te quiera.

Él siguió bajando, le separó los muslos con dulzura y bajó la cabeza para saborearla.

Dahlia elevó las caderas y le dio la oportunidad de agarrarle las nalgas y atraerla todavía más. Nicolas se lo tomó con calma y disfrutó de los frenéticos gemidos de ella, un contraste absoluto con los sollozos anteriores. Dahlia intentó colocárselo encima y agarrarlo con las piernas, pero sólo consiguió abrirse más para él. Alcanzó el orgasmo con una intensa sacudida de las caderas. Nicolas la penetró y notó las contracciones de sus músculos, descontroladas. Se movió con penetraciones largas y lentas, y la dejó sin respiración hasta que a Dahlia le brillaron los ojos y él notó cómo le clavaba las uñas en la espalda. Cuando Dahlia tuvo un segundo orgasmo, él se rió con satisfacción.

Sin aliento, Dahlia sólo pudo quedarse debajo de él mientras Nicolas empezaba a penetrarla más deprisa, con movimientos fuertes, y la acercó a la cima del placer una tercera vez, cuando ella creía que sería imposible. Se aferró a él, le miró la cara, los ángulos muy marcados y los planos que le resultaban tan atractivos. Vio cómo su placer aumentaba con cada penetración. Nicolas la agarró de las caderas y la atrajo hacia él cada vez que empujaba, para que alcanzaran el orgasmo juntos, para que el placer fuera tal que rozara el dolor. Dahlia notaba cómo se movía en su interior, cómo separaba sus tiernos pliegues, cómo su calor lo rodeaba y lo arrastraba hasta el centro de su fuego. La presión fue a más y saltaron chispas cuando las pequeñas llamas empezaron a aparecer por todas partes. Y en el fondo, cuando el volcán rugió y entró en erupción a través de su cuerpo, y a través del cuerpo de Nicolas, se sintió completamente saciada y en paz.

Se quedó inmóvil, tan agotada que no podía moverse. Nicolas pesaba demasiado para ella, pero quería tenerlo a su alrededor, entrelazado con su cuerpo, piernas y brazos por todas partes de manera que no supiera dónde terminaba ella y dónde empezaba él.

—¿Qué significa *kiciciyapi mitawa*?

Él tenía la cabeza pegada a sus pechos.

—¿Qué?

—Me has llamado *kiciciyapi mitawa*. Ha sonado precioso. No es japonés. ¿Qué es?

—Es la voz de los lakota. La traducción sonaría estúpida.

Le cubrió el pecho y le acarició la piel con delicadeza. Su aliento le calentaba el corazón.

—Quiero saberlo. Cuando lo has dicho, no ha sonado estúpido. Ha sonado... precioso. Me ha hecho sentir preciosa. Y amada.

Nicolas le dio un beso en el pecho.

—Te he llamado «mi corazón». Y lo eres.

Capítulo 17

A las tres de la mañana, la calle del barrio adinerado estaba vacía. El viento agitaba los parterres de flores y los jardines de césped recién cortado. Cuando la brisa transportó un aroma desconocido, un perro levantó la cabeza. Se levantó enseguida y miró hacia el oeste, gruñendo. Varias sombras avanzaban por la calle, deprisa, casi invisibles mientras se dividían para rodear la casa grande de dos plantas que estaba al final de la tranquila calle sin salida.

El perro ladró, pero se calló de golpe cuando una de las sombras se volvió y lo miró fijamente. El perro retrocedió muy despacio y el pelo erizado volvió a su sitio en cuanto se tendió en el porche, con los ojos abiertos mientras observaba cómo los intrusos tomaban posiciones.

La luz de la farola no alcanzaba la casa, porque estaba un poco alejada de la acera. Y los árboles protegían todavía más el jardín. Las sombras avanzaron por este y llegaron a los lados de la casa en absoluto silencio, como fantasmas oscuros.

Nicolas escaló por el lateral de la casa, como una araña que subía hasta el segundo piso. Observó la ventana durante un buen rato antes de seguir hasta el tejado. Una vez arriba, se agachó y sacó la radio.

—Estamos ante un profesional —susurró—. He encontrado un cable en la ventana. Extremad las precauciones.

—Otro en la puerta principal —confirmó Kaden.

—Y en la puerta trasera —añadió Sam.

—Pues o bien esperan tener problemas o quieren saber si alguien merodea por aquí. ¿Cuántos ciudadanos normales se toman tantas molestias? —preguntó Kaden.

—Exploración no invasiva —recordó Nicolas—. Entramos en silencio y sólo buscamos información. Queremos entrar y salir sin ser detectados. Si tienen alarmas silenciosas fuera; diría que dentro vamos a tener problemas. Estad preparados.

—Siempre estamos preparados —respondió Gator, con su característico acento sureño.

En silencio, Nicolas descendió hasta la ventana. La alarma más eficaz y sencilla era una campana pequeña atada a un cable que avisara. Si los agentes del NCIS habían sido miembros de las Fuerzas Especiales, no tendrían sistemas de seguridad fáciles de desactivar. Ian ya estaba trabajando en el sistema. Con sus habilidades psíquicas, no era difícil.

La casa se usaba cuando tres de los agentes estaban en la ciudad. La información que Lily les había dado era que los tres agentes, Neil Campbell, Martin Howard y Todd Aikens, estaban fuera de la ciudad. La casa debería estar vacía, pero si no era así y despertaban a alguien a esas horas, Nicolas tenía los sollozos de Dahlia grabados en la memoria y no se sentía particularmente generoso o amable.

—Dos coches en el garaje. —La voz de Ian llegó como un susurro a su oreja—. Sistema de seguridad bloqueado. Había un segundo sistema, pero no ha resistido demasiado.

El equipo había decidido utilizar radios en lugar de comunicación telepática por si había alguien en la casa que fuera como Logan Maxwell o Jesse Calhoun. Quizá podrían percibir el sutil fluir de energía o incluso oír lo que decían. El equipo estaba acostumbrado a trabajar mente con mente, pero sus primeros entrenamientos se hicieron con aquellas radios minúsculas, así que no les eran extrañas.

—Como mínimo, hay uno dentro, posiblemente sean dos o tres —informó Nicolas—. Proceded con un cuidado extremo. —Lily siempre les proporcionaba el material más puntero y lo último había sido un mini cortador de cristal láser refrigerado y sellador de CO_2. Tenía una ventosa circular y cortaba el cristal en absoluto silencio. El láser se controlaba desde un microordenador, incrustado en el ensamblaje del aparato. El ordenador era necesario para evitar que el láser cortara del todo el cristal y traspasara al interior de la casa y quemara algo. Cortaba casi hasta el final y del resto se encargaba la ventosa con asa. Lily se alegraría de saber que funcionaba perfectamente y no hacía ruido, de modo que pudo retirar el cristal sin hacer saltar la alarma que había pegada en la parte interior del alféizar de la ventana. Dejó el cristal en el suelo con cuidado para poder entrar en la habitación.

—Luz estroboscópica, joder —informó Gator.

Nicolas contuvo una palabra especialmente malsonante. Gator no debería haber cometido un error así. Una pequeña luz estroboscópica era habitual. Si el interruptor se activaba en la ventana, la luz se encendía. No era gran cosa, pero despertaría a cualquiera preparado para tener un sueño ligero.

—Abortad —ordenó Nicolas.

Tenía una sensación de quemazón en el estómago. Estaba llevando a sus hombres a la línea de fuego armados únicamente con munición no letal. No querían arriesgarse a herir a un civil y, al ser Soldados Fantasma, estaban seguros de que podrían entrar y salir de la casa sin que nadie los viera. Sin embargo, la casa no estaba vacía y los hombres que había dentro estaban entrenados para el combate.

—Negativo, señor, la habitación está vacía.

—Sal de allí ahora mismo, soldado —dijo Nicolas, entre dientes, con la voz implacable—. Está ahí dentro esperándote. Asegura tu posición y rodeémoslo.

—Sí, señor —respondió Gator—. Asegurando posición.

Nicolas buscó a tientas por el alféizar de la ventana el cable de la campana o el interruptor de la luz estroboscópica que sabía que habría. Los otros también irían con más cuidado ahora que sabían que había alarmas dentro.

—Dentro —anunció Kaden—. Abajo, comedor. No me da buena espina, Nico. Aquí hay energía y alguien la está utilizando. Una escopeta atada al tablero de la mesa. Estrellas ninja en el cajón de los cubiertos. El comedor está limpio.

—Intercéptalo —ordenó Nicolas de inmediato.

Kaden era un telépata muy fuerte. Podía perseguir a otro utilizando la misma técnica sin despeinarse.

Nicolas sujetó la campana con la mente mientras entraba.

—Dentro. Dormitorio de la izquierda. Aquí también noto energía. Les han avisado. Estad alerta.

Notó el primer ataque a su cerebro, como un puñetazo que se acercaba, aunque mental en lugar de físico. Lo bloqueó antes de que pudiera incapacitarlo. Los Soldados Fantasma habían practicado esos ataques, y también sabían cómo repelerlos, pero nunca los habían utilizado o sufrido, y Nicolas descubrió que su reacción fue más lenta de lo que le hubiera gustado.

—Técnica siete. Nos están atacando con nuestra técnica siete —anunció. Cada uno de los ataques mentales estaba coreografiado casi como una partida de ajedrez. Whitney había diseñado la coreografía. Lanzó su réplica antes de que pudieran localizarlo, un golpe seco parecido a miles de cristales directos al cráneo. Quería que supieran que no eran los únicos Soldados Fantasma de la ciudad.

Percibió el replegamiento inmediato. La sorpresa. Parecida a la que había exhibido Jesse Calhoun cuando hablaron telepáticamente por primera vez.

—Dentro —susurró Ian en su oído—. A través del garaje hasta la cocina. Dos trampas explosivas, una bastante letal. He encontrado munición interesante en el congelador. Una Beretta. ¿No es la que siempre llevas tú? La cocina está limpia.

—He interrumpido su vía de comunicación —anunció Kaden con evidente satisfacción.

—En el despacho, en la planta baja —dijo Ian—. Estoy buscando carnés o cualquier prueba incriminatoria. Alejadlos de aquí.

—Kaden, protege a Ian —ordenó Nicolas.

—Feo feo. Pistola escondida debajo del escritorio —añadió Ian.

Nicolas permaneció entre las sombras de la habitación mientras comprobaba el techo, el armario y las esquinas, buscando a alguien. No se oía nada. Ni siquiera una respiración. Pero alguien estaba muy cerca. Podía sentirlo. Olerlo. Lo reconocía gracias a sus refinados instintos. Esperó en silencio... un segundo. Los instintos de supervivencia se impusieron y volcó la cama, disparó balas de goma por el suelo, donde antes estaba la cama. En aquel espacio tan pequeño, resonaron como truenos y le dañaron los oídos. Vio el chispazo de la pistola cuando el otro agente empezó a disparar fuego real. La cama volcada lo había desorientado y las balas se clavaron en una pared detrás de Nicolas, que oyó cómo las balas de goma impactaban sobre carne. Algo metálico cayó al suelo. Corrió, apartó la pistola con el pie y comprobó si el agente abatido llevaba más armas, porque sabía que le parecería que le habían golpeado en el pecho con una almádena.

Estaba vivo y, aunque presentó resistencia, no podía moverse después de la tremenda paliza de las balas de goma, que lo habían lanzado contra la pared. Nicolas buscó más armas y encontró dos navajas y un puño americano. Lo ató de pies y manos, le tapó la boca con cinta aislante y fue en busca del segundo agente.

—Tienen fuego real —recordó a sus hombres.

—Tengo a uno atrapado en la habitación, en el lado derecho, en la esquina —dijo Gator—. Va armado.

—Aléjate de la línea de fuego, pero que no se mueva —ordenó Nicolas—. Tucker, ¿estás dentro?

—Estoy registrando el dormitorio. El armario está lleno de armas. Explosivos plásticos y C-4. Un par de detonadores. Creo que a este le gusta jugar con las bombas. El dormitorio del piso de abajo está limpio.

—¿Algo llamativo? No estamos buscando dinero —dijo Nicolas.

—Aquí abajo, nada —respondió Ian—. Joder, parece que todo está limpio.

—Una diana con varios cuchillos clavados —informó Nicolas cuando volvió a entrar en la habitación donde el agente estaba atado—. Mi amiguito parece un poco cabreado, aunque no lo sé seguro porque es culpa suya. —Registró la habitación con prisas, buscando algo que pudiera identificar a un traidor. Demasiado dinero. Demasiados lujos. Una caja de cerillas o un bolígrafo con el nombre de la empresa donde habían enviado a Dahlia a recuperar los datos. Incluso una sudadera o una chaqueta de la universidad donde habían asesinado a los tres profesores. Se acercó al hombre y se agachó a su lado—. ¿Estás bien?

El agente lo miró con ojos fríos y cautos. Asintió.

—Estoy buscando a un traidor. Alguien capaz de vender a tu amigo Jesse Calhoun. ¿Se te ocurre algún nombre?

El agente frunció el ceño y meneó la cabeza. Nicolas notó cómo intentaba penetrar en su mente, pero sus barreras eran fuertes e impenetrables. Para ponerlo en términos sencillos, le devolvió el gesto hasta que el agente lo miró fijamente y se rindió. Nicolas alargó la mano y le arrancó la cinta de la boca. El agente maldijo como un marinero.

—¿Tienes algo que decir que valga la pena oír?

—No sé nada de ningún traidor —dijo el agente—. Pero si sabes algo de Jesse quiero oírlo. Me lo debes.

—Me has disparado.

—Tú has entrado en mi casa.

—Tienes varias armas ilegales —comentó Nicolas, con moderación.

—¿Está vivo? ¿Qué coño está pasando? Jesse Calhoun es amigo mío. Nadie nos dice nada, excepto que está en un hospital en un lugar secreto.

—Así que habéis decidido protegeros, ¿no es así? —preguntó Nicolas, pensativo—. Habéis decidido que quien quiera que haya ido por vuestro amigo, también podía venir por vosotros.

—Es lógico.

—¿Cómo te llamas?

—Neil Campbell.

—Dile al agente de la otra habitación que salga con las manos en alto y desarmado. Hablaremos —ofreció Nicolas. Sabía que sus compañeros estaban registrando la casa, pero algo le decía que los dos agentes que habían reducido eran inocentes.

Neil dudó y luego meneó la cabeza.

—No puedo contactar con él.

—Diré a mi hombre que te permita comunicarte con él. No quieres que lo matemos y lo tenemos arrinconado. Tampoco quiero que muera ninguno de mis hombres. *Kaden, controla su comunicación, si puedes.*

Estoy en ello. Como siempre, Kaden estaba muy tranquilo. *Le está diciendo a su compañero que salga desarmado. Que somos Soldados Fantasmas y que estamos buscando a un traidor en el NCIS. Dice que nos cree.*

—Esta casa la usáis tres agentes. ¿Dónde está el tercero?

—Estáis bien informados.

—Afirmativo. Podría decirte todos los huesos que te has roto. Incluso sé lo de tu entrenamiento con Whitney.

El gesto de Neil se congeló de inmediato. Miró fijamente a Nicolas. Antes de que pudiera protestar, éste meneó la cabeza.

—No te molestes. Ya me han dicho lo de que «No puedo comentar eso». No necesito ninguna confirmación. Tú, Maxwell, Calhoun, tu compañero. —Señaló la otra habitación con el pulgar.

—Norton. Jack Norton —dijo Gator por la radio—. Está colaborando. —El cansancio de su voz delataba que su prisionero había presentado batalla.

Cuando oyó el nombre, Nicolas se quedó inmóvil un segundo. Era una leyenda entre los francotiradores. *Kaden, ¿lo has oído? Di a los hombres que salgan y busquen a otro francotirador escondido en algún sitio. Por los tejados. Jack tiene un hermano gemelo.*

A pesar de la tensión, Nicolas mantuvo la expresión tranquila y continuó con la conversación como si no hubiera reconocido el nombre.

—Vosotros y tu amigo Norton os presentasteis voluntarios para un experimento clasificado del que os habló el doctor Peter Whitney. Os reforzó las habilidades psíquicas y os entrenaron como una unidad para realizar misiones utilizando vuestros nuevos talentos. Por desgracia, el uso de dichos talentos traía consecuencias. Todos sufrís de continuos dolores de cabeza y muchos otros efectos debilitadores. Cuando os hayáis cansado de todo esto y queráis aprender a vivir en el mundo exterior sin tener que contar con la protección de vuestros anclas, contactad con la doctora Lily Whitney, la hija del doctor, y os ayudará.

La voz de Ian susurró en el oído de Nicolas.

—Mucha seguridad en el ordenador. Mucha más de lo normal.

—Vamos para allá —informó Gator.

Nicolas se apartó de la puerta y esperó a que Gator entrara con Jack Norton. Era un hombre corpulento, con brazos fuertes y los músculos definidos de quien se ejercitaba a diario y se mantenía en forma. Parecía un luchador y tenía la mirada fría e inexpresiva; enseguida miró a Neil y luego a Nicolas, con la promesa de vengarse en la mirada.

—Arrodíllate, Norton —ordenó Nicolas—. Coloca las manos detrás de la cabeza. ¿Lo has registrado, Gator?

—Llevaba un cuchillo del tamaño de una espada —comentó éste—. Y, para ser especial, llevaba encima varios cuchillos de lanzar. —Le guiñó un ojo—. Creí que no iba a verlos mientras observaba boquiabierto ese cuchillo tan enorme.

Norton lo miró con frialdad. Gator le sonrió.

—¿Estás bien, Neil? —preguntó Norton.

—Sí. Me duele mucho el pecho.

—Te conozco —dijo Nicolas—. Nos hemos cruzado un par de ocasiones en un par de países. ¿Qué más llevas encima?

—Dos cuchillos pequeños y dos pistolas.

—Eso es imposible.

La sonrisa de Gator desapareció.

—Es Jack Norton, y deberías haber reconocido el nombre —le dijo Nicolas a su compañero, antes de volver a concentrarse en el agente—. Esta casa está llena de explosivos. Mis hombres han encontrado armas por todas partes. ¿Creéis que alguien os busca?

—Oímos que habían atrapado a Jesse Calhoun —respondió Norton enseguida—. ¿Te importa si bajo las manos?

—Sí que me importa. Así estamos más seguros. Tómatelo como un cumplido. Tienes cierta reputación. ¿Dónde está tu hermano?

—Seguramente, observándote por la mirilla ahora mismo —respondió Norton, muy satisfecho.

—Lleva fuego real, Jack —dijo Nicolas—. Dile que no haga nada.

No quiero que ninguno de mis hombres resulte herido y que esto se convierta en un baño de sangre inútil. Sólo buscábamos información.

—Ken no hará nada, sólo se asegurará de que nadie cometa una estupidez —respondió Norton—. No vais a encontrar a ningún traidor en esta casa.

—Tiene información sobre Jesse —le dijo Neil.

—Está grave —les informó Nicolas—. Lo hemos llevado al mejor hospital y está vigilado las veinticuatro horas del día por un par de los nuestros. Henderson fue a visitarlo. No dejan que nadie más se le acerque.

—¿Lo salvaste tú? —preguntó Jack.

Nicolas asintió.

—Entonces, estoy en deuda contigo.

—Pues págamela convenciendo a tu hermano de que no dispare a mis hombres. Odiaría tener que matar a alguien que me cae bien. —Nicolas habló por la radio—. Aquí no vamos a encontrar nada. Retirada y comunicadme cuando estéis todos fuera.

—¿El ordenador está intacto? —preguntó Neil.

—Ni sabréis que lo ha tocado —respondió Nicolas—. Ve al médico para que le eche un vistazo al pecho. Te van a quedar varios moretones. Hasta luego, caballeros. —Mantuvo la pistola apuntando al pecho de Norton mientras retrocedía hasta la ventana—. Saldré por aquí y os vigilaré mientras mis hombres abandonan la casa. —Habló sin tensión, como si nada, pero se le pusieron los pelos de punta ante la idea de tener al legendario Jack Norton y a su hermano gemelo Ken con ganas de vengarse. Había pocos hombres tan buenos como él en la jungla, y Jack Norton era uno de ellos. Y también era igual de bueno que él con el rifle, o incluso mejor.

Nadie había mencionado a los gemelos Norton en la documentación que le habían dado sobre la casa, o sobre el NCIS. No se imaginaba que a Lily se le pudiera pasar por alto algo así, lo que significaba que Norton había acudido a la casa porque se había enterado de lo de su amigo Jesse Calhoun, o el director del NCIS lo había hecho llamar para que investigara su oficina porque el almirante había llegado a la misma conclusión que Dahlia. Alguien del departamento era un traidor.

Siguió apuntando a Norton hasta que todos sus hombres estuvieron fuera. Realizó un pequeño saludo militar y desapareció, se perdió en la noche lo más deprisa que pudo y con un escozor extraño entre las puntas de los dos cuchillos que llevaba en la espalda, como si lo estuvieran apuntando.

Cuando estuvo lejos de la casa, suspiró aliviado. Los gemelos Norton. ¿Quién habría dicho que saldría ileso de una confrontación con ellos? Había tenido mucha suerte de haber sacado a sus hombres de allí sin sufrir ninguna baja. Sabía que Jack Norton estaba pensando lo mismo acerca de él. Soltó el aire muy despacio y deseó que la acción hubiera terminado. Pero no era así.

—Voy a recoger a Dahlia. Nos veremos en el punto de encuentro.

Nicolas dio gracias por poder estar unos minutos solo en el coche. La responsabilidad de proteger a sus hombres no era sencilla. Se la tomaba muy en serio y, en algún momento, había sido consciente de que podía haber acabado mal. Sólo tenían un día para controlar y registrar la casa, y no era tiempo suficiente para analizar todas las posibilidades y encontrar el momento para entrar cuando no hubiera nadie dentro. Habían tenido mucha suerte de salir ilesos, teniendo en cuenta que los famosos gemelos Norton estaban en la casa. No podía culpar a Gator. Nadie que él conociera podía enfrentarse a Jack Norton y salir airoso. El único motivo por el cual Gator no estaba muerto era porque Jack era un hombre paciente y tranquilo, y no cometía errores. Se había dedicado a analizar la situación y había hecho caso a sus presentimientos antes de matar a alguien. Habían tenido suerte. Mucha suerte.

Dahlia cruzó corriendo el jardín vestida con un chándal negro y el pelo recogido en una gruesa y complicada trenza. Metió la bolsa con la ropa nueva en el asiento trasero y se sentó al lado de Nicolas.

—¿Cómo ha ido?

—Están limpios —respondió él.

Dahlia lo miró.

—¿Están todos bien?

—Sí, pero no tenemos demasiado tiempo, Dahlia. Queremos que estés fuera antes de que amanezca o antes de que alguien adivine cuál va a ser nuestro próximo movimiento. Tendrás que entrar y salir muy rápido. Queremos que Maxwell nos saque de aquí antes de que alguien tenga la ocasión de venir a buscarnos.

—¿Está en el campo de aviación?

—Kaden está haciendo las paces con él, le ha llevado comida y lo ha informado de todo para que coopere. El avión estará listo cuando lleguemos. Los demás están tomando posiciones para protegerte en caso de que sea necesario.

—No será necesario.

—Esto no es lo mismo que una recuperación. Vas a tener que interrogarla mientras nosotros registramos la casa. No queremos que sepa que estamos dentro. Podría asustarse y llamar a la policía.

—No lo hará.

La voz de Dahlia sonaba muy segura.

Nicolas noto cómo la tensión de sus músculos se relajaba. No se había dado cuenta de lo preocupado que estaba por ella. Antes la había visto muy vulnerable, pero ahora estaba relajada y animada.

Dahlia le miró la cara.

—Pareces cansado, Nicolas. No has dormido nada.

—Ya dormiré en el avión. La información que teníamos no era del todo correcta. Ha sido un poco peligroso, pero hemos salido ilesos. ¿Oíste que Calhoun mencionara alguna vez a un tal Jack Norton?

Como siempre, hablaba en un tono de voz calmado, casi sensual, pero ahora Dahlia ya lo conocía mucho mejor y sintió un escalofrío en la espalda.

—Jesse dijo que un tal Jack lo había sacado de un tiroteo cuando ya estaba herido. Nunca mencionó el apellido.

—¿Y te habló de un hermano gemelo?

Ella asintió.

—Un hermano, sí. Pero no recuerdo cómo se llamaba.

—Ken. Ken Norton.

—¿Por qué? ¿Quiénes son?

—Por suerte, no son enemigos nuestros. Jack es uno de esos hombres que no quieres que te persiga. Nunca se detiene ante nada. Continúa pase lo que pase. Estaba en la casa.

Dahlia frunció el ceño.

—Esto cada vez es más complicado. Y todo porque un grupo de profesores tuvo una idea.

—Una idea que podría desequilibrar la balanza de la potencia de fuego en el mar —le recordó él.

—Es una idea. Una idea que no se ha materializado —dijo ella—. El dinero es asqueroso.

—Convierte a la gente en asquerosa —puntualizó él.

—¿Y ese Jack nos traicionaría por dinero?

—Ni por todo el oro del mundo. Si busca a las mismas personas que nosotros, debo decir que pueden pegarse un tiro en la cabeza, porque ya están muertos. No sabía lo que le había pasado a Jesse. Y Neil tampoco. Nadie está hablando todavía, y eso es bueno. Mientras solucionamos esto, sabemos que está a salvo. —Aparcó delante de la modesta casa situada en un barrio bonito. El porche y el columpio parecían encantadores. El coche era un Toyota Camry de tamaño medio—. Nada extravagante.

Dahlia empezó a abrir la puerta, pero él la agarró de la mano y la sujetó.

—Llevas micro, ¿verdad? ¿Lo has probado?

Ella puso los ojos en blanco.

—Lo hemos probado dos veces. Ian lo está grabando todo y podrás oírlo.

—Ten cuidado.

No sabía si era por el reciente encontronazo con Jack Norton, pero no le hacía ninguna gracia perderla de vista.

Dahlia se le acercó y le dio un beso en la comisura de los labios.

—Hago esto continuamente, Nicolas. Deja de preocuparte.

Salió del coche y corrió por el jardín delantero. Nicolas la vio salir del coche, sabía hacia dónde corría y sabía lo que llevaba y, sin embargo, enseguida la vio confundirse con el paisaje. Fue muy extraño. No podía cambiar el color de la ropa que llevaba. Entonces se frotó los ojos y volvió a mirar. Escuchó una dulce risa en su oído.

—Ponte las gafas.

—Estás haciendo algo más que desdibujarte la cara.

Le encantaba el sonido de su risa. Por dentro, notó un extraño derretimiento que lo dejó muy feliz.

—Bueno, una chica tiene que ser un poco misteriosa. No quisiera que tu vida fuera aburrida.

Él se esforzó por localizarla. Vio un movimiento entre los arbustos que había tras el parterre de flores más lejano. La vio correr desde una verja hasta el tejado inclinado y por el borde de este como si llevara ventosas en los pies. Con el corazón en la garganta, Nicolas indicó a sus hombres que rodearan la casa y entraran mientras Dahlia entretenía a la propietaria dándole conversación.

—Deja de preocuparte —le susurró ella.

Podía notar su energía por mucho que él intentara protegerla. A Nicolas no le hacía ninguna gracia enviar a su mujer a una misión que consideraba peligrosa. Y aquella era otra de las cosas que los separaban. Ella necesitaba la estimulación y la actividad física y mental continua que le proporcionaba su trabajo. No sabía cómo reaccionaría si no tenía aquella actividad para liberar energía.

Corrió por el tejado sin hacer ruido y su poco peso le permitió avanzar en silencio hasta el punto de entrada que había elegido. Había una ventana ligeramente abierta, a modo de invitación. La rejilla no tenía más secretos. Colgada bocabajo, Dahlia la quitó sin problemas y la dejó en el tejado, donde no podía caerse.

—Aparte de la alarma que Ian ha desconectado, no hay otros sistemas de seguridad —murmuró, sintiéndose un poco estúpida al hablar con el equipo. Ella no trabajaba en equipo y ahora se sentía un poco cohibida sabiendo que todos la estaban mirando y estaban observando todo lo que hacía y decía.

Deslizó el cuerpo hasta que alcanzó la ventana y la abrió. Cuando lo hizo, susurró muy despacio. No era una telépata fuerte, y no podía leer las mentes de los demás con tanta facilidad, pero podía hipnotizar con la voz, sobre todo si la otra persona estaba dormida, ebria o muy susceptible. Mantuvo un tono de voz persuasivo mientras resbalaba por la pared, entraba por la ventana y aterrizaba de cuclillas, echando un vistazo a la habitación mientras seguía transmitiendo la orden de dormir. Se hallaba en la habitación de la secretaria del director Henderson, Louise Charter, que dormía tranquilamente. Tenía una mano colgando, cerca de la mesita donde estaba el despertador.

—Estoy dentro —anunció—. Está sola, pero no he comprobado la casa. —Normalmente, era lo primero que hacía para garantizar su seguridad, pero Nicolas había insistido en que se encargara únicamente de la secretaria. Primero se paseó por la habitación, buscó con cuidado, y abrió los cajones y el armario. Se fijó en todos los objetos de interés—. Se está viendo con alguien, seguro.

Junto al teléfono, había una foto enmarcada de Louise Charter y un chico joven de edad indeterminada, quizás unos treinta o cuarenta. Él la estaba rodeando con el brazo y le estaba sonriendo, mientras que ella lo miraba.

Dahlia se sentó en el borde de la cama.

—Louise.

Pronunció el nombre con suavidad, con una nota de persuasión.

Louise abrió los ojos y contuvo la respiración, se medio incorporó y se apartó el pelo rubio grisáceo de la cara.

—Dahlia, reconozco tu voz. ¿Qué estás haciendo aquí? ¿Tienes problemas? —Se acabó de incorporar y alargó la mano con sensatez para coger la bata—. Puedo llamar al director y hacer que manden refuerzos aquí mismo. Ha estado fuera de la oficina e ilocalizable, pero puedo llamarlo en caso de emergencia.

Dahlia le sonrió, asombrada de que no le hubiera extrañado lo más mínimo encontrársela sentada en su cama. Estaba segura de que Louise ya había cumplido los sesenta, aunque parecía más joven.

—Gracias, estoy bien. Sólo necesito información y no quería utilizar el teléfono. Tenía miedo de que fuera peligroso.

Louise asintió.

—Creo que el director también tiene miedo. Se ha mostrado muy reservado en todo momento, incluso conmigo, y eso que llevo más de veinte siendo su secretaria personal.

—Entonces, ¿no sabes dónde está?

Louise meneó la cabeza.

—En este momento, no, pero siempre estamos en contacto. ¿Has hablado con él desde que sucedió todo esto?

—Sí, aunque fue una conversación breve —mintió Dahlia—. Ha ido a ver a Jesse.

Louise levantó al cabeza de golpe, alterada.

—¿Cómo puedes saber dónde está el director?

La idea la molestaba.

—Me lo dijo cuando le pregunté por Jesse.

Louise asintió, con el ceño todavía fruncido.

—Por favor, no lo repitas ante nadie, Dahlia. No deberías habérmelo dicho ni a mí. —Suspiró—. Pobre Jesse. He oído que no volverá a caminar.

Algo dentro de Dahlia se quedó inmóvil. El corazón se le aceleró. Notó la invasión de energía. La angustia de Louise y su propia y creciente rabia. Con un gran esfuerzo, consiguió apaciguarla.

—¿Quién te ha dicho que no volverá a caminar?

Louise frunció el ceño.

—Lo siento, Dahlia. No quería molestarte. Debería haber pensado antes de hablar. El estado de Jesse es grave. Tiene las piernas destrozadas y no se las podrán arreglar. No es ningún secreto. Pensaba que lo sabías.

—¿Lo has visto?

Dahlia se clavó las uñas en las palmas de la mano. Quería alargar los brazos y sacudir a esa mujer. La energía se estaba acumulando en su interior, el estómago le quemaba y la presión le llenaba el estómago. La electricidad crujió en el aire.

Louise miró a su alrededor y frunció el ceño ante la electricidad estática.

—¿Has visto a Jesse? Estoy muy preocupada por él. —Dahia metió la mano en el bolsillo, encontró las esferas de ametista y las acarició para aumentar el control sobre la situación. Algunos pelos de Louise ya se habían levantado, atraídos por la electricidad estática. Dahlia se temía que, si no lo controlaba, provocaría un relámpago.

—No, querida —suspiró Louise—. Ojalá. Me lo explicó Martin. Martin Howard. —Señaló hacia la foto—. Somos buenos amigos y, como sabía que estaba preocupada, cuando se enteró me lo explicó.

—¿Y cómo se pudo enterar él? —Dahlia frunció el ceño y apretó las manos alrededor de las esferas—. Yo se lo pregunté al director y no quiso decirme nada.

—Dahlia, ¿por qué iba nadie a escondernos el estado de Jesse? Hay mucha información clasificada, pero un amigo herido no lo es.

Louise habló con amabilidad y le recordó la voz agradable y amable del teléfono.

Dahlia tuvo que frenar su impaciencia.

—Parece ridículo, a menos que haya alguien ahí fuera que quiera matarlo.

Louise abrió la boca y luego la volvió a cerrar. Observó la cara de Dahlia durante un buen rato.

—¿Matarlo? ¿A propósito? Dahlia, será mejor que me expliques qué está pasando.

—Alguien ha destruido mi casa y ha matado a mi familia, Louise. Y han intentado matar a Jesse. Fue una trampa desde el principio. Me metí en un buen lío. No me siguieron a casa, ya estaban allí cuando llegué. No existo para nadie excepto para el NCIS e, incluso en la agencia, apenas unas pocas personas saben de mí.

Louise meneó la cabeza.

—Eso es imposible. Las personas de la oficina que saben que existes se pueden contar con los dedos de una mano.

—Mi teoría es que el director está protegiendo a Jesse incluso de los demás agentes hasta que encontremos quién está detrás de todo esto.

Los ojos azules de Louise miraron fijamente a Dahlia.

—Por eso has venido. Crees que he podido tener algo que ver con todo eso. —Había mucha dignidad en su voz, y una gran dosis de orgullo—. Hace más de veinte años que soy la secretaria de Frank

Henderson y, antes de eso, ocupé varios cargos de confianza. Jamás he divulgado un secreto en mi vida. Y no puedes contar el estado de salud de Jesse, porque a mi mesa no ha llegado ninguna notificación calificando eso de información confidencial.

—Sólo intento evitar que me maten, Louise —dijo Dahlia. Costaba no creerla. La energía que emitía no era de fingir o de huir.

—¿Frank cree que lo he traicionado? —Cuando hizo la pregunta, la voz le tembló y se le quebró, pero su expresión transmitía orgullo y dignidad—. ¿Y tú?

—Sinceramente no sé qué creer, Louise. Esperaba que pudieras darme alguna idea. El traidor tiene que ser del NCIS. No hay nadie más.

Louise se quedó callada unos minutos, pensando.

—No me imagino que nadie de nuestra oficina pueda ser un traidor, Dahlia. Los agentes son amigos, pero son muy profesionales. La mayoría ha servido en el ejército, y todos son inteligentes y dedicados a su trabajo —dijo y se frotó la frente, preocupada.

—Quizás alguno le ha comentado algo a la mujer o a la novia.

Louise meneó la cabeza.

—No lo harían nunca. Sus vidas están en juego. Y lo saben. —Levantó la cabeza—. Sospechas de mí. Te has hecho la idea equivocada de que soy una mujer mayor con un novio más joven. ¿Crees que vendería información por poder meterlo en mi cama? Martin Howard está completamente volcado en su trabajo. Es un agente condecorado y un hombre maravilloso, y te aseguro que no es mi novio. Jamás traicionaría a su país, y yo tampoco.

—Nunca he dicho eso, Louise.

—Pero lo estabas pensando. —Se colocó la mano encima de la garganta—. ¿Es lo que piensan todos?

Dahlia se obligó a tocar a la otra mujer. La agarró por la muñeca para intentar calmarla. Porque necesitaba que la energía que se estaba acumulando a su alrededor le diera un respiro. Cuanto más se enfadaba Louise, más calor generaba y más aumentaba la presión en su pecho. Fuera, un búho ululó una vez, dos veces. Entonces suspiró aliviada.

—Louise, no pienso que el director creyera ni por un segundo que lo traicionarías. Está protegiendo a Jesse. ¿Sabes si las oficinas del NCIS se revisan periódicamente en busca de micros ocultos?

—Tendrás que preguntárselo al director.

Era una respuesta habitual de Louise, y que Dahlia había escuchado más de una vez a lo largo de todos aquellos años.

—Encontraremos a quien sea que está haciendo esto. Sé que hay muchas formas sofisticadas de poner un micro en un despacho o interceptar conversaciones. Me marcho. Una última pregunta. ¿Te explicó Martin quién le había comentado lo de Jesse?

—No. Y no se lo pregunté. Imaginé que lo sabrían todos los agentes. En realidad, me sentó un poco mal que el director no me lo explicara a mí también.

—Yo no volvería a comentarlo, Louise. Con nadie.

Dahlia le dio unas palmaditas en la mano y se levantó. Necesitaba salir al aire libre y alejarse de aquella mujer, que estaba sintiendo una mezcla de emociones confusas.

—No lo haré.

Dahlia salió por el mismo sitio por donde había entrado: por la ventana. Subió al tejado, corrió hasta la esquina y saltó al suelo. Corrió hasta el coche que la estaba esperando. Nicolas arrancó en cuanto estuvo dentro y se dirigió hacia el campo de aviación.

—¿Has encontrado algo? —preguntó Dahlia, respirando muy despacio, mientras sacaba las esferas del bolsillo para poder empezar a disipar la energía—. No creo que tenga nada que ver con todo esto.

—Es la única que sabía lo de las piernas de Jesse —señaló Nicolas, con suavidad. Alargó la mano para acariciarle el muslo y ayudarla a liberarse de la energía.

—Eso no es cierto del todo —respondió ella, pensativa—. Se lo dijo Martin Howard.

—Si ha dicho la verdad.

—No creo que mintiera —respondió ella, con terquedad—. Ella no es el traidor.

Capítulo 18

*D*ahlia estaba sentada con las piernas cruzadas en el suelo y con varias esferas de cuarzo flotando y girando bajo sus dedos. Ignoró a los hombres que se reunieron a su alrededor, en especial a Max, que estaba contemplando boquiabierto cómo hacía levitar las esferas bajo la palma de la mano.

—Fijaos en eso. ¿Alguno de vosotros puede hacerlo?

Kaden se encogió de hombros.

—No lo hemos probado, pero seguro que lo intentaremos —admitió.

Dahlia levantó la cabeza, lo miró y se echó a reír. La camaradería estaba muy bien, tenía algo que había echado de menos toda su vida.

—Quiero estar presente cuando lo intentéis —dijo.

—Bueno, puedes querer estar presente, pero no va a pasar —protestó Sam—. Te reirías de nosotros y no podemos permitirlo.

—Los hombres sois como niños.

Dahlia miró a Nicolas. Ya llevaba un buen rato hablando con Lily y Ryland por teléfono y tenía la cara inexpresiva. Tenía la mirada plana y fría y ella sabía que todavía estaba enfadado por la situación en que había puesto a sus hombres al entrar en la casa de los agentes sin la información correcta. Nadie les había dicho que los gemelos Norton estarían allí dentro.

Max había insistido en que lo dejaran participar y nadie se había opuesto demasiado. No parecía un prisionero, porque se movía con libertad por el piso que Lily les había buscado. Estaba intentando escuchar qué decía Nicolas y, de vez en cuando, se paseaba con cierto nerviosismo.

Nicolas colgó y se volvió hacia los demás. La conversación cesó de inmediato.

—Calhoun está muy grave. Lo de las piernas no tiene buena pinta. Lo han operado, y volverá al quirófano, pero los daños son importantes, sobre todo debajo de las rodillas. —Se frotó la cara con la mano—. Louise Charter tenía razón. No creen que vuelva a caminar. Al menos, no con sus dos piernas.

Max se volvió y se quedó mirando por la ventana. Dahlia permaneció inmóvil y absorbió la repentina explosión de energía mientras los chicos intentaban reprimir sus emociones. Ella no pudo reprimir las suyas. Se apretó los ojos con los dedos.

—Parece imposible.

Nicolas se le acercó de inmediato, se colocó detrás de ella y la agarró del hombro en un intento por absorber parte de la energía que la invadía.

—Sabíamos que estaba mal, Dahlia. Al menos, está vivo.

Dahlia no creía que pudiera hablar. Esperaba un milagro y, en realidad, había sucedido. Jesse seguía vivo. Cuando le vio las piernas, supo que seguramente sería imposible que volviera a caminar, pero todavía albergaba esperanzas. Nicolas se arrodilló a su lado.

Lily se encargará de que disponga de los mejores médicos y la mejor atención. Se asegurará de que esté vigilado las veinticuatro horas del día. Incluso intentará hacer mucho más, porque sabe que Jesse es importante para ti. Mírame, kiciciyapi mitawa. *Te estoy diciendo la verdad. No permitirá que se muera.*

Dahlia parpadeó para retener unas lágrimas que estaba a punto de derramar. ¿Era porque se estaba apoyando en la fuerza de Nicolas? No lo sabía. Y no le importaba. Lo miró a los ojos. Al corazón. Y se vio reflejada en él. Le sonrió. *Estoy empezando a creer en ella. Y en los Soldados Fantasma.*

Nicolas le acarició el pelo y regresó a la mesa.

—Hemos traído algunas fotografías de la casa de Louise Charter. —Las sujetó con la mano—. ¿Las habéis visto todos?

—Yo no —dijo Dahlia y alargó la mano.

Kaden le acercó las brillantes fotografías.

—Hay muchas de Martin Howard.

—¿Lily ha descubierto algo sobre él? —preguntó Dahlia.

—Martin es un buen amigo mío —interrumpió Max—. Es un agente condecorado de los Boinas Verdes y alguien con quien siempre he podido contar. Es un buen hombre y ha servido a su país desde los dieciocho años —dijo con cierta nota de ofensa en su voz.

Nicolas le clavó su mirada fría e inexpresiva.

—Nadie quiere investigar a sus amigos, Max. Si no puedes hacerlo, lo entenderemos.

Su voz fue inflexible, pero Dahlia frunció el ceño ante la reprimenda. Él reprimió una maldición y cruzó hasta la ventana.

—Lily ha descubierto algunas cosas interesantes —continuó Nicolas—. Martin Howard no es su nombre real y Louise Charter no tiene ninguna aventura con él. Por lo visto, Martin nació en el seno de una familia relacionada con la mafia en Detroit. Su nombre auténtico es Stefan Martinelli y Louise es la prima de su madre. Cuando sus padres murieron en un accidente de coche, Louise y su marido se lo quedaron a él y a sus hermanos y los criaron.

—Y eso explica por qué siempre está en su casa y aparece en tantas fotos —dijo Max, cruzándose de brazos.

—Sí —asintió Nicolas—. Para resumir, Martin cambió el apellido de los cuatro hermanos en un intento por mantenerlos alejados de las actividades en las que participaban sus padres. Vivían en Maryland cerca de Louise y Geoffrey Charter hasta que se licenciaron en la universidad. Se produjeron algunos incidentes menores con la ley, pero Geoffrey consiguió que todos acabaran los estudios.

Max se apoyó en la pared.

—De modo que nació en el seno de una familia italiana con lazos con la mafia pero, por lo visto, hizo todo lo posible para alejarse, él y sus hermanos, de ese estilo de vida.

Kaden miró a Max.

—Eso parece, ¿no? ¿Qué más ha descubierto Lily, Nico?

—Todos los hermanos se alistaron en el ejército. Martin fue el primero y los demás lo siguieron. Casi todos terminaron la universidad y luego se unieron a las fuerzas armadas. Martin se alistó y compaginó los estudios con el ejército. Mantenía a los demás junto con los Charter —dijo y miró a Max.

—Sé que se ha metido en un par de peleas —contestó éste—. Como todos, ¿no?

—¿Y sabías que su hermano Roman ha entrado y salido de la cárcel una decena de veces y lo han rebajado de rango hasta soldado raso varias veces? Ha sido un chico problemático dentro y fuera del ejército.

—Todos tenemos familia —dijo Max.

—Todos no —protestó Dahlia.

—*Ma chère.* —Gator se puso la mano encima del corazón—. Ya estás otra vez. Negando nuestra relación.

Dahlia sonrió y le lanzó un beso.

Nicolas miró fijamente a Gator. Éste se limitó a guiñarle un ojo y enseñarle su sonrisa de chico malo.

—No provoques al tigre —le aconsejó Kaden.

—Los caimanes desayunan tigre cada día —fanfarroneó Gator, enseñando la perfecta dentadura blanca mientras apoyaba la cadera en la pared.

El cuchillo salió de la nada y voló tan deprisa que casi ni lo vieron, se clavó en la pared y cortó varias puntas del pelo negro de Gator.

Todos se rieron mientras Dahlia contemplaba horrorizada el cuchillo que se había clavado en la pared casi hasta la empuñadura. No había percibido nada de energía, ni violenta ni de ningún otro tipo. Nicolas la miró con inocencia. Y Gator se encogió de hombros, sin borrar la sonrisa de su cara, como si lo que acababa de suceder fuera lo más normal del mundo.

—Estáis todos locos —dijo ella—. No ha tenido gracia.

—De hecho, *'tite soeur*, sí que la ha tenido —respondió Gator, mientras liberaba el cuchillo. Se acercó a Nicolas y se lo devolvió, con la empuñadura por delante—. Me pelearía por ti en cualquier momento, hermanita, y si tu hombre no lo hace es que no es un hombre.

Dahlia los miró con el ceño fruncido.

—Es un milagro que todavía estéis vivos. —Empezó a ojear las fotografías—. Por cierto, y para que quede claro, cuando entre en el edificio esta noche no quiero a nadie alrededor. Todos os preocupáis demasiado por mí, sobre todo Nicolas, y no puedo permitirme una sobrecarga de energía. Tendréis que quedaros atrás.

Nicolas arqueó las cejas y sus facciones quedaron completamente inexpresivas.

—Eso es una gran negativa —dijo Sam.

—Ni locos —protestó Kaden, casi de forma simultánea.

Gator se rió.

—Oh, *ma chère*, estar con nosotros te ha desarrollado el sentido del humor. —Amplió la sonrisa—. ¿O acaso pretendes que a Nico le dé un ataque?

Dahlia lo ignoró y miró a Max.

—Parece que se olvidan de que, durante años, me las he arreglado sin ellos.

—¿Qué es exactamente lo que piensas hacer, Dahlia? —preguntó Max.

Se produjo un repentino silencio. Todos la miraron.

—Bueno, pues no lo sé, Max. Mi trabajo. Ya sabes, ese trabajo tan secreto que compartimos.

—No veo a Jesse aquí dándote órdenes.

—No, no lo ves porque está postrado en una cama de hospital en algún sitio y voy a descubrir quién le hizo eso. —A Dahlia le brillaban los ojos como piedras preciosas—. Han matado a Milly y a Bernadette, Max. Y pienso terminar mi trabajo.

—¿Has hablado con el almirante?

—No tengo que hablar con el almirante para terminar mi trabajo.

Max meneó la cabeza y miró a Nicolas.

—¿Y a ti te parece bien?

Antes de que pudiera responder, Dahlia miró a Max llena de ira.

—Él no tiene nada que ver con esto. No trabaja para el NCIS, y yo sí. No es mi jefe. Y deja de intentar intimidarme, porque me pones mala. —Y era verdad. Su temperamento estaba aumentado de forma proporcional a los niveles de testosterona de la sala.

Nicolas se alegró de volver a ver a la auténtica Dalia en pie de guerra. No se callaba ante nadie. Ni cuando intentaban convencerla de que no fuera a un sitio tan peligroso como Lombard Inc. sin los Soldados Fantasma protegiéndola, pero ¿qué sentido tenía discutir con ella? Él no iba a cambiar, y ella tampoco. Y a los chicos les vendría bien practicar la represión de las emociones en una misión real. Miró a Maxwell. El hombre cesó en su empeño de inmediato y asintió con comprensión.

—¿Has visto algo en las fotos? —preguntó Tucker—. Yo las he mirado, pero básicamente me he fijado en los lugares, no tanto en la gente. Sé que crees que Charter no está implicada, Dahlia, pero he encontrado esto.

Le pasó el bolígrafo a Max a propósito para que se lo diera a Dahlia.

Max contuvo el aliento cuando vio el logotipo de Lombard. Sin decir ni una palabra, se lo entregó a Dahlia.

Ella lo aceptó a regañadientes y lo giró.

—Se lo podría haber dado cualquiera. Están por todas partes. Es una empresa muy grande.

—La relaciona con la empresa —dijo Nicolas—. Y a Martin.

—¿Qué más tienes sobre él? —preguntó Max.

—Lily es muy meticulosa. Lo tenemos todo, desde sus notas hasta sus misiones clasificadas, pero lo que más me interesa es su relación con su familia. Es un hombre extremadamente leal. Y no sólo con sus hermanos, sino también con Louise Charter. Creo que es un afecto verdadero. Creo que mostraría la misma lealtad hacia su país, el NCIS y sus amigos —respondió Nicolas.

Kaden asintió.

—Ya veo adónde quieres ir a parar.

—Yo no —dijo Dahlia—. ¿Estás eliminando a los únicos sospechosos?

—¿Quién más tiene acceso a casa de los Charter, Dahlia? —preguntó Nicolas—. ¿Quién más entraría y saldría como si nada?

Ella se aferró a las fotos.

—Pero ¿cómo consiguen la información clasificada? Louise me conoce, sabe que tengo acceso a documentos de alta seguridad, y lo único que me dijo era que Jesse estaba grave, y sólo lo dijo porque ningún superior le había comunicado que ese asunto debía mantenerse en secreto. Jamás se sentaría a cenar, ni siquiera con alguien a quien considerara como un hijo, y le revelaría secretos de Estado. —Dahlia meneó la cabeza—. No conozco a Martin Howard, pero si es tan leal como dices, supongo que tampoco lo haría.

—Créeme, nunca diría ni una palabra, por accidente o de forma deliberada —afirmó Max.

—No, pero sus hermanos sí que tendrían acceso a la casa de Louise Charter y a su oficina. Seguro que les permite que vayan a visitarla al trabajo o incluso quedan para comer, ese tipo de cosas. Y lo mismo con Martin. ¿Por qué iban a sospechar que un miembro de la familia había puesto micros? Los técnicos revisan los ordenadores, pero teniendo en cuenta la cantidad de seguridad que hay en los edificios, ¿con qué frecuencia creéis que se revisan los despachos? Y, aunque encontraran el teléfono de la secretaria pinchado o alguien atacara su ordenador, ¿alguien sospecharía de un miembro de su familia? —explicó Kaden muy despacio—. Creo que, con el tiempo, funcionaría. Se pasa por la oficina, van a comer, pasan un rato juntos y nadie le presta atención. Y él podría recopilar mucha información.

—¿Qué hermano? —preguntó Max.

—Mi apuesta es el problemático, Roman. Intentó seguir los pasos de su hermano pero no lo logró. Intentó entrar en los Boinas Verdes y no lo aceptaron. Intentó participar en el experimento de Whitney y su pasado problemático lo impidió. Si Martin no hubiera intercedido por él, quizás incluso hubiera tenido que soportar la vergüenza de que lo dieran de baja del ejército. Ahora no está de servicio y dice que es estudiante y autónomo, pero el investigador de Lily no ha podido especificar a qué se dedica.

—¿Dónde estudia? —preguntó Dahlia.

—En Rutgers —respondió Nicolas muy despacio.

Dahlia se volvió hacia él y lo miró.

—Tiene que ser él. Es imposible que sea una coincidencia.

—¿Qué tiene que ver Rutgers en todo esto? —preguntó Max—. Sé que Jesse estuvo haciendo algunas averiguaciones por allí.

—Asesinaron a varios profesores de Rutgers con una beca para desarrollar una nueva arma para el departamento de defensa —explicó Dahlia.

—Entonces, existe una relación entre la investigación de Jesse y la universidad donde estudia Roman Howard —dijo Kaden.

Cuando la energía empezó a acumularse en la habitación, Dahlia volvió a hacer rotar las esferas. Los chicos se estaban esforzando por emitir pocas emociones, pero también eran humanos.

—Si es Roman, y no trabaja para el NCIS, ¿cómo pudo salir con el equipo del NCIS que fue hasta el Barrio Francés y dispararme?

—Lo más seguro es que los siguiera y esperara en lo alto de algún edificio a que ellos entraran en el piso. Cuando supo dónde estabas, disparó y se largó —dijo Kaden—. Es lo que yo habría hecho.

Ella le dedicó una leve sonrisa.

—Me dejas mucho más tranquila. Creo que a todos os vendrían bien unas cuantas lecciones de comportamiento pasivo. —Giró la muñeca mientras levitaba las esferas encima de la mano—. Se está haciendo tarde, caballeros, y yo tengo trabajo.

Se levantó, se estiró y se guardó las esferas en el bolsillo. Bajó la mirada hasta el montón de fotografías que estaba en el suelo. En la de encima de todo se veía a una mujer sentada en un viejo banco de hierro frente al río. Dahlia se quedó inmóvil. La mujer estaba de espaldas a la cámara, pero la conocía. Y el río también le sonaba. Miró a Nicolas con pena en los ojos.

Tekihila, amor mío, ¿qué pasa? Parece que vayas a romperte en mil pedazos en cualquier momento.

Dahlia irguió la espalda de inmediato.

—Si me perdonáis, caballeros, tengo que cambiarme.

Agarró las fotografías y se fue corriendo hasta la habitación que utilizaba como su refugio privado. Sin necesidad de mirar, supo que Nicolas iba tras ella.

Él esperó a que ella cerrara la puerta para quitarle la fotografía de la mano.

—¿Quién es?

—Mira la foto. Mira la cesta de costura. Es Bernadette. Está sentada en el banco frente al río que hay junto al Café du Monde.

Su voz sonó ronca.

—Roman la estaba siguiendo.

—¿Cómo? —Se volvió para mirarlo con una cara tan pálida que la piel parecía translúcida—. Dime, ¿cómo podía conocer a Bernadette?

Estaba tan alterada que Nicolas podía sentir el calor en la habitación. Las chispas acariciaban las cortinas y empezaban a lamer las paredes. Entonces le quitó las fotografías de la mano, las dejó en la cama, la abrazó y la pegó a su cuerpo. Estaba temblando. Se agachó y le habló al oído.

—Podemos hacerlo juntos, Dahlia. No estás sola y, sea lo que sea lo que encontremos, podemos gestionarlo juntos.

—¿Crees que me traicionó y que la mataron después de sonsacarle toda la información?

Estaba enfadada. Tanto que quería lanzar bolas de fuego. ¿Cómo había podido hacerle algo así? Y a Milly. ¿Para qué? Dahlia tenía todo el dinero que podían necesitar. Ellas nunca le pidieron nada. Si compraban algo, lo pagaba el fondo y nadie hacía preguntas.

—No piensas con claridad. —Nicolas no apartó la mirada de las llamas que empezaban a arder en las paredes. Un minuto más y se vería obligado a intervenir. Quería que Dahlia se controlara antes de que el fuego se descontrolara—. Si te encontraron en el NCIS, seguro que también encontraron a Milly y a Bernadette. Habría sido imposible seguirte porque tus movimientos eran demasiado impredecibles, pero seguro que ellas dos tenían una rutina. Tuvieron que seguirlas para encontrar el sanatorio y, después, a ti.

Oyó el crepitar de las llamas y respiró hondo.

—Lo sé, no debería haberme puesto así. Tienes razón, por supuesto. Debería haberlo pensado. —Levantó la cara hacia él—. Si queremos apagar el fuego, vas a tener que besarme.

Él la agarró por la mandíbula y bajó la cabeza.

—Qué rollo.

Le rozó los labios con suavidad, tentándola. Coqueteando con ella. Mordisqueándole el labio inferior para distraerla. Para notar cómo se estremecía en sus brazos. Para sentir la hinchazón de sus pechos contra su cuerpo y notar cómo se derretía hasta la docilidad. No se trataba de extinguir un fuego, sino de redirigirlo. Quería que las llamas ardieran dentro de Dahlia. Dentro de él. Que los fundieran.

Le agarró el labio inferior con los dientes y tiró hasta que ella abrió la boca y permitió que introdujera la lengua para reclamar lo que era suyo. Para lamer las llamas de la pared y trasladarlas donde tenían que estar, en sus bocas. La abrazó con fuerza y no dejó de mover las manos, las deslizó por la espalda, la agarró de las nalgas y la apretó contra su erección. La energía se apoderó de ellos, como siempre, como una tormenta cuya mecha prendía de repente. Le encantaba comprobar cómo las llamas consumían la energía, cómo sus bocas se unían y fusionaban, calientes, húmedas y hambrientas.

Dahlia encajaba en sus brazos. Cada vez que la abrazaba. Siempre. A veces, cuando estaba sentado lejos de ella, sentía la sangre fría como el hielo en las venas y sabía que había alcanzado el máximo control sobre sus emociones. Quizá demasiado. Y entonces ella lo miraba, una mirada provocativa, y se calentaba y lo sentía todo. Todas y cada una de las emociones que un ser humano se suponía que debía sentir.

Subió las manos y le agarró la cabeza mientras la besaba una y otra vez. Besos largos y lentos y besos ardientes y apasionados. Ella fue la primera que se separó, levantando un poco la boca.

—¿Me besas así por la energía o porque quieres besarme así?

—Tengo que besarte. Necesito besarte. Nunca me cansaré de besarte. Si la energía necesita que encontremos la manera de consumirla, me parece un plus añadido a nuestra relación. —Entrelazó los dedos en su pelo. Siempre estaba muy brillante. Le encantaba mirarlo y olerlo, y tocarlo—. Soy como tú, Dahlia. Pocas veces hago algo que no quiera hacer.

Ella se separó de él a regañadientes.

—Bueno, has evitado que la casa se quemara. Lily se alegrará, si ha sido ella quién la ha alquilado. Quiero echarle un vistazo al resto de fotografías. Quizá vea algo más que me resulte familiar.

Nicolas se las acercó.

—Nicolas, gracias por lo que has dicho de Bernadette. No sé por qué he llegado a la conclusión incorrecta tan deprisa. Creo que estoy más enfadada con Max de lo que quiero admitir. ¿Por qué ni él ni Jesse me dijeron que conocían al doctor Whitney? ¿Por qué no me dijeron que realizó el mismo experimento con ellos?

—No intercambiaste demasiada información con ellos —respondió él, con cautela—. A todos os han enseñado a guardar secretos. Es el juego, Dahlia. Maxwell y Calhoun son agentes del NCIS y, antes de eso, eran SEAL. No van a decir nada sin que venga a cuento. No puedes culparlos por eso.

Ella lo miró con sus ojos negros. Por primera vez, Nicolas creyó que parecía la bruja misteriosa que ella decía ser. Había algo obsesivo y mágico en su mirada.

—Sí que puedo.

Por la forma en que lo dijo, Nicolas pensó en vudú y brujería. Con un acento del sur, delicado y sexi como el de Gator, aunque con una promesa de venganza. De hecho, Nicolas notó un escalofrío.

Dahlia desvió la mirada hacia las fotos que tenía en la mano. No quería pensar en la traición. No quería provocar otro incendio, porque entonces Nicolas tendría que besarla y sus besos le hacían perder la cabeza. Esa noche iba a recuperar los datos, así que no podía permitirse ninguna distracción. Se obligó a mirar las fotos. Varias eran del

Barrio Francés. Estaba claro que el fotógrafo quería demostrar que había estado de vacaciones. También había muchas del mercado francés donde Milly y Bernadette solían ir a comprar. Incluso había una del callejón y tienda donde iban a comprar el material de costura.

Dahlia se sentó en la cama y extendió las fotografías encima del colchón. Había una foto de un escaparate y en el cristal se veía el reflejo del fotógrafo. Se la acercó y la observó con detenimiento.

—He visto a este hombre.

—¿Cómo lo sabes? La cámara le tapa la cara.

Pero Nicolas la estaba observando. Cuando quería, Dahlia era metódica y muy controlada. Estaba siendo muy meticulosa a la hora de estudiar la imagen. Si decía que había visto a ese hombre, él no lo dudaba.

—Es el hombre que vi en Rutgers delante del despacho del doctor Ellington. Y luego volví a verlo cuando estaba vigilando el edificio Lombard. Es el mismo hombre. Sé que es él. Lo sé por la cabeza, un poco inclinada hacia el lado y hacia abajo, pero lo ve todo. Estaba siguiendo a Bernadette. —Señaló la sombra de una mujer reflejada en la tienda—. Esta es ella. Lleva su sombrero de verano. —Dibujó una triste sonrisa—. Ella los llamaba tocados. Los hacía porque le gustaba coser y crear cosas.

Se obligó a dejar de divagar. Se notaba la garganta seca.

Nicolas le dio un beso en la sien.

—Lo estás acorralando. Espero que sienta tu aliento en el cogote.

Ella se volvió hacia él casi a ciegas, de forma instintiva. Necesitaba que la abrazara y la tranquilizara. En ese momento, le daba igual lo mucho que dependiera de Nicolas. Estaba agradecida por tenerlo a su lado.

Nicolas la abrazó y la meció hacia delante y hacia atrás. Sabía que estaba triste. Lo había perdido todo y ese hombre escurridizo era el responsable. Él sólo necesitaba un nombre. Necesitaba la confirmación. Y luego iría de caza.

—No puedes, ya lo sabes —dijo ella, muy despacio.

—¿No puedo qué?

Le acarició el pelo y jugueteó con los mechones sedosos para relajar la ira, la rabia contenida de que alguien se hubiera tomado tantas molestias para destruir la vida de Dahlia.

—Sé lo que estás pensando. Te tranquilizas, te centras, y tu nivel de energía es más bajo que nunca. Lo he deducido. Tu ira es fría, no ardiente, y la reprimes. Dejas que se acumule y la utilizas cuando trabajas. Ese hombre no es tu objetivo. No es tu trabajo.

Nicolas se agachó y le dio un beso en la cabeza.

—Esta noche estaré allí, Dahlia. No pienso dejarte ir al edificio Lombard sola. No nos verás, ni nos oirás, pero si tienes problemas estaremos a tu lado para sacarte.

Ella se separó de él con expresión tozuda.

—Yo no te acompañé a tu trabajo. Si sé que estáis allí, no podré concentrarme.

—Puedes enfadarte conmigo, y lo entenderé, pero no cambiaré de opinión. Estoy siendo sincero contigo. No puedo hacer nada más.

—¿Y eso qué significa? ¿Que cada vez que tenga una misión vas a seguirme porque no me crees capaz de hacerlo?

—No, porque no soy capaz de hacerlo yo. Es distinto. ¿Podrás vivir con eso? ¿Con que sea como soy? —La agarró del brazo cuando ella intentó darse la vuelta—. Te pido que entiendas cómo soy en realidad. Tengo mis defectos, Dahlia. A veces, va a ser muy difícil convivir conmigo.

Ella abrió los ojos en estado de choque. De pánico.

—Jamás he aceptado vivir contigo.

—No —dijo él—. Pero lo harás.

—Eres muy arrogante, Nicolas. A veces, me pones de los nervios.

Él intentó no reírse.

—Ya lo sé.

Al menos, no había dicho que no aceptaría vivir con él, así que, cuando le mencionara el matrimonio, quizá no se le desmayara en los brazos. O se calzara las zapatillas de correr.

Dejó las fotos en la cama y buscó en su equipaje algo que ponerse. Lily había sido muy detallista y le había enviado todo lo que Nicolas le había pedido, incluyendo la ropa de trabajo y las herramientas. Pero, como era Lily, también había enviado todos los objetos que había podido encontrar y que le habían parecido útiles. Dahlia estaba encantada con la variedad y la ropa ceñida con multitud de bolsillos con cremallera para poder llevar todo lo necesario encima y tener las manos libres.

Se recogió el pelo y se lo volvió a trenzar, lo más tenso posible. Mientras se ponía los guantes, miró a Nicolas.

—¿Bien? Si vas a venir, será mejor que te prepares.

—Ya estamos preparados. Nuestro equipo ya está en los coches. ¿Quieres una radio?

Ella meneó la cabeza.

—Me distraería demasiado. Tengo que confiar en mí. No puedo cambiar mi forma de trabajar a estas alturas. Cuando entro, tengo que creer en mí y no pensar en que, si pasa algo, me vais a rescatar. No necesito que me rescatéis. Si tengo algún problema, saldré sola. —Lo miró fijamente—. ¿Entendido?

—Entendido.

Cargó con la bolsa del equipo y salió de la habitación.

Dahlia lo siguió, pero luego regresó para echar un último vistazo a las fotografías que había encima de la cama. Cogió una y la miró, miró al hombre que había orquestado el asesinato de su familia. Tardó unos segundos en darse cuenta de que la temperatura estaba subiendo muy deprisa y que sus dedos estaban quemando las pruebas que necesitaría enseñar al director. Dejó la fotografía, pero se sentó en la cama para mirar las otras. Casi todas eran del Barrio Francés de Nueva Orleans. ¿Por qué las tenía Louise?

—¿Dahlia? —la llamó Max en la puerta, contemplándola con sus intensos ojos azules.

Ella levantó la barbilla y respiró hondo para calmarse. Era horrible estar rodeada de tanta gente y tener que reprimir sus emociones. No podía llegar a imaginarse lo difícil que tenía que ser para ellos estar con ella.

—¿Qué pasa, Max?

—Sólo quería disculparme. He estado pensando mucho en lo que ha debido de ser para ti y tienes razón, debería haberte dicho que conocía al doctor Whitney. Eres consciente de todos los problemas que acarrea el experimento, de lo mucho que sufrimos cuando utilizamos las habilidades y lo que nos cuesta bloquear las emociones de las personas que nos rodean. Seguramente, lo sabes mejor que nosotros.

—Repiqueteó el dedo contra la puerta—. Lo cierto es que nos avisaron de que había alguien que quería matarnos a todos. Que había alguien que sabía de nuestra existencia y que ya había matado a unos cuantos. —Hizo un gesto con la barbilla hacia el salón, de donde procedían las risas y la camaradería de los Soldados Fantasma—. Alguien mató a miembros de su equipo, y no queríamos ser los siguientes. Todos pasamos a la clandestinidad y protegimos nuestra información bajo tantas banderas rojas como pudimos. El almirante Henderson nos ayudó.

—¿Y no pensasteis que yo también podía estar en peligro?

—Deberíamos haberlo pensado, Dahlia. Deberíamos haber tomado medidas para protegerte a ti también.

Dahlia sabía que no debía preguntarlo. Ya sabía la respuesta, pero no pudo reprimirse.

—¿Y por qué no lo hicisteis?

Max se miró las manos, apretó los puños y luego la miró a los ojos.

—Nos entrenamos juntos y confiábamos los unos en los otros. Tú eras una desconocida. Tienes poderes y complicaciones que ninguno de nosotros tiene, y no sabíamos si podíamos confiar en ti o te volverías en contra nuestra.

—Todavía no lo sabes, Max.

Era un cuchillo. Max había cogido un cuchillo y se lo había calvado en el corazón. Deseó poder ser fría, distante y no sentir nada. El dolor era casi tan peligroso como la ira. Estar cerca de la gente era arriesgado y quizás incluso peligroso para alguien como ella.

—Sí que lo sé, Dahlia, y debería haberlo sabido hace meses. Y Jesse también. Nos equivocamos. Sé que estás enfadada, pero quería decírtelo. Para que, al menos, sepas cómo me siento.

Dahlia no sabía si darle las gracias o escupirle a la cara. Sólo podía quedarse allí de pie, impotente, preguntándose si era posible sufrir un cataclismo silencioso.

—Espero que la confesión te haya hecho sentir mejor, Maxwell —dijo Nicolas. Habló en voz baja y tono tan severo que Dahlia se estremeció—. No, no le has dicho que es un bicho raro o que es distinta, pero la has hecho sentirse como tal, ¿verdad? Y todo, ¿para qué? Este discursito era para sentirte mejor tú, no para que ella se sintiera mejor. Ahora ya puedes irte a casa y convencerte de que te has disculpado, y que ya está todo bien.

Dahlia se dio la vuelta. El aire estaba cargado de electricidad, la energía estaba viva y respiraba como un monstruo mientras los dos hombres se miraban con los ojos fríos como el hielo y una rabia alimentada por la violencia de la inminente tormenta dentro y fuera de la casa.

Pasó entre los dos con miedo de las llamas que bailaban tras sus párpados. Con miedo de la rabia que sentía hacia Max, Jesse y el almirante. Se había pasado la vida entera aprendiendo a controlarse, pero cuando estaba rodeada de gente con emociones tan fuertes, le parecía una meta inalcanzable. Casi se echó encima de Kaden. Él la agarró por los hombros para tranquilizarla y, de golpe, parte de la presión aflojó.

—Respira, Dahlia. Si necesitas salir, hazlo. Es lo que hacemos nosotros cuando nos sobrecargamos. Estás en tu derecho de alejarte de esto. El simple hecho de estar en una casa con más gente no significa que no puedas tener privacidad. —La acompañó hasta la puerta y abrió para dejar entrar la brisa nocturna—. Lily es una mujer increíble. La educaron con todos los lujos del mundo, sabe qué tenedor usar en cada ocasión y quién es quién en el mundo de las altas finanzas. Puede codearse con el presidente y ni pestañear. En realidad, lo ha hecho, pero cuando necesita salir de la sala, lo hace. Es una de las primeras reglas que nos enseñó para estar en grupo o en situaciones sociales. Si lo haces, pareces misterioso e intrigante.

Dahlia se rió.

—Si provocara un incendio en la Casa Blanca, parecería realmente misteriosa e intrigante. No me imagino en ese tipo de situaciones.

Él le sonrió.

—¿Te imaginas a los del servicio secreto buscando al responsable de provocar el fuego y tú sentada a la mesa del presidente, con cara de inocente?

—Gracias, Kaden. —Dejó que su vista se perdiera en la noche. Los nubarrones se iban acercando y oscureciendo el cielo. El viento silbaba entre los edificios y agitaba los árboles y arbustos, incluso llegando a doblar algún tronco—. Fíjate. ¿Cuándo ha aparecido esta tormenta? Antes he comprobado la previsión del tiempo y decían que existía la posibilidad de algún chubasco. Creo que los meteorólogos nunca aciertan. ¿Crees que hay algo más que pueda salir mal esta noche?

Kaden se volvió para mirar a Nicolas, que se estaba acercando, y asintió.

—Sí. Creo que hay muchas cosas que podrían salir mal.

Dahlia supo que Nicolas estaba allí por la extraña reacción de su cuerpo, por cómo despertaba. Cómo la energía se disipaba. Por la inmovilidad de Kaden. No se dio la vuelta y siguió contemplando la noche.

—No has hecho ninguna estupidez, ¿verdad?

—No, pero no por falta de ganas —respondió él, con sinceridad—. Lo siento. Mi enfado no te ha ayudado, ¿verdad?

—No, pero una parte de mí se ha alegrado de que lo hayas dicho.

Nicolas le rodeó los hombros con el brazo.

—El tiempo está empeorando. Quizá deberíamos posponerlo hasta que haya pasado la tormenta.

—No, puede que me ayude. Quiero terminar con esto.

—De acuerdo. Entonces, en marcha. ¿Estás preparada?

—Más que nunca.

Capítulo 19

Dahlia inhaló la noche. Siempre se sentía a salvo con la protección de la oscuridad. Ya estaba lista, con la adrenalina bombeando en sus venas y el cerebro le funcionaba a toda marcha. Eso era lo que le gustaba, utilizar los talentos menos habituales que tenía. Era lo que siempre la salvaba, lo que siempre mantenía el dolor y la migraña a raya. Podía pasearse por las calles vacías, mirar las casas e imaginar que formaba parte de una comunidad. Podía pasear por las aceras, pararse delante de los escaparates y fingir que iba de compras con amigas. De noche, casi podía ser normal.

En las alturas, lanzó un cable hasta el tejado del edificio Lombard. Tiró de él para asegurarse de que el gancho estaba fijo y lo ancló por su lado. Mientras tanto, no dejó de observar el edificio y revisar todos los ángulos para percibir el ritmo y los movimientos de cada piso y del tejado.

Un vigilante con un perro recorría los pasillos de la planta baja. A partir del tercer piso, el edificio estaba a oscuras. Parecía vacío y tentador, pero sus sentidos le dijeron que no era así. La cámara acorazada estaba en el centro del edificio. No en el sótano, como sería habitual, sino en un lugar al que tenían acceso todos los investigadores. El edificio estaba construido como una colmena y la cámara era el eje central de la actividad. Era una sala enorme con cámaras de vigilancia, paneles para identificación de retina, huellas dactilares y códigos de acceso. Había visto cómo dos hombres introducían llaves en la cerradura y las giraban al mismo tiempo para entrar en la cámara. Cuando los investigadores se iban a casa, allí guardaban desde datos hasta prototipos. Era el lugar perfecto para esconder unos datos robados. ¿Quién iba a enterarse?

Lombard se había inventado su propio proceso. Robaban ideas, las escondían en una cámara donde nadie las buscaría y, al cabo de unas semanas o unos meses, las sacaban, las modificaban ligeramente y las fabricaban con su nombre. Era un plan increíblemente eficaz y lucrativo. Y ahora habían decidido llenarse todavía más los bolsillos desarrollando armamento clasificado y vendiéndolo a cualquier gobierno o grupo terrorista que estuviera dispuesto a pagar un precio exorbitante.

Dahlia volvió a concentrarse en la misión de llegar al tejado sin que la vieran. El viento soplaba particularmente fuerte, y era uno de los mayores riesgos a la hora de utilizar un cable para pasar de un edificio a otro. Analizó los ángulos del tejado con ojo experto. Cuando corría por encima de un cable empezaba pisándolo con firmeza, pero casi siempre levitaba, y tenía que concentrarse mucho para darse impulso mientras lo hacía. Correr era más rápido, pero menos seguro. La llovizna no ayudaba, porque el cable estaba resbaladizo, así que se decidió por una combinación de ambas técnicas.

Dahlia se colocó encima del cable y echó a correr, casi levitando mientras recorría la importante distancia entre los dos edificios. El viento soplaba a rachas fuertes, casi como si la estuviera atacando de forma deliberada para hacerla caer. La golpeó de lado un par de veces y estuvo a punto de hacerle perder el equilibrio. No miró abajo ni un segundo, ni apartó la mirada o la mente de su objetivo. Podía controlar la combadura del cable y, hasta cierto punto, también la oscilación, pero era imposible controlar el viento. Una ráfaga particularmente fuerte la golpeó de lado con tanta fuerza que la hizo caer.

Sorprendida, alargó la mano enguantada para agarrarse al cable trenzado mientras caía. Cerró el puño alrededor de él y estuvo a punto de dislocarse el hombro. Percibió el horror de Nicolas en la mente, pero él bloqueó sus pensamientos para no desconcertarla. Dahlia se agarró al cable con las dos manos y se quedó colgando en el aire y esperando a que el viento se calmara. Al ser un espacio tan abierto y sin ningún edificio en medio, las rachas de viento podían llegar a ser brutales.

Dahlia recurrió a sus habilidades como gimnasta y funambulista para subir las piernas y quedarse colgando por las rodillas. Las gotas de lluvia le caían en el cuello y le resbalaban por la cara. Se agarró a las piernas y se incorporó hasta que estuvo sentada encima del cable. Abajo, las luces de la calle parecían de un color amarillo apagado por culpa de la niebla. Estaba mirando a aquellos halos de luz tan extraños para orientarse cuando vio la sombra que salía de un portal. La reconoció enseguida.

Su forma de moverse siempre le había parecido algo furtiva. Roman Howard, el hermano de Martin, era el hombre que había visto en la Universidad de Rutgers, frente al despacho del doctor Ellington. Había pasado por delante como si nada, como cualquier otro estudiante, pero Dahlia se había fijado en él porque había puesto en alerta todos sus instintos de protección. Aquel día estaba de caza, estaba vigilando al profesor y condenándolo a muerte. Dahlia también había fingido ser una estudiante más y él no la había visto gracias a su capacidad de desdibujarse, que la convertía en un camaleón cuando era necesario.

Por encima de él, con el viento y la lluvia golpeándole la cara, Dahlia lo vio cruzar la calle hasta el edificio Lombard, se quedó frente a la entrada y miró a su alrededor con cautela, como si sospechara que alguien lo estuviera vigilando. Ese era el hombre que había matado a su familia, había destruido su casa y casi había acabado con la vida de Jesse Calhoun. Se dedicaba a traicionar a su país y a su propia familia, y se aprovechaba de la relación que tenía con la mujer que lo había criado como a un hijo y con su hermano para conseguir sus fines.

Dahlia observó cómo Roman Howard retrocedía por la acera y, a través del cristal del edificio, buscaba los ojos que lo estaban vigilando. Era evidente que estaba inquieto, pero acabó regresando a la entrada e introdujo un código. ¿Cómo podía tener uno? ¿Por qué?

Se suponía que era un estudiante y trabajador autónomo. El investigador de Lily no había encontrado ninguna prueba de que trabajara en Lombard. Era una empresa importante y solía recibir contratos del gobierno. Muchos de sus equipos de investigación y desarrollo tenían acceso a material confidencial. Nadie había mencionado que Roman Howard también tuviera ese tipo de acceso.

Cuando Dahlia notó el precario balanceo del cable y el crepitar de la lluvia se dio cuenta de que la temperatura a su alrededor estaba aumentado en proporción a la rabia que se estaba acumulando en su interior. Respiró hondo y soltó el aire. Tenía que mantener la situación bajo control. La recuperación de los datos del torpedo silencioso era vital. Era su prioridad, antes que cualquier otra cosa. No se atrevió a soltar más energía mientras estuviera encima del cable.

Colocó primero un pie, y luego el otro, y se agachó. Su mente enseguida empezó a localizar posibles problemas, como haría durante una partida de ajedrez, buscando puntos de equilibrio en medio del viento y el mejor ángulo para colocar el cuerpo y así evitar otro accidente. Era una lucha contra la distracción del viento y la lluvia, pero mantuvo el cable tenso con la mente. Esta vez fue con más cuidado y con la mente se avanzaba a los movimientos del cuerpo. El viento no dejaba de mover el cable, de modo que Dahlia tuvo que contrarrestarlo con su propia persuasión mental y utilizar sus habilidades psíquicas para mantenerlo en su sitio. Cogió velocidad, pero no la suficiente para impulsarse hacia delante mientras levitaba. De hecho, tuvo que apoyar un pie en el cable para salir hacia adelante.

Debía de ser una situación de mucha tensión, y seguro que lo había sido para los Soldados Fantasma, pero ella disfrutaba con las dificultades. Su mente y las extraordinarias cantidades de energía que se acumulaban en su cuerpo necesitaban desafíos constantes. Llegó al tejado del edificio Lombard y se quedó de pie un instante, regulando el intenso latido de su corazón y controlando la respiración mientras la adrenalina fluía por su cuerpo. También estaba acostumbrada a eso, a las consecuencias de sus increíbles proezas y la emoción que sentía cuando se daba cuenta de que seguía con vida.

Antes de abandonar el cable, buscó con la mente y con el cuerpo cámaras de seguridad, sensores de movimientos o cualquier otro aparato de vigilancia. Su cuerpo era un detector muy fiable, algo que según ella estaba relacionado con las frecuencias altas. Podía provocar interferencias, pero no quería alertar a nadie de su presencia, y menos con Roman en el edificio.

Quiero que abortes la misión. Era una orden clara. *Roman Howard ha entrado en el edificio y estaba muy agitado y receloso. Esto no me gusta. Aborta. Lo intentaremos otro día.*

Le he visto entrar. No cambia nada. No podemos arriesgarnos, Nicolas. Ya he dejado pasar mucho tiempo. Cualquier investigador podría encontrar los datos. Los cambié de caja, pero no los escondí.

Dahlia percibió la intensidad de su frustración y su ira por no hacerle caso. Pero si un enemigo se hacía con el proyecto de un arma potencialmente tan destructiva como el torpedo silencioso no sería responsabilidad de Nicolas. Se mantuvo inflexible.

No me distraigas. Si no puedes quedarte en un segundo plano, será mejor que vuelvas a la casa.

Percibió la misma frustración, pero Nicolas reprimió la ira. Simplemente, se calló. Ambos sabían que no se iría a casa.

Dahlia lo apartó de su mente y se concentró en descubrir cualquier aparato de vigilancia nuevo. Había observado el tejado varias veces, pero ninguna desde la última vez que había estado aquí. Estaba segura de que habrían reforzado la seguridad.

Dejó de llover, aunque el viento persistió y casi rugió, de modo que tuvo que agacharse y refugiarse detrás de una de las pagodas que albergaban los extractores de ventilación. Se quedó inmóvil mientras observaba cada detalle del tejado e intentaba orientarse con el diseño anterior y comprobaba si habían cambiado algo.

Había una pequeña mancha oscura encima de la cubierta de las grandes espirales de los conductos de ventilación. El tejado estaba diseñado con el mismo ingenio que el propio edificio, lo que ofrecía a Dahlia espacio suficiente para moverse entre las distintas pagodas y evitar el campo de visión de la cámara, que estaba programada para realizar un barrido del tejado. Calculó dos veces lo que tardaba en ir de un lado a otro para asegurarse de que tenía tiempo para desaparecer por el conducto de la ventilación antes de que volviera a enfocar hacia allí.

Esperó a que la cámara dejara atrás la pagoda e inmediatamente se metió en el agujero. Descender fue bastante sencillo, porque se guió con las manos y los pies hasta que llegó a la curva. Allí se estrechaba, pero su pequeño cuerpo encajaba a la perfección. Había memorizado el mapa del edificio y siguió por el estrecho conducto que la llevó hasta el hueco del ascensor. Ya lo había usado antes y conocía el acceso. Tenía que ir con cuidado con la rejilla y sujetarla mientras la empujaba para que no cayera al sótano. La apartó con cuidado y se asomó.

El hueco del ascensor era la forma más rápida de llegar al eje central del edificio, donde estaba la enorme cámara acorazada. El ascensor nunca paraba en esa planta a menos que el ocupante tuviera una llave especial y el código de acceso correcto. Dahlia no se molestó en ir por el ascensor; simplemente, bajó por el hueco agarrándose a las escaleras de emergencias o a las grietas de la pared. El conducto de la ventilación que necesitaba estaba en una posición muy extraña encima de ella. Ató un cable a una escalera de emergencia, metal contra metal. El sonido de la fricción fue demasiado alto y pareció resonar por todas partes.

Dahlia esperó un momento hasta que estuvo segura de que podía continuar. Quedó colgando como un péndulo, balanceándose hacia delante y hacia atrás, impulsándose con los pies contra la pared hasta que pudo enganchar el talón en el conducto y sujetar el cuerpo mientras desataba el cable para poder escapar más deprisa. Entrar en el conducto era bastante sencillo, pero ella lo hizo muy despacio, centímetro a centímetro, consciente de los sensores de movimiento que había a lo largo de todo él. La operación de interrumpir su funcionamiento requirió una gran concentración mientras avanzaba lentamente por ese lugar tan estrecho.

Empezó a oír un extraño zumbido que cada vez se volvió más fuerte. Le molestaba, se convirtió en una presión y le dolían las sienes. Le costaba mucho mantener la concentración en los sensores con aquel zumbido en la cabeza. Notó una quemazón en el estómago. Se quedó completamente inmóvil, porque había reconocido un ataque psíquico. Nunca le había sucedido hasta ahora, pero sabía que provenía de una fuente externa. Pequeñas gotas de sudor le empaparon la frente. Llenó los pulmones de aire mientras la presión de la cabeza aumentaba hasta que tuvo la sensación que se la estaban apretando con un torno.

Intentó empequeñecerse y alejarse, pensó en el pantano y el sonido de las ranas y los caimanes, el continuo romper del agua en la orilla, lo que fuera para no pensar en aquella presión. Se lo imaginó: la casa que había sido su hogar, con la variedad de flores, arbustos y árboles por todas partes y la fauna salvaje que observaba durante horas desde el tejado.

Lentamente, notó cómo la presión disminuía. El ataque que le habían lanzado no había funcionado, pero estaba mareada y confusa, así que esperó a tener la cabeza un poco más clara para continuar. ¿Roman Howard era capaz de lanzar un ataque como ese? No se había sometido al experimento psíquico. Martin, sí. A Martin sí que le habían enseñado a utilizar esos ataques.

Dahlia mantuvo la cabeza agachada y apoyada en las manos mientras intentaba atar todos los cabos. No se atrevió a moverse hasta que estuvo segura de que podía volver a controlar los sensores de movimiento y de que la adrenalina volvía a correrle por la sangre. Todos los que habían participado en el experimento tenían alguna habilidad psíquica natural que Whitney pudo reforzar.

Dahlia, no me asustes. ¿Te ha hecho daño? Oír su voz ya la calmó. Notó cómo el aire circulaba por sus pulmones y los nervios se relajaban.

¿Lo has notado?, preguntó ella.

Lo hemos notado todos.

¿Puede oírte? ¿Puede notar la energía cuando nos comunicamos así? No quería sufrir otro ataque mientras estuviera en un espacio tan estrecho como el conducto.

No, he practicado para poder hablar telepáticamente sólo con una persona. Martin Howard está escondido frente a la entrada del edificio. Parece que ha seguido a su hermano y que lo está esperando.

¿Me ha atacado Martin?

Es imposible saber quién lo ha generado o si iba dirigido a una persona en concreto. Suponemos que, quien inició el ataque, lo ha hecho porque notaba nuestra presencia y estaba incómodo. Estaba intentando sacarnos de nuestro escondite.

Dahlia frunció el ceño. Tenía sentido, pero si sabía que ella estaba en el edificio y la estaba buscando, la operación era mucho más peligrosa, sobre todo si empezaba a sentir emociones fuertes y se acercaba a ella.

¿Vas a abortar la operación?

Nicolas mantuvo un tono de voz neutro y ella se lo agradeció. Tenía que pensárselo muy bien antes de cometer un error. Respiró hondo y soltó el aire muy despacio.

Estoy tan cerca que, si me marcho ahora, tendré que volver a empezar otro día. Voy a ver si puedo entrar y salir sin problemas antes de abandonar.

Percibió la decepción de Nicolas y la frustración de no poder darle órdenes como haría con sus hombres. ¿Estaba siendo tozuda? Era uno de sus peores defectos, pero ahora no era tozudez. Era miedo. No quería ser responsable de que la investigación cayera en malas manos y no quería volver nunca más al edificio Lombard.

Cuando esto termine, quiero ver dónde vives, Nicolas.

Te lo prometo. Procura que no te pase nada.

Volvió a respirar hondo y se concentró en los sensores. Cuando estuvo segura de que los tenía controlados, siguió avanzando hasta que estuvo frente a la rejilla del túnel que llevaba a la cámara acorazada. Había seis túneles de acceso, todos con la misma cámara y puertas blindadas. El dispositivo de seguridad era muy grande, porque también tenía que superar exámenes de retina y códigos de seguridad. Y eso después de salir del ascensor que sólo se paraba en aquella planta si se tenía el juego de llaves indicado y otro código distinto.

Sacó su *kit* de herramientas de un bolsillo de los pantalones y enseguida se deshizo de los tornillos de la rejilla del conducto. Ahora tenía que controlar las cámaras y evitar que captaran su imagen mientras salía del conducto y saltaba al suelo. Controlar las cámaras era fácil, pero también algo sencillo de olvidar. Si dejaba que su mente las soltara, incluso cuando estuviera dedicándose a otras tareas más difíciles, tendría problemas.

Se apoyó en la pared y desdibujó su imagen por si acaso la cámara enfocara hacia allí. Lo más importante era el código de acceso. Sabía que lo cambiaban cada día. Descifrar el código y abrir la cámara acorazada era su parte favorita. Su mente ya estaba en marcha, intentando sentir cómo mover los seguros hasta que encajasen. Aunque la cámara tenía un teclado electrónico, Dahlia no necesitaba introducir los números para saber cuáles eran los correctos. De hecho, ni siquiera lo intentó porque sabía que un par de códigos incorrectos hacían saltar las alarmas. Simplemente, ignoró toda la parte electrónica y trabajó directamente con los seguros con muelles mecánicos.

Estaba pegada a la pared y en el mejor ángulo para evitar el recorrido de la cámara, por si acaso durante aquella fase, por la emoción de lograr abrir la cámara, se olvidaba de controlarla.

Superar el examen de retina era bastante sencillo, pero el código era básico, y se trataba de una lucha entre su cerebro y la máquina.

Se sentó con la espalda contra la pared mientras empezaba a buscar las posiciones correctas de los seguros. Iba a tardar un poco y, con Martin Howard merodeando por el edificio, quería entrar y salir lo más deprisa posible. Había logrado encontrar la mitad de las posiciones cuando llegó el segundo ataque. Un golpe seco contra su cerebro, agujas que se le clavaban en la mente y sacudían su concentración. Se agarró la cabeza con las dos manos y apretó con fuerza para soportar aquella tensión. Notó cómo el estómago le ardía.

Dahlia mantuvo la mente concentrada en las cámaras. Tuvo que olvidarse de la cámara acorazada, porque la vigilancia era más importante. Si los seguros se salían de su sitio, siempre podría volver a empezar. El ataque fue duro y letal, pero como el atacante no sabía contra quién cargaba, no iba dirigido a nadie en concreto. Ella recibió la mayor parte, pero sólo porque estaba más cerca que los Soldados Fantasma; seguro que ellos también lo habían notado.

Respira hondo hasta que pase. La voz de Nicolas era amable y tranquila. Normal en él. Oírlo la ayudó a reducir el sufrimiento. *No podemos responder, porque entonces sabrá seguro que hay alguien. Ahora sólo está lanzando un globo sonda. No está seguro.*

Quería responderle, decirle que estaba bien, pero la presión en la cabeza y el trabajo de controlar la cámara ya eran suficiente. Se agachó y empezó a respirar empleando la técnica meditativa mientras esperaba que el ataque terminara.

Se fue pasando de forma gradual y la presión fue desapareciendo hasta que pudo volver a pensar. Se concentró en la cámara acorazada. Roman Howard no tenía ni idea de que ella estaba en el edificio y mucho menos de que estaba abriendo la cámara. Tenía las suficientes habilidades como para estar algo inquieto, pero no pudo encontrar al enemigo. De todas formas, Dahlia tenía que darse prisa. Si la inquietud continuaba, seguro que acabaría subiendo a la cámara a asegurarse.

Trabajó más deprisa y estaba alerta cuando los seguros encajaron. Reprimió las ganas de reírse a carcajadas cuando descubrió la última posición satisfactoria y los seguros se alinearon para ella. Comprobó los números que correspondían a esas posiciones y los marcó en el teclado digital. Ahora notó cómo los seguros se mantenían en su sitio sin que ella tuviera que retenerlos con la mente. Se concentró en el examen de retina, buscó la última imagen guardada en la memoria del ordenador y la repitió. Se produjo un momento de silencio. De expectación. Y la enorme puerta de la cámara acorazada se abrió.

Dahlia se movió deprisa y corrió hacia la hilera de lo que casi parecían las típicas cajas de seguridad. Todas eran grandes y alargadas, con capacidad para albergar casi todo lo que cualquier equipo de investigación necesitaba preservar. Se agachó para abrir una cerca del suelo. Entre los montones de documentos y discos duros externos, localizó los deseados discos con la información sobre los torpedos silenciosos. No estaban identificados, pero ella reconoció el pequeño círculo rojo que el profesor de Rutgers solía usar en su correspondencia.

Los metió en una bolsa de cierre y la guardó en un bolsillo que había en la parte interior de la sudadera. Una vez a salvo, lo dejó todo tal y como estaba, cerró la cámara acorazada y se dirigió hacia el conducto de la ventilación. Saldría por la puerta lateral en lugar de volver a subir hasta el tejado, porque los arbustos estaban cerca. Por los conductos era más fácil. Sólo tenía que recordar tomar precauciones con los sensores de movimiento.

Tardó varios minutos en orientarse en medio del laberinto de conductos, pero acabó eligiendo el que la llevaría directamente hasta la puerta lateral, frente a la calle estrecha. En la parte trasera había un patio, y solían dejar sueltos a los perros para protegerlo. La entrada lateral tenía menos luz y sólo dos cámaras. Dahlia desatornilló la rejilla del conducto que daba a la oficina. Oyó cómo el guardia hablaba con alguien a lo lejos. Contenta de evitarlo y también al perro, desactivó las alarmas de la ventana y la abrió. Estaba a bastante distancia del suelo, pero igualmente saltó y aterrizó de cuclillas cerca de la pared. Dio un paso para salir corriendo hacia los arbustos, pero entonces oyó cómo las bisagras de la puerta crujían. Oyó unas voces de hombres.

Volvió a pegarse a la pared, se quedó inmóvil y cerró los ojos mientras los dos hombres salían por la puerta lateral. Estaban discutiendo, iban muy juntos y se detuvieron a dos palmos de ella. Dahlia reconoció a Trevor Billings, uno de los investigadores con fama de genio. Era el hombre que Jesse Calhoun había estado investigando. Billings miró a Roman Howard.

—Te dije que no volvieras por aquí.

Roman lo empujó tan fuerte que Trevor, más pequeño, tuvo que sujetarse las gafas para que no salieran volando y, al mismo tiempo, alargó una mano para apoyarse en la pared y no caer al suelo. Dahlia veía sus dedos a escasos centímetros de su hombro. Los miró horrorizada. Parecía imposible que no la vieran, pero se concentró en desdibujar su imagen lo máximo posible.

Trevor levantó la mano para protegerse cuando Roman se le acercó.

—Tenemos algo bueno entre manos. Tráeme los datos, yo los desarrollo y podremos venderlos al mejor postor. Si te retrasas más, vamos a joderlo todo. ¿Qué te pasa? La investigación estaba hecha y, a menos que la recuperemos, tendremos que concentrarnos en el siguiente paso.

—No me vengas de listo, Billings. No eras nada, un recadero de mierda al que nadie prestaba atención hasta que te di esta idea y te proporcioné la información. Aquí, quien está corriendo todos los riesgos son los míos, mientras tú estás en tu despacho y consigues toda la gloria, fingiendo ser un genio. Los dos sabemos que no sabías hacer la o con un canuto.

Dahlia no podía moverse. Estaba atrapada en la esquina oscura cerca de los arbustos, pero la farola iluminaba el camino. La verían y sabrían que no estaban solos. Ni siquiera se atrevió a respirar con la mano de Trevor tan cerca de su cuerpo.

—Hemos perdido, Roman. No sé por qué esto te importa tanto como para arriesgarlo todo. Estás haciendo daño a la gente. Tarde o temprano vendrán a por nosotros.

Roman le sonrió.

—Todos estamos matando a gente, Billings. Es una parte importante del trabajo y tú eres demasiado cobarde para hacerlo. Lárgate y no me digas dónde puedo ir y dónde no. Aquí las órdenes las doy yo.

Dahlia recibió el impacto de la energía violenta y la necesidad de matar. La energía flotaba alrededor de Roman y corría para atacarla a ella. Percibió que esa necesidad cada vez era más intensa. Quería gritar a Trevor Billings que corriera. Debió de ver la promesa de la muerte en los ojos de Roman, porque se apartó de la pared y se alejó tambaleándose hacia la calle.

Roman dio un par de pasos tras él, pero luego se detuvo en seco y se volvió como si hubiera visto algo, o a alguien. Dahlia estaba segura de que percibía que había alguien cerca.

Ella se quedó inmóvil, intentó pegarse todavía más a la pared mientras recurría a su experiencia para controlar su respiración y que nada la delatara. Mantuvo su imagen desdibujada, pero Roman Howard estaba muy cerca. Tanto que podía alargar el brazo y tocarlo. Estaba furioso. Irradiaba rabia. Volvió la cabeza de un lado a otro y olfateó el aire, intentando localizar a su enemigo. Se alejó unos dos metros de ella y la luz de la farola lo iluminó un segundo cuando se volvió. Dahlia vio el filo de la navaja plano contra el brazo, y la empuñadura en la mano.

Contuvo el aliento. Se empujó contra la pared, deseando encontrar una grieta donde esconderse. No sólo podía sentir su rabia, sino que además emanaba energía violenta. Estaba rodeado por ella. La energía lo consumía hasta que masculló y prometió venganza, porque sabía que lo estaban observando y quería matar. Ella se quedó sin aire en los pulmones. Quería matar. Necesitaba matar a alguien. Las ganas eran tales que Dahlia temió por cualquier inocente que pasara por allí.

La energía la golpeó en forma de olas y pudo leer la cruel realidad de la vida de Roman Howard. Siempre un paso por detrás de sus hermanos, a pesar de ser un hombre brillante que creía que podía superar a cualquiera. Odiaba. La emoción hervía y ardía en él, envenenándolo y consumiéndolo hasta que apenas podía controlar sus acciones. Dahlia lo notó todo, y la energía se acumuló a su alrededor, la ahogó, la llenó hasta que la presión fue insoportable. Se mordió la muñeca y se concentró en el dolor para intentar bloquear la violencia de las emociones de Roman.

A un metro de donde ella estaba escondida, apareció una sombra. Roman se volvió y se quedó inmóvil. Dahlia, hipnotizada, observó cómo acariciaba la navaja con los dedos.

—Martin, ¿qué haces aquí? —Roman se aclaró la garganta y fingió sonreír—. Creía que estabas en alguna investigación importante. Louise me dijo que estabas en Atlanta.

—Estaba llevando a cabo mi propia investigación. Empecé a preguntarme cómo alguien podía haber descubierto lo de Dahlia Le Blanc.

—¿Quién? No sé de qué me hablas.

—Ojalá fuera verdad, Roman, pero hay muy pocas personas que conocen la existencia de Dahlia. La enterramos bajo varias capas de banderas rojas y nunca nadie las tocó. Así es cómo supe que la persona que la estaba persiguiendo no la había descubierto en los ordenadores, y estaba seguro de que no la conocía personalmente. Jesse sabía dónde vivía, pero sería ridículo creer que se torturó él mismo. —Martin se echó el pelo hacia atrás con las dos manos, dejando a la vista sus ojeras. Su rostro reflejaba el dolor—. Anoche Dahlia fue a visitar a Louise. El estado de Jesse no era de dominio público, pero tú lo sabías. ¿Cómo te enteraste, Roman? No creíste que hablaría con Louise inmediatamente después de que me lo dijeras, ¿verdad? Me hiciste creer que te lo había explicado ella, pero la pobre no tenía ni idea y se quedó de piedra cuando le di la noticia.

Roman se encogió de hombros.

—¿Quién iba a imaginarse que lo guardarían en secreto? ¿Por qué iban a hacerlo? Parecía lógico que Louise lo supiera. Un pequeño error, pero al final no importará.

—Bastó para que descubriera lo que estabas haciendo. ¿Por qué, Roman?

La sonrisa de Roman fue una parodia. Enseñó los dientes como un lobo.

—Dímelo tú, eres Martin el Magnífico. Nunca haces nada mal, pero creo que, cuando empiecen a investigar, verán que no eres tan inocente.

—Has dejado pruebas falsas para incriminarme.

—Alguien tiene que pagar el pato. Eres demasiado bueno para ser verdad. ¿Cómo iban a sospechar de mí? No encontrarán ni un solo micro ni nada que me relacione con todo esto. Yo no conocía a esa mujer. Jamás había oído hablar de ella.

Martin extendió las manos delante de él.

—Entonces, ¿todo esto ha sido por celos? ¿Querías vengarte de mí?

Roman se echó a reír. Era un sonido horrible y las olas de energía violenta se convirtieron en una marea que la inundó.

—No te hagas ilusiones. Esto va de dinero y poder. Por supuesto, eligieron al chico de oro para el experimento, cuando yo tenía muchas más habilidades que tú. Y, por supuesto, algo salió mal y te compensaron con un fondo económico que te solucionó la vida. ¿Por qué tú, Martin? Los dos sabemos que tengo más talento natural que tú. Les mentiste sobre mí. Calhoun y tú impedisteis que accediera al programa.

Dahlia tragó saliva para combatir la bilis que le estaba subiendo por la garganta. Estaba temblando, casi sacudiéndose. Sabía que, si no se deshacía de parte de la energía, sufriría un ataque. Y eso significaba que los dos hombres descubrirían que no estaban solos. Los discos le quemaban en la piel y le recordaban que tenía que protegerlos a cualquier precio. Llevaba ropa oscura. Los hermanos Howard sabrían que había ido a recuperar algo y la registrarían.

Volvió la cabeza y se concentró en mitad de la calle, donde no había nada que pudiera arder. La bola de fuego estalló en el aire. La calle ennegreció por el fuego. Los dos hombres se volvieron hacia la explosión.

Roman maldijo y dio un paso hacia su hermano. Martin frunció el ceño y miró a su alrededor, cauteloso. Sabía que Dahlia tenía que estar cerca.

—¿Qué es eso? —preguntó Roman.

—¡Y yo qué sé! —exclamó Martin—. ¿Estás muy involucrado en todo esto, Roman? ¿Qué has hecho?

Roman se rió.

—Yo no estoy metido en nada. Olvidas que las pruebas apuntan hacia ti. ¿Creerán que sé leer la mente? ¿Que llevo años leyendo la mente de Louise? Te culparán a ti, Martin. Incluso Louise te culpará, a ti, a su chico dorado.

Se le acercó con la mano escondida, ocultando la navaja.

—¿En serio crees que voy a permitir que destruyas mi reputación y todo por lo que he trabajado? —preguntó Martin.

Dahlia no apartaba el ojo del arma. Vio cómo Roman la acariciaba. Notó su creciente emoción, la lujuria por matar. Se separó de la pared. Nicolas maldijo y ella lo oyó en su cabeza.

—Tiene una navaja, Martin, y pretende matarte —dijo, con calma.

Los dos se volvieron hacia ella. Permaneció entre las sombras y siguió desdibujando su imagen lo máximo posible para que ninguno de los dos viera las penosas condiciones en que se encontraba.

—¡Tú! —Roman escupió en el suelo y entrecerró los ojos, muy peligroso—. Debí de haber adivinado que serías tú.

—¿Vas a matarnos a los dos? —preguntó ella. Los temblores eran cada vez peores, en proporción al hambre de violencia de Roman.

—Nadie creerá a una loca —dijo y dio otro paso hacia Martin.

Dahlia contuvo el aliento.

—¡No! —exclamó—. No te acerques más a él. ¿No lo notas? ¿No sientes que todas las pistolas te están apuntando? No permitirán que te acerques a ninguno de los dos. Tira la navaja y deja que se encarguen los abogados.

Martin miró a su alrededor en una larga y minuciosa exploración.

—Son ellos, ¿verdad? Los Soldados Fantasma. Están ahí fuera observándonos.

Ella asintió.

—Tienen un francotirador, Roman. No suele fallar. Deja la navaja. No arriesgues tu vida por esto.

—Mientes.

—No miente —negó Martin—. Deberías poder sentirlo, Roman. Yo puedo. ¿Quién es el francotirador, Dahlia?

La violencia estaba alcanzando un nivel insoportable. Notó que le temblaban las piernas y se sentó, asustada de su propia debilidad. Estaba a escasos palmos de Roman. Si quería, podía abalanzarse sobre ella y apuñalarla, y no podría hacer nada por evitarlo, porque estaba muy débil. Tuvo que recurrir a toda su concentración para evitar sufrir un ataque.

—Nicolas Trevane —respondió.

Roman levantó la cabeza y empezó a maldecir sin interrupción. Con cada palabra, la energía que desprendía se acumulaba en el interior de Dahlia.

Suéltala. Nicolas parecía tranquilo. Impasible. Insensible. Enseguida Dahlia supo que estaba de caza y que tenía a su objetivo en el punto de mira.

No quería distraerte.

No me distraigo. Había una confianza absoluta en su voz.

Dahlia volvió la cabeza y se concentró en la calle otra vez. Llovió fuego. Rayas ardientes de color naranja y rojo cayeron sobre el suelo y provocaron llamas de casi dos metros.

Martin observó el espectáculo con cierto asombro. Roman cambió el peso a los pulpejos de los pies, deslizó la navaja por la mano y la levantó mientras se abalanzaba sobre su hermano. Dahlia vio el impacto de la bala antes de que oyeran el sonido. El cuerpo de Roman se desmoronó. Como una muñeca, salió disparado hacia delante y cayó encima de Martin, arrastrándolo con él al suelo.

La energía violenta la golpeó con fuerza y la llevó al límite. Cayó al suelo, víctima de un ataque, ahogándose con la bilis y luchando por mantener la conciencia y proteger los datos que había recuperado. Era imposible concentrarse mientras la energía se la comía viva, la temperatura de su cuerpo subía como la espuma y la presión aumentaba y aumentaba hasta que no tuvo dónde ir.

Kaden fue el primero en llegar a su lado. Nicolas estaba atrapado en el tejado, protegiéndola y, aunque estaba seguro de que había sido un disparo certero, no se atrevió a apartar la vista del objetivo abatido o de Martin hasta que Kaden le dio la señal de que todo estaba correcto. Kaden se arrodilló junto a Dahlia y la agarró de los hombros para absorber la energía que la consumía. Miró a Martin, que estaba en el suelo llorando junto a su hermano.

—¿Eres un ancla?

Martin dudó y luego asintió.

—Pues ven aquí. Pon las manos encima de ella —ordenó Kaden.

Martin obedeció, trastornado, mientras los demás Soldados Fantasma se unían a ellos. Gator llamó a Lily y la avisó para que informara al director del NCIS de que habían recuperado los datos y habían descubierto al traidor. Nicolas corrió al lado de Dahlia y la levantó en brazos.

—Es la última vez. Nunca más, Dahlia, te lo juro —susurró, mientras las convulsiones desaparecían y ella se quedó mirándolo con los ojos negros muy abiertos—. Me has dado un susto de muerte. Sólo volveré a respirar con normalidad si vienes a casa conmigo y puedo vigilarte las veinticuatro horas.

—Llévame a algún sitio donde la información esté a salvo hasta que pueda entregársela al almirante —susurró ella.

Él le dio un beso en la frente.

—Ahora mismo.

Capítulo 20

Cuando te pedí que me llevaras a algún sitio seguro, no estaba pensando en esto —dijo Dahlia. Nadó hasta el borde de la piscina y se colocó la mano a modo de visera para mirarlo—. Y no puedo creer que obligaras al director a volar hasta aquí para recuperar los datos. Una investigación que, por cierto, seguramente ni siquiera acabará resultando en un arma para ellos.

—Yo no le obligué —respondió Nicolas—. Además, podía haber enviado a otra persona. Quería verte.

Dahlia frunció el ceño, o lo fingió. Estaba demasiado relajada y feliz para protestar.

—Sólo quería reunirse contigo y hablar sobre los Soldados Fantasma. Sus pobres hombres están teniendo muchos problemas. ¿De verdad crees que Lily podrá ayudarles?

—A nosotros nos ayudó. Le dije al almirante que sólo tenían que llamarla, identificarse, y que ella los introduciría en el programa. Su existencia no es ningún oscuro secreto. Hace un tiempo, Lily empezó a sospechar que su padre primero experimentó con las niñas, luego con nosotros, y luego con otro equipo de hombres en su laboratorio de forma privada. No habíamos encontrado los datos sobre su experimento, pero era cuestión de tiempo. El doctor Whitney era muy meticuloso con sus datos. Lo grababa todo. Está en el laboratorio, y Lily lo encontrará. Quizás acudan a ella y dejen que les ayude.

—Sigo diciendo que obligaste al almirante a venir hasta aquí a propósito. —Le observó la cara un buen rato, adorándolo con la mirada—. Querías que viera el contraste de cómo vivía antes y cómo vivo ahora aquí, contigo —adivinó con sagacidad—. Querías echárselo en cara.

Él se encogió de hombros y meneó la cabeza.

—Pienso mantener que no lo obligué.

Le ofreció su cara más inexpresiva, pero enseguida sonrió. Lo había comentado por encima, pero sabía que el almirante lo había captado.

Nicolas estaba de pie junto a su fascinante cascada, casi escondida entre la densa vegetación, con un aspecto primitivo gracias a no llevar nada de ropa. Dahlia lo salpicó con agua y retrocedió, flotando lejos del borde. Sabía que a Nicolas le gustaba mirarla, que su oscura mirada viajaba por su cuerpo y se entretenía en cada curva y en cada hueco secreto. Casi siempre había deseo en su mirada, una intensa pasión que nunca ocultaba. La sacudía por dentro y estaba segura de que siempre sería así.

—Sí que lo hiciste —respondió ella—. Le dijiste que no podía viajar y que tenía que encargarse de guardar los datos en un lugar seguro. Básicamente, no le dejaste otra opción.

Nicolas se encogió de hombros, absolutamente despreocupado.

—Fue una visita muy agradable.

Se agachó en el borde de la piscina y le ofreció un vaso de limonada de fresa. Era una tentación pura y simple. A Dahlia le encantaba esa bebida y Nicolas sabía que, tarde o temprano, se acercaría al borde de la piscina y podría devorar su cuerpo con la mirada, cómo se deslizaba en el agua, los pechos flotando y la tentación ocasional del canal femenino mientras giraba. A Dahlia le encantaba el agua y se pasaba muchas horas nadando desnuda en la piscina. A veces, a él le gustaba sentarse en una silla y contemplarla mientras su cuerpo reaccionaba con un dolor intenso que sabía que no tardaría en saciar.

—¿Es una trampa? —preguntó ella, con cautela, con la mirada fija en el vaso helado.

—Quizá. —No se molestó en ocultar la reacción de su cuerpo ante ella. Estaba duro y erecto, con una necesidad urgente. Pero disfrutaba deseándola. Le encantaba lo que Dahlia hacía con su cuerpo y cómo conseguía darle un placer absoluto. Nunca importaba dónde estaban o qué estaban haciendo; ella podía moverse de determinada forma y el aire entre ellos crujía con tensión sexual de inmediato.

La fascinante boca de Dahlia dibujó una pequeña y seductora sonrisa.

—¿En serio? Me encantan tus pequeñas trampas. Llevo aquí casi dos semanas.

—Sí, eres mi prisionera. Te tengo justo donde quiero. —Bebió un sorbo de limonada de fresa y se lamió el labio inferior para que no cayera ni una gota—. Y no pretendo soltarte.

—¡Eso no es justo! Sabes que estoy enganchada a esa bebida.

—Y está muy fría, como te gusta —la tentó. Bebió otro sorbo muy despacio y dejó que las gotas que resbalaban por el vaso le cayeran en el cuerpo. Dahlia siguió las gotas con la mirada y, de repente, su mirada ardió en llamas.

—¿Sabes qué creo? Que estás intentando que me olvide de que llevo dos semanas viviendo en tu casa y no he hecho otra cosa que jugar.

Corría las horas que quería por los estrechos caminos de la enorme y montañosa propiedad. Se pasaba horas nadando en la piscina, sintiéndose terriblemente decadente. Entrenaban juntos en el gimnasio y peleaban en el dojo. Y hacían el amor por todas partes. Donde él quería, o donde ella quería. O cuando las emociones eran tan intensas que tenían que complacerlas. A veces, era un acto oscuro y apasionado y, otras, era algo increíblemente tierno y delicado.

—Creo que tienes razón —reconoció Nicolas sin el menor remordimiento—. Estabas muy preocupada por si no podríamos vivir juntos, pero estás aquí y no nos ha ido mal.

Ella se rió. El sonido lo alegró y lo desconcertó, como siempre. El aire crepitó. Oyó cómo el sonido se mezclaba con su sonrisa y la necesidad por tenerla debajo de él gritando su nombre creció. Descubrieron que se retroalimentaban la energía sexual y habían aprendido a dejar que fluyera por ellos y a través de ellos sin resistirse a ella. La utilizaban. La disfrutaban.

—Creo que quieres llevarme a algún sitio, Nicolas.

—¿Me estás acusando de tener segundas intenciones?

Dahlia se acercó. Las crestas de sus pechos se balanceaban de forma seductora. A Nicolas le parecía una exótica ninfa acuática, una sirena que lo llamaba continuamente. Y a él le encantaba responder a su llamada. Ahora lo estaba llamando con cada movimiento de su cuerpo. Dahlia no era tímida, y el acto sexual no la inhibía lo más mínimo. Disfrutaba del cuerpo de Nicolas tanto como él disfrutaba del suyo, y se lo hacía saber.

Él dejó el vaso en el borde de la piscina, fuera de su alcance. Ella mordió el anzuelo y levantó un brazo para que él la sacara. El agua le resbaló por el cuerpo y dejó un rastro de gotas. Se tendió bocabajo en la colchoneta que él siempre le dejaba para que tomara el sol y alargó el brazo para coger el vaso. La acción estiró su cuerpo y le ofreció a Nicolas una agradable vista lateral del pecho redondeado y una visión perfecta de la deliciosa curva de su culo. Él se inclinó muy despacio y le quitó el pequeño charco de agua que se le había acumulado al final de la espalda. Y luego deslizó la mano por las femeninas montañas de sus nalgas.

Dahlia sonrió.

—Me encanta esta limonada. —Se estremeció bajo sus caricias. La lengua de Nicolas recorrió los huecos de su espalda y siguió descendiendo. —¡Eh! —Fue una queja sin demasiado énfasis cuando empezó a mordisquearla, pero se quedó quieta y absorbió la sensación de su boca y sus manos mientras se tomaba su tiempo para explorarle el cuerpo, dándole pequeños mordiscos de amor y lamiéndola con la lengua. Ella cerró los ojos y apoyó la cabeza en los brazos, con los dedos aferrados al vaso de limonada.

Nicolas le masajeó las piernas y le relajó los músculos con los dedos. El sol le calentaba el cuerpo y el viento la acariciaba, añadiendo placer a aquel momento.

—Date la vuelta, *kiciciyapi mitawa*. —La voz de Nicolas tenía la nota ronca de siempre que la llamaba «mi corazón». Esa simple nota conseguía derretir el cuerpo entero de Dahlia en un segundo.

Ella mantuvo los ojos cerrados.

—Si me doy la vuelta, te saldrás con la tuya. Prefiero quedarme así y saber lo mucho que me deseas.

Él se inclinó, le dio un beso en el hueco del cuello y luego dejó un rastro de besos por la espalda.

—Voy a salirme con la mía de todas formas.

—¿Ah sí? —Dahlia se movió, se dio la vuelta despacio, con el cuerpo de Nicolas encima del suyo, de modo que estaban piel con piel. El dolor en los pechos aumentó. Y el latido en la entrepierna fue más insistente. Nicolas tenía la espalda ancha y le bloqueaba el sol. El deseo estaba reflejado en sus ojos negros. Ella le recorrió la línea de la mandíbula con sus dedos amorosos—. ¿Y yo no tengo nada que decir en todo esto?

—No —respondió él—. Todo esto es mío. —Tenían las caras muy cerca y el aliento cálido de Nicolas le erizaba la piel. La besó. Un beso largo y apasionado que le transmitió que sus gestos moderados de hasta ahora sólo eran una fachada. Por dentro, estaba hirviendo y la erupción volcánica era inminente. Dahlia le acarició el estómago con la yema de los dedos. Sonrió cuando notó su reacción, la tensión de sus músculos, el endurecimiento de su verga contra su muslo.

Él le apartó las manos, le quitó el vaso de limonada y lo inclinó hasta que el líquido helado le cayó encima de la barriga. Empezó a perseguirlo con la boca, a lamerle la piel desnuda, debajo del pecho, las costillas, el estómago y el ombligo hasta que Dahlia levantó las caderas buscando más.

Él le agarró los muslos con el brazo.

—No te muevas. Quiero darme un gustazo.

Dahlia se quedó tendida con los brazos encima de la cabeza y el cuerpo abierto a su exploración. Le encantaba cuando se ponía así.

—Adelante, ¿quién soy yo para negarte la diversión?

Él le separó los muslos y colocó la mano en su calor. Quizá fue un poco brusco, un poco duro cuando le masajeó las piernas y buscó los pliegues húmedos y cálidos con los dedos, pero el cuerpo y el corazón de Dahlia siempre querían más.

Dahlia podía saborear su propia excitación sexual, abierta para él bajo el sol como una ofrenda mientras su lengua descendía, seduciéndola y tentándola, reclamando su cuerpo como su propiedad. Siempre le hacía sentir que le pertenecía. Y que él le pertenecía a ella. Se estremeció cuando la lengua descendió; él la sujetaba inmóvil con su cuerpo mucho más fuerte. Siempre la hacía sentirse segura y excitada; jamás vulnerable.

Él la lamió como si estuviera rellena de miel y necesitara hasta la última gota para sobrevivir. Ella emitió un pequeño sonido. Intentó empujar contra su boca, pero él la tenía muy bien agarrada por las caderas y se lo impidió. Él le mordisqueó la tierna carne de la parte interior de los muslos. Le levantó las caderas, la acercó a él y notó cómo su apetito sexual aumentaba. La energía fluía a su alrededor y se acumulaba en torno a ellos.

Dahlia la reconoció, la aceptó y permitió que se apoderara de ella, que la invadiera con la misma sensación de necesidad. Le dolían tanto los pechos que tuvo que agarrárselos. Enseguida, él le apartó las manos y se apoderó de sus pechos, reclamándolos como suyos. La succionó, al mismo ritmo que los dedos, que la penetraban y que despertaban sus sentidos.

La excitación se apoderó de ella y estaba tan húmeda y abierta que apenas pudo contener un grito. Se agarró a su pelo e intentó tirar de él, levantarlo y conseguir que la penetrara.

—Te deseo tanto, Nicolas. Date prisa.

Aquella súplica sin aliento sólo alimentó más el deseo de Nicolas. La esquiva Dahlia. Se negaba a comprometerse con él. A veces, lo volvía loco. Quería unirla a él, aunque todo lo que tuviera fuera la tormenta sexual que ninguno de los dos conseguía apaciguar por completo. Dahlia se movió debajo de él como seda caliente. Sabía a miel y a fresa. Demostraba el mismo deseo que él y nunca le negaba nada. Y, sin embargo, Nicolas siempre tenía la sensación de que se le escurría entre los dedos.

Levantó la cabeza para mirarla a la cara. Su gesto reflejaba la excitación sexual, igual que sabía que reflejaba el suyo.

—Cásate conmigo, Dahlia. Quédate conmigo para siempre.

Ella se quedó inmóvil bajo sus manos y su boca. Nicolas no podía creerse que se le hubiera escapado sabiendo que ella no estaba preparada. Descendió la boca hasta su pecho, le lamió el pezón y lo succionó, mientras la penetraba más con los dedos.

La mirada de Dahlia estaba fija en las llamas que bailaban alrededor de la piscina. Intentaban reservar el sexo más salvaje para cuando estaban al aire libre y cerca del agua, porque era más seguro.

—¿Estás seguro, Nicolas?

Él se quedó igual de inmóvil y la miró. Sorprendido. La esperanza era algo terrible que se estaba abriendo camino en su corazón y en su alma.

—Sabes que te quiero, Dahlia. No quiero estar nunca sin ti.

—¿Y si no podemos tener una familia? —dijo y levantó las caderas contra sus dedos; quería tenerlo dentro. Estaba desesperada.

—Seremos nuestra propia familia. —El corazón le latía con fuerza y su cuerpo estaba a punto de estallar.

Ella hizo una mueca contra su mano.

—Te daré una respuesta cuando estés dentro de mí.

Él no esperó. No podía esperar porque, si no la tomaba allí mismo, perdería el control. La agarró por las caderas y la pegó a él, hizo que lo rodeara con las piernas para poder deslizarse por su húmedo canal. La penetró con fuerza y la agarró de los tobillos para que lo rodeara con las piernas. La colchoneta era poco elástica y podía hacer palanca encima de ella, con embistes largos y profundos. Enseguida se perdió en el infierno de su cuerpo. La cordura siempre desaparecía cuando la penetraba, cuando ella elevaba las caderas para salir a buscarlo, cuando se abría más para recibirlo entero.

A Nicolas le encantaba tenerla así, mirándolo y con los pechos sacudiéndose con cada embestida. Era tan preciosa. Tan real. Sus músculos se aferraron a él y lo apretaron hasta que creyó que iba a perder la cabeza. Nicolas oyó cómo su mente le repetía una y otra vez: *Di que sí, dime que me quieres igual que yo*. No podía hablar, no podía articular ni una palabra cuando ella estaba exprimiendo hasta la última gota de placer de su cuerpo.

El cuerpo de Dahlia se movía a un ritmo perfecto con el suyo. La rodeó, la penetró y la adoró. Ella lo deseaba con las mismas ganas. Y no sólo su cuerpo, por muy espectacular que fuera, sino las dos caras de su naturaleza, la salvaje y ruda y la amable y tierna. Ahora era brusco, con las manos rudas y le calvaba los dedos en la carne mientras la energía disfrutaba con la ferocidad de su acto sexual. Ella estaba a su altura, le clavaba las uñas y gritaba pidiendo más. Le transmitía el mismo deseo apasionado que él a ella.

Dahlia notó cómo el orgasmo se apoderaba de ella y dejaba atrás el placer para rozar el dolor. Luego, se agarró a él con fuerza y lo arrastró por el precipicio con ella. Gritó su respuesta y el aire explotó en su cuerpo mientras se sacudía de placer. Vieron cómo las chispas llovían sobre la piscina; una exhibición de fuegos artificiales espectacular. Las cenizas cayeron silbando hasta el agua. Se quedaron en silencio escuchando el crepitar de las llamas y se sonrieron.

Cuando Nicolas pudo volver a respirar, cuando su corazón dejó de latir con fuerza, se inclinó y le dio un beso en el ombligo.

—Has dicho que sí. —Lo susurró contra su estómago porque no quería mirarla. Sólo quería esperar.

Ella se aferró a su pelo.

—¿Vas a echármelo en cara cuando está claro que has utilizado métodos poco éticos?

Su risa fue de felicidad. De satisfacción. De ronroneo.

Nicolas subió hasta el pecho besándole la piel.

—Claro que sí. Soy de ese tipo de hombres.

—Bueno, pues supongo que vas a tener que aguantarme.

Nicolas mantuvo la cabeza agachada. No se atrevió a mirarla cuando el corazón le rebosaba felicidad. Con Dahlia, las emociones siempre se amplificaban. Siempre eran intensas.

—Supongo que sí. —Tenía la voz ronca, pero consiguió hablar—. Te quiero, Dahlia. No te arrepentirás.

La risa de Dahlia resonó en todo su cuerpo.

—No me preocupo por mí.

Nicolas la besó porque tenía que hacerlo. Se terminaron lo que quedaba de limonada y se quedaron tendidos al sol, uno al lado del otro. Nicolas la tenía rodeada con el brazo.

—He pensado que podríamos visitar a Lily la semana que viene. Está impaciente por verte y no me gusta darle largas.

Lo dijo como si nada, pero notó cómo ella se tensaba.

—No lo sé.

No dijo nada más, pero Nicolas reconoció el miedo en su voz.

—Ryland ha dicho que, si no vamos pronto, vendrán ellos. Significa mucho para ella, Dahlia, y puede enseñarte los ejercicios que nos obliga a hacer cada día para fortalecer las barreras.

—Puedes enseñármelos tú —respondió ella.

—Cierto, pero Lily puede diseñar algunos pensados especialmente para contener la energía. —No tenía ni idea de si Lily podía realmente hacer eso, pero le pareció que había muchas posibilidades de que sí.

—De acuerdo. Iré. Pero, si quemo la casa y te dejo en evidencia delante de tu amigo Ryland y los demás Soldados Fantasma, igualmente te casarás conmigo.

No lo estaba mirando, pero Nicolas supo que, a pesar de haberlo dicho con una sonrisa, estaba expresando un miedo real.

Volvió a colocarse encima de ella y encerró su cuerpo pequeño y frágil debajo del suyo. Le agarró la cara entre las manos y la besó. Le obligó a separar los labios con la lengua y le llenó de amor la boca, la garganta y el cuerpo.

—Te lo prometo —dijo, con sinceridad.

—No puedo hacerlo, Nicolas —dijo Dahlia.

Estaba tan pálida que Nicolas estaba seguro de que iba a desmayarse. Estaban parados frente a la enorme verja de la mansión y él había sacado la mano por la ventana para introducir el código de acceso.

Dahlia tenía una mano en el pomo de la puerta, dispuesta a salir corriendo. Lo miró con los ojos muy grandes.

—En serio, Nicolas, no puedo. Marchémonos antes de que alguien vea que estamos aquí.

Nicolas saludó a la cámara de seguridad, porque sabía que Arly, el jefe de seguridad de Lily, ya los habría visto, identificado y anotado el número de la matrícula. Las verjas se abrieron muy despacio y ella contuvo el aliento hasta que él creyó que iba a desmayarse.

—Nunca te había visto así, Dahlia. —La agarró de la mano para tranquilizarla—. Lily ha esperado mucho tiempo para verte. Iba a venir a casa, y podría haberlo hecho, pero dijiste que querías venir y ver qué recordabas —le recordó con una voz muy suave.

—Lo sé. Es que nunca pensé que me sentiría así. —Se aferró a sus dedos y los apretó—. Casi no puedo respirar.

Dahlia miró a su alrededor, a los exuberantes jardines con flores de todos los colores que se peleaban por el espacio. Creía que recordaría la casa y los alrededores, pero no recordaba nada. Sólo podía sentarse temblando, y esperar a ver a Lily. Quería creer que Lily era real y no un producto de su imaginación infantil que se había creado a partir de la desesperación y las ganas de tener una persona que la quisiera en su vida. Si Lily la rechazaba, no estaba segura de que pudiera sobrevivir.

Cuando el coche avanzó por el amplio camino de entrada, vio a una mujer de pie delante de la impresionante mansión. Esa casa, con el diseño gigantesco y las numerosas alas, estaría mejor en Europa. Dahlia vio cómo la mujer se protegía los ojos del sol con la mano y se agarraba al hombre que estaba a su lado. Él la rodeó con el brazo.

—Es Lily, ¿verdad?

Lily. Era preciosa y muy real. Dahlia casi no reconoció su voz. Sujetó la mano de Nicolas con fuerza.

—Sí, con su marido Ryland. —Nicolas quería abrazarla y protegerla. Estaba temblando de emoción, lo estaba agarrando con fuerza y le veía el pulso acelerado en el cuello. Estaba pálida, con los ojos enormes. Casi demasiado grandes para su cara—. *Tekihila*, mi amor, te adorará. ¿Cómo no iba a hacerlo?

Dahlia seguía creyendo que no era merecedora de amor. Vio la duda en sus ojos cada vez que lo miraba. La confianza en su relación había crecido durante las dos semanas que habían estado solos en su casa, pero venir a casa de Lily la había sacudido un poco.

Nicolas detuvo el coche y casi no había apagado el motor cuando Lily bajó las escaleras corriendo hacia ellos.

—Cojea —dijo Dahlia.

—Un accidente, de pequeña —respondió Nicolas—. Durante un experimento.

Fueron las palabras necesarias para conseguir que saliera del coche y se lanzara a los brazos de Lily. Nicolas salió también y aceptó la mano que Ryland le ofrecía. Éste lo acercó, le dio un abrazo de guerrero y lo soltó de golpe.

—Lleva toda la mañana que no da pie con bola —le dijo—. Nunca la había visto así. Incluso ha dado órdenes contrarias al servicio. Inaudito.

—Dahlia está igual. Pensé que no llegaríamos. Es un manojo de nervios. Tiene mucho miedo de herir a alguien o de, como mínimo, provocar un incendio.

—Créeme, a Lily no podría importarle menos. Creo que Dahlia es como una hermana que perdió hace tiempo.

—Dahlia siente lo mismo —dijo Nicolas—. ¿Alguna novedad sobre Trevor Billings? ¿El NCIS ha terminado la investigación? El almirante vino hace un par de semanas, pero no hemos sabido de él desde entonces.

Ryland meneó la cabeza.

—No está terminada del todo. Detuvieron a Billings y, por supuesto, lo despidieron de Lombard. La empresa niega ser conocedora de lo que Billings hacía y siguen investigando. Los abogados le han pasado la patata caliente a él. Quieren que la empresa salga de este lío sin una mancha en el historial.

—Es posible que no supieran lo que estaba haciendo —comentó Nicolas.

—Posible sí, pero es poco probable que nadie de los de arriba tuviera conocimiento de ello —dijo Ryland—. En cualquier caso, no es problema tuyo —añadió y rodeó a Lily con el brazo, una señal de que había llegado la hora de las presentaciones.

Lily se separó de los brazos de Dahlia, con las mejillas llenas de lágrimas.

—Dahlia, te presento a mi marido, Ryland Miller. También es un Soldado Fantasma.

Ryland ignoró la mano que Dahlia le ofreció y la abrazó con fuerza, haciendo caso omiso de sus pequeñas dudas.

—Es un placer conocer por fin a la mujer que ha conquistado a Nicolas.

Eso la hizo reír.

—¿He hecho eso?

—Eso dice él —respondió Ryland, que secó las lágrimas de Lily y se inclinó para darle un beso en la comisura de los labios.

Ese pequeño gesto conquistó el corazón de Dahlia. No podía dejar de mirar a Lily, a esa querida cara y los ojos que recordaba. Y Lily la estaba mirando igual.

Nicolas la agarró por la cintura.

—Sabes que sí.

—¿Estás preparada para entrar en la casa, Dahlia? —preguntó Lily, con incerteza—. No quiero que hagas nada que te incomode. Se nos da muy bien proteger nuestras emociones, así te evitaremos la sobrecarga, pero enfrentarte a la casa quizá sea demasiado.

Dahlia meneó la cabeza.

—Creí que recordaría mucho más. De momento, no me suena nada.

Lily la tomó de la mano.

—La habitación sí que te sonará. En cuanto descubrí su laboratorio secreto, reconocí nuestras habitaciones. No lo había recordado hasta ese momento. No quiero que te sientas confusa, violada y sola como me sentí yo. Si no te importa, quiero estar contigo.

—He venido a verte, Lily. Ya hice las paces con mi pasado.

Dahlia no estaba segura de que fuera del todo cierto. Quería que lo fuera. Ahora que tenía a Lily ahí delante, no estaba segura de si quería enfrentarse a su pasado. Tenía un futuro. Todavía tenía un pie en la calle y pensó que su relación con Nicolas podía ser tentadora, pero sabía que él estaba completamente comprometido y que haría lo que pudiera para ayudarla. Había pensado que tener a Nicolas bastaría. Pero ahora quería una familia. Quería formar parte de algo y los Soldados Fantasma la estaban recibiendo con los brazos abiertos y la estaban tratando como a un miembro muy apreciado. Y también estaba Lily. La maravillosa Lily.

—¿Has hablado con Jesse Calhoun? —preguntó Lily mientras daban media vuelta para entrar en la casa.

Dahlia ignoró el repentino vuelco de su corazón.

—Sí, varias veces. Está muy animado. Me ha dicho que siempre ha escrito canciones y que piensa seguir haciéndolo. Mencionó algo de comprar una emisora de radio en su ciudad natal. Piensa regresar en cuanto le den el alta. No me lo ha dicho, pero el director me comentó que no volverá a andar.

—He hablado con él varias veces y ya he empezado a trabajar con él para que construya barreras mentales. —Lily suspiró—. Es una tragedia. Jesse es un buen hombre. Ryland y yo hemos pasado muchos ratos con él. No deja que nada lo desanime. Sé que saldrá adelante, pero es muy triste.

—Quien me da lástima es Martin Howard —dijo Dahlia—. Quería a su hermano. Lo vi en su cara. Creo que habría dejado que lo matara.

Nicolas le dio un beso en la sien. Dahlia había estado tan cerca de Roman Howard que Nicolas tenía el corazón en la boca. No se había atrevido a quitar la vista de encima del objetivo y no había podido protegerla de la energía violenta que la había consumido. No quería volver a sentirse tan impotente nunca más.

—No lo habría permitido —dijo, como si nada, alejando de su cabeza la imagen de las convulsiones de Dahlia y el miedo por las secuelas que podrían quedarle tras su respuesta física a la violencia.

Cruzaron la enorme y laboriosamente esculpida puerta de roble y accedieron al recibidor de la casa. Dahlia descubrió que tenía la boca seca. Había una mujer mayor de pie, con aire incierto, frotándose las manos y sonriendo, aunque parecía que estaba a punto de llorar.

—Dahlia, te presento a Rosa. Ha sido como una madre para mí durante todos estos años y se encarga de la casa —dijo Lily.

Dahlia no reconoció a la mujer, pero el nombre sí que despertó algunos recuerdos. Una enfermera llamada Rosa que siempre se encargaba de Lily. Milly se encargaba de Dahlia y Rosa se encargaba de Lily.

—Es un placer conocerla —murmuró a través del nudo en la garganta. No podía decidir cómo se sentía. Las emociones se acumulaban no sabía dónde y le pedían que las identificara, pero era lo último que Dahlia quería. No iba a provocar un incendio en casa de Lily.

—Me alegro de que haya vuelto con nosotros, señorita Dahlia —respondió Rosa.

La voz estaba en su cabeza. La recordaba llamando a Lily, separándolas en mitad de la noche. Recordaba el dolor de cabeza, casi como si se la abrieran y le introdujeran cristales en el cerebro. Su temperatura empezó a subir de inmediato, así como la presión en su pecho. Dahlia se detuvo.

—Quizás esto no sea tan buena idea. Puede ser peligroso.

—Esta casa nos pertenece a todos, Dahlia —dijo Lily, con firmeza—. Ha resistido todos nuestros problemas, y también resistirá los tuyos. ¿Verdad, Rosa?

—Por supuesto. ¿Puedo ofrecerle algo para beber o comer?

Dahlia meneó la cabeza. Si intentaba comer algo, seguro que lo vomitaría.

Por lo visto, Lily sabía cómo se sentía. Querían terminar con aquello. Llevó a Dahlia y a Nicolas hasta la habitación que había sido el despacho de su padre. La puerta estaba cerrada con llave.

—No dejo que entre nadie —explicó Lily—. Hay demasiados documentos importantes.

Se acercó a un precioso reloj de pie y abrió la puerta de cristal.

—Si esto es demasiado difícil, Lily... —empezó Dahlia.

—No, quiero que lo veas. Ayuda no haber sido la única. Empezamos juntas. Ahora te he encontrado y, entre las dos, encontraremos a las demás.

El reloj reveló una puerta secreta. Después, otra en el suelo.

El corazón de Dahlia latía descontrolado. Por un momento, no podía moverse. Lily empezó a bajar las escaleras y le habló por encima del hombro.

—Puedo ayudarte a la hora de protegerte de la cantidad de energía que atraes. No toda, pero deberías poder estar en público, quizás ir al teatro de vez en cuando o de compras con otras personas en la tienda.

Nicolas le tomó la mano y se la pegó al pecho, dispuesto a sacarla de la casa en cuanto ella le indicara que todo aquello era demasiado.

Con el contacto de Nicolas, Dahlia podía mantener a raya las emociones.

—¿Cómo? He trabajado toda mi vida para intentar controlarlo, Lily —preguntó Dahlia que, aunque quería soñar, no se atrevía—. Todos parecéis tener mucho control.

No descendió las escaleras. Vio cómo Ryland bajaba tras ella.

—Todos sufrimos dolores de cabeza y otras repercusiones físicas cuando utilizamos nuestros talentos, pero tú eres el primer imán de energía —contestó Lily—. Yo no sabía que habían experimentado conmigo y creí que mi padre había construido esta enorme mansión con las paredes gruesas y aisladas para protegerme. Pero como es obvio, básicamente estaba protegiendo sus experimentos.

Se detuvo al final de la escalera y se volvió para mirar a Dahlia.

—Debió de ser terrible para ti descubrir la verdad —dijo Dahlia.

Se ponía enferma al pensar en el momento en que Lily descubrió las cintas de su terrible infancia. Nicolas le había explicado que había empezado a buscar entre los documentos de su padre una forma para salvarlos y que había descubierto las pruebas de su traición. Se ponía enferma ante la idea de tener que mirar esas cintas con Lily.

—No tienes que hacerlo —le recordó Nicolas.

Dahlia respiró hondo. Sí que tenía que hacerlo. El doctor Peter Whitney era el monstruo de sus pesadillas. Había llegado a pensar que estaba loca porque recordaba perfectamente algunos aspectos de aquel laboratorio y, sin embargo, le habían repetido miles de veces que no había existido. Pero, básicamente, tenía que acudir a la llamada de su pasado porque Lily estaba allí. Quería a Lily en su vida. Quería que fuera su familia. Y quería ayudarla a encontrar a las otras chicas con las que habían experimentado. No podía soportar la idea de que estuvieran allí fuera, solas, pensando que estaban locas. Todo había empezado en el laboratorio del sótano y tenía que enfrentarse a él. Colocó un pie en el estrecho escalón y empezó a bajar.

Observó la enorme pared de cristal polarizado. La puerta que llevaba a las pequeñas habitaciones. De forma instintiva, se colocó la mano encima de la garganta.

—Es real. No estoy loca.

Lily la abrazó.

—Claro que no estás loca. Tengo todas las cintas de nuestra infancia. Tengo investigadores buscando a las otras chicas. Y creo que he encontrado a una. Todavía no estamos seguros, pero es una posibilidad. Te lo enseñaré todo.

—¿Te acuerdas de las demás? He estado intentando recordarlas. Llama, con el pelo rojo. La recuerdo perfectamente.

—Iris —confirmó Lily—. Y luego estaba Tansy. Era muy callada e introvertida.

—Exacto. —Sentía alivio. Recordaba a las otras chicas. Niñas, cada una con su enfermera—. Y también estaba la más pequeña, Jonquille. Era tan menuda. Y Laurel. ¿Y quién más?

—¿No había una Rose? Recuerdo su risa.

Dahlia asintió. No se oían demasiadas risas en el laboratorio. Debería haberse acordado de Rose.

—Y sé que hay más.

—Las recordaremos juntas —la consoló Lily—. Buscaremos todas las cintas y las encontraremos.

Se miraron y sonrieron. Lily le ofreció una mano y Dahlia la aceptó.

—Me alegro mucho de que hayas venido. Ryland es maravilloso, y lo quiero mucho, pero a veces me siento sola. Tú haces que esa soledad desaparezca.

—Yo siento exactamente lo mismo —admitió Dahlia—. ¿Aquí es donde el doctor Whitney trajo a Jesse y a los demás cuando experimentó con ellos?

Lily asintió.

—No quería que el coronel Higgins se enterara. Sospechaba que

Higgins estaba intentando acabar con los Soldados Fantasma y quería asegurarse de que su experimento se llevaba a cabo.

—Básicamente, el doctor Whitney utilizó a mi equipo como cebo para esconder al otro grupo. Trabajaba en este laboratorio y los hombres entraban y salían por los túneles —explicó Ryland.

Dahlia alargó la mano hacia Nicolas.

—De modo que, si moríais, todavía tendría a alguien con quien llevar a cabo su investigación. —Contuvo el resto de pensamientos cuando vio la cara de Lily—. Lo siento, sé que debías de quererlo.

Lily se inclinó hacia Ryland en busca de consuelo.

—Pienso en él como en dos personas distintas. El monstruo que nos hizo esto a nosotros y a los hombres, y el hombre que era mi padre.

—¿Has encontrado los resultados de su investigación con Calhoun y los demás? —preguntó Nicolas.

Lily asintió.

—Hace un par de días. Todavía no los he revisado, pero cuando lo haga, podré localizar todos los problemas y prepararles programas de ejercicios. —Se volvió hacia Dahlia—. Igual que haré contigo.

Dahlia levantó la cabeza hacia Nicolas, su roca, su ancla. El hombre que le había dado una vida, y ahora también una familia. Le rodeó el cuello, su primera demostración de afecto realmente espontánea delante de los demás.

—Gracias. Gracias por devolverme la vida.

Él la besó, ignorando la sonrisa estúpida de Ryland y la mirada de complacencia de Lily.

—Te quiero, Dahlia Le Blanc. Y siempre te querré.

Ella lo miró con aquellos ojos negros.

—Eso está bien, porque yo también te quiero mucho, Nicolas Trevane. Y si juegas con mis sentimientos, estarás jugando con fuego. Literalmente.

Agradecimientos

Nunca habría podido escribir este libro sin dos maravillosos hombres. Me gustaría agradecer a Morey Sparks toda la ayuda y las horas que ha compartido conmigo hablándome de sus experiencias en el ejército. No siempre fue fácil, y se lo agradezco.

Y quiero dar las gracias especialmente al doctor Christopher Tong, coeditor de la especializada *Artificial Intelligence in Engineering Design* (volúmenes I, II, y III). También ha publicado otros títulos, como *Beyond Believing, You CAN Take It With You* o *Beyond Spiritual Correctness*. Ha sido director, asesor, profesor e investigador en reconocidas instituciones, incluyendo Rutgers, MIT, el Centro de investigación Thomas J. Watson IBM, el Centro de investigación Xerox de Palo Alto y el centro de investigación Siemens. Su ayuda para escribir este libro ha sido inestimable.

www.titania.org

Visite nuestro sitio web y descubra cómo ganar
premios leyendo fabulosas historias.

Además, sin salir de su casa, podrá conocer
las últimas novedades de
Susan King, Jo Beverley o Mary Jo Putney,
entre otras excelentes escritoras.

Escoja, sin compromiso y con tranquilidad,
la historia que más le seduzca
leyendo el primer capítulo de cualquier libro
de Titania.

Vote por su libro preferido y envíe su opinión
para informar a otros lectores.

Y mucho más...